De l'esclavage aux Comores.
Tome 2 : L'influence des Makua dans la société

Collection « Tarehi »

1. Mahmoud IBRAHIME, Saïd Mohamed Cheikh (1904-1970). Parcours d'un conser-vateur. Une histoire des Comores au XXe siècle, 2008-2015, 290 p.

2. Mahmoud IBRAHIME, Saïd Mohamed Cheikh. Un notable comorien au Palais bourbon (1945-1961). Analyse de discours, mars 2015, 162 p.

3. Ibouroi ALI TABIBOU, De l'esclavage aux Comores. T.1. Histoire et Mé-moire, no-vembre 2017, 208p.

4. Ibouroi ALI TABIBOU, De l'esclavage aux Comores. T.2. L'influence des Makua dans la société, novembre 2017, 229p.

Dernières publications en Sciences-humaines

LAHER, *Sur mes traces*, janvier 2017.
SAIF Youssouf Ahamada, *Naufrages au large de Mayotte*, février 2017.

Ibouroi ALI TABIBOU

De l'esclavage aux Comores.
Tome 2 : L'influence des Makua dans la société

Cœlacanthe
http://www.editions-coelacanthe.com
eds.coelacanthe@gmail.com

© Cœlacanthe, octobre 2017
ISBN : 979-10-91275-55-2
EAN : 9791091275552

Jusqu'au XIXe siècle, la traite et l'esclavage ont joué un rôle important dans les mouvements de population à travers l'océan Indien, notamment dans l'économie et le peuplement des Mascareignes. Aux Comores, ce trafic a vu son importance croître et l'essor du système de plantation a provoqué d'importants flux négriers, ce qui est lié avec ce qui s'est passé au XIXe siècle en Afrique de l'Est. La traite s'est alors amplifiée[1].

Il paraît nécessaire de relever la problématique soulevée par Gevrey[2], il y a quelques années et qui ne semblait pas avoir d'intérêt pour certains. Elle consiste à distinguer dans la population comorienne les différentes ethnies présentes. Leur description morphologique est censée conduire à la découverte des origines des Comoriens.

Les questionnements d'Alpers, pour mieux distinguer les divers groupes composant les éléments noirs de la population comorienne, ont un intérêt manifeste et répondent à cette préoccupation. C'est dans ce travail un critère fondamental pour déterminer les groupes de population qui sont arrivés comme esclaves et dire pourquoi ce sont seulement les Makua qui continuent d'être les victimes d'un ostracisme tenace. Il ne serait pas inutile de tenter de trouver dans la population comorienne des ethnies discernables par leurs traits morphologiques comme les Nyamwezi, les Shambara ou d'autres, cités par Alpers. Aussi, un colon de la place cite les Zoulous[3] tout en parlant de l'impérieuse nécessité pour ces groupes d'étrangers de se rassembler dans un réflexe d'autodéfense.

À la question de savoir si ces personnes sont venues d'Afrique de leur propre volonté ou parce qu'elles y ont été forcées, voici quelques réponses : « Les Makua sont emmenés de force aux Comores. Ils sont arrivés quand le *mzungu* a pris possession de l'île [de la Grande-Comore] et qu'il a voulu l'exploiter. C'est Saïd Ali qui lui a donné cette autorité. À l'époque de Baumer aussi, les Makua ont été nombreux pour travailler. Voilà comment ils sont arrivés ici. Ils commencent à se rendre compte, car certains d'entre eux étaient des chefs de travaux. Certains ont été prisonniers dans notre pays, loin du leur. Et le nôtre était une forêt. Ils vivaient dans des villages que je connais : Boboni, Pidjani [Mbadjini], dans les hauteurs de Nyambeni [Mbadjini]. Malheureusement, dans ce village, il ne reste que des traces »[4].

Dans l'île d'Anjouan, Pomoni (sud-ouest), Patsy (centre) et Bambao (est) forment l'épicentre de toute l'économie de l'île, voire du pays. Tumpa et Lopa

---

1. Flobert Thierry, Evolution juridique et socio-politique de l'Archipel des Comores, p.262-263. Traite sur la côte africaine.
2. Sultan Chouzour, 1994, p.88.
3. Mohamed Moilimou (Mohamed Toilouta Moilimou), originaire de Duniyani ya Mbude, parle de Maasaï qui auraient également été introduits.
4. Aboudou Mwedha, 80 ans, Ntsudjini.

venaient tous deux du Mozambique. La longue période qui s'étend du XIIe siècle au XIX_e siècle explique la domination arabe et la marginalisation qui s'en est suivie. Paje a été cédé par un colon et appartient aujourd'hui à la famille Mohamed Ahmed[1]. Tous ceux qui y résident sont vus comme des « étrangers »[2].

« Jusqu'à maintenant, il y a des familles entières présentant des traits caractéristiques de leurs origines africaines. Deux à trois fois, faisant escale à Nairobi lors de voyages, des gens travaillant à l'aéroport m'accueillaient par «Oh ! my brother, how are you ?» », déclare un cadre comorien. D'après lui, ces Kenyans étaient sincères, ils ne voyaient aucune différence entre eux et lui. En Afrique de l'Est, un Comorien se sent comme chez lui ; il est, en tout cas, dans son milieu. C'est un aspect qu'il faudrait valoriser aujourd'hui. Il conviendrait aussi d'apprendre l'histoire pour mieux l'enseigner aux nouvelles générations. L'esclavage est un fléau, un accident majeur dont nous sommes victimes, ainsi que de beaucoup d'autres choses. Nous sommes même culpabilisés.

La transformation sociale a posé problème, car elle demandait un savoir-faire à travers le développement du transport, le commerce, les écoles... Il y a évidemment eu intégration des catégories sociales, généralement par harmonisation des classes, via des procédés administratifs édictés par le colonisateur.

L'organisation sociale était fondée sur le modèle ancestral, où le système des clans persistait. L'organisation socio-spatiale qui prévalait a commencé à changer avec l'avènement de la colonisation : colons et nouveaux propriétaires ont utilisé un autre droit foncier à partir de la fin du XIXe siècle.

L'intégration des Makua et de leurs descendants dans la société n'a pas eu pour effet la constitution d'une caste distincte ; elle rappelle un passé récent, mais historique, lié à la venue des Européens. Ces derniers, ayant besoin de main-d'œuvre pour la mise en valeur des terres, ont acheté au Mozambique des Makua, qu'on retrouve dans chacune des îles de l'archipel. Ils se sont fondus dans la population en l'espace d'une ou deux générations. C'est un cas rare, mais il est possible de trouver des gens qui se plaignent d'être insultés sur leurs origines ! Les descendants de Makua préfèrent le silence et s'extraire pour ne pas rappeler une situation qui les a trop longtemps marginalisés. Ils ont l'avantage d'avoir la même couleur de peau et rien ne sert d'afficher des signes qui pourraient marquer leur origine.

Aujourd'hui encore, les descendants d'esclaves sont toujours méprisés. Les engagés entrent dans cette catégorie.

Après l'abolition de l'esclavage, « certains parmi ces engagés ont travaillé dans la police et dans la marine. Beaucoup se sont mêlés aux nobles », estime Damir Ben Ali. Selon la même source, « les plus nombreux, les plus riches, ceux

---

1. Paje est une ancienne propriété du colon Hébert, qui l'a vendue à Mohamed Ahmed. Cette famille serait originaire de Majuani, côté Sima.
2. ANSOM. 6 (8) D 22. Le mot étranger désigne ici les travailleurs introduits et venant du continent africain.

qui travaillaient dans les plantations, sont devenus peu à peu propriétaires de leurs terres. Les femmes seules devenaient des parents de seconde zone dans les familles nobles. Après l'abolition de l'esclavage, ils n'étaient plus esclaves, mais ils restaient une couche inférieure par rapport aux autres ».

Ici, ils ont créé des villages. Là, ils se sont mélangés aux autres. De nombreuses études révèlent l'existence, sous des formes diverses, de cette exploitation de l'homme, alimentant une espèce de dépréciation de ceux descendant de la catégorie des Makua. « La quasi-totalité des articles montre que des identités s'héritent d'une génération à l'autre et que, malgré l'affranchissement, des subordinations ou des allégeances sociales se transmettent à la descendance et servent toujours de cadre à la régulation, désormais de plus en plus conflictuelle, des rapports sociaux[1]. »

La société moderne actuelle vit-elle des craquements sourds et inévitables, où les émigrés apparaissent comme un facteur sûr parmi ceux qui éclaboussent les traditions, les us et coutumes, et qui la déstructurent ? Des mariages jadis inenvisageables se contractent ou en France ou aux Comores. M. Ali Toihir de Mdjwayezi, ancien employé à Nyumbadju, dans la région de Hambu, en Grande-Comore, est plus explicite : « Vos interlocuteurs comoriens disent la vérité aux Blancs de passage, car ils croient que ces derniers ne vont pas les divulguer ou s'ils le font, en tout cas, pas en leur présence. Ils n'ont rien en commun à se disputer alors qu'entre Comoriens, nous avons ce pays en héritage. Alors, vous dire la vérité, c'est vous accepter, c'est partager. Voilà pourquoi on ne vous dira pas la vérité »[2]. En effet, malgré la convivialité dont les Comoriens font montre, l'usage de formules telles que « ce sont nos parents, ce sont maintenant nos frères » ne trompe personne. Des hauts cadres rencontrés à ce sujet sont unanimes pour rappeler à demi-mots que les anciens esclaves restent dans la dépendance de leurs anciens maîtres, ce qui les oblige à les respecter et à les honorer ou à travailler pour leur compte. « L'actuel gardien de notre champ à Nkomiyoni est le fils d'un Makua que mon grand-père avait engagé afin de l'aider à échapper aux poursuites de la milice. Maintenant, lui et ses descendants appartiennent à la famille et personne ne fait référence à ses origines[3]. » Assoumani Issulahi Baba donne une liste des personnes de Mitsudje disposant d'un champ dans la même localité confié à un ancien Makua.

De nombreuses personnes ne ressentent aucune gêne à étaler leur filiation : pour elles, la mère ou le père vient de Bambao Mtsanga[4]. Et d'ajouter : «

---

1. BOTTE R., 2001, p.11.
2. M. Ali Toihir, habitant de Mjwayezi Hambu, connaît bien le milieu makua, car il en est « probablement » issu. Il a été un employé de Shongodunda jusqu'à la fermeture de l'atelier. Selon lui, le village de Mdjoiezi Hambou était un village d'accueil des makua. Mgomwa est de ceux-là. Son fils Lipvapvo wa Mgomwa porte un autre nom qui couvre bien son intégration après qu'il soit devenu un homme accompli qui compte parmi les notables de la ville. Il a fait le grand mariage.
3. Cadre originaire de Mitsudje disposant d'un champ à Nkomiyoni, où vivent de nombreux descendants de Makua.
4. Soulaimanan Combo, Mirontsy, Anjouan, 2011.

les habitants de Patsy et de Bambao Mtsanga sont similaires, on les appelle les wa-Shambara. En cas de mariage, il y a des cérémonies qu'on ne peut les voir ailleurs, sauf à Bambao la Mtsanga et à Patsy, le *garasisi* est une danse des wa-Shambara ». Cette question continue-t-elle d'influencer la mentalité du Comorien, pour qui le souci est de savoir si son vis-à-vis le regarde toujours comme un ancien descendant makua ou esclave ou si cet autre se taraude les méninges à l'idée que l'ancien esclave ou descendant de makua a connu une ascension sociale telle qu'il compte parmi les élites traditionnelles ?

Le passage d'un modèle de société à un autre, de la société féodale à la bourgeoise, laisse quelques individus frustrés à l'idée que de nouvelles valeurs laissent émerger une nouvelle élite. Pour eux, elle est constituée des anciens bouviers de Léon Humblot qui, après sa mort, se sont partagé les bœufs ; c'est le cas des Bwana Mze, des Heri..., qui ont ainsi amassé une petite fortune[1] avec laquelle, bien que Makua, ils n'ont pas eu de problèmes pour se marier dans les villages[2]. Finalement, les Grand-comoriens ont accepté les Makua. C'est la raison pour laquelle ils se sont bien intégrés.

Après Boboni, « les Makua sont restés sur le site, avec leurs femmes jusqu'à ce que certains d'entre eux meurent. Après, ils sont partis éparpillés. De là, ils sont allés à Budadju. Ceux-là sont en fait les Makua et leurs enfants ».

« Ils [les makua] venaient ici au village pour chercher des épouses et partaient avec elles à Boboni. Il y a eu aussi des cas où des hommes sont allés épouser des femmes makua à Boboni. Il amène sa femme à son village » (Cas évoqué par cet étudiant originaire de Mkazi)

« Kapvatsi hidwa » « le mariage a été accompli par tous. Il n'y avait rien de dégradant dans ces alliances. Parmi ceux que j'avais vus, un avait pris épouse ici au village, mais n'a pas eu d'enfants. C'est un personnage très influent, il avait épousé une fille de chez Mwinya Rume, il s'appelait Moindjié Mabroukou. Aussi, certaines personnes de ce village avaient épousé des Makua et vivaient avec elles à Boboni et à Shongodunda. » « Oui, ils faisaient eux aussi le grand-mariage comme les autres, leurs enfants aussi comme à Selea. Ils ont eu des enfants là-bas, leur mariage a eu lieu à Selea. Ils étaient nombreux à Budadju, Ndruwani, Daweni, c'est là où ils étaient nombreux. »

« Ce que j'ai vu de particulier chez eux, c'est le *mganja* seulement. En effet, lors de la célébration du mariage de Mze Mwendandze, ce jour, ils ont dansé le *tari*, *igwadu* ancien. C'est eux qui ont commencé à manger le hérisson ici aux Comores. »

Notre interlocuteur a prétendu avoir 106 ans quand nous avons réalisé cet entretien. Et lorsque nous lui avons demandé l'âge qu'il avait au moment de la déclaration d'indépendance, il a répondu avoir payé l'impôt à l'âge de 4 ans : « une fois, j'ai payé 100 frs. Après, on s'est rendu compte qu'il n'y a plus

---

1. Soulaimanan Combo, Mirontsy, Anjouan, 2011.
2. Jean Humblot, de mère comorienne, neveu de Léon Humblot, enquêtes de 2008, 2010 et 2011.

d'impôt à payer »

Des hauts cadres admettent la survivance du phénomène qui continue à diviser les Comoriens en deux groupes d'origine : le groupe des libres, dits Comoriens, et les descendants d'esclaves et Makua. Un cadre avec qui nous avons abordé la question a déclaré : « Il y a des descendants d'anciennes familles anjouanaises qui peuvent dire que leurs aïeux possédaient des esclaves. J'en connais qui dirait que son arrière-arrière-grand-père possédait environ une centaine d'esclaves. Mais arriver à savoir que c'est tel ou tel groupe paraît très difficile »[1].

Dans notre quête d'informations concernant les Makua et leur devenir, un des hauts responsables politiques de son temps n'a pas manqué de montrer l'origine de ses cousins, qui ont acquis notoriété et gloire à Moroni. « Feu leur père avait épousé une femme de Sélea[2]. » Ils sont toujours considérés comme descendants d'esclaves ! Le chemin est encore long. En 2001, à Mohéli, un notable s'en est pris à un jeune qui aspirait à un rôle politique en lui rappelant publiquement ses origines makua. Cette cohésion de la société n'est qu'apparente, le parcours est donc laborieux pour se faire accepter. Si le Premier ministre des Français, en 2000, a vu en la colonisation et par ricochet l'esclavage comme une chance, voire une bénédiction pour l'homme noir, c'est que l'Européen n'a pas fait son mea culpa et continue de raisonner comme ses ancêtres.

---

1. Swafaoui Ben Anfane, Domoni, Anjouan, entretien réalisé à Moroni.
2. Si N. E. S. I, 1989 à Moroni, requiert l'anonymat.

Chapitre 6.
Les facteurs de changements

Avec l'occupation française, l'histoire a été marquée par la force de l'occupant. Dans un territoire français, sous les tropiques[1], tous les administrateurs successifs se sont contentés d'entretenir et de préserver ce qui existait et ont négligé la tâche qui les attendait[2]. L'esclavage aboli, il restait à réglementer le travail[3]. Mais dans ce territoire, beaucoup reste à faire si on veut sortir du schéma classique du fonctionnement de la société, où les pratiques ancestrales persistent encore. Du point de vue social, l'évolution de la population a été entièrement liée à l'organisation des communautés villageoises, lesquelles ont absorbé les nouveaux venus jusqu'à les fondre dans la masse. Toujours est-il que sans état civil élaboré et fiable, c'est quelqu'un d'autre qui peut vous dire que celui-là est Makua, souvent au cours d'une dispute ou lorsque vous enquêtez et que vous posez la question à ceux, comme le dit si bien un professeur de philosophie, « qui sont restés dans l'éternel hier ». « Mmadi que vous étiez allé chercher est le fils d'Assoumani Baba. Ce sont les gens de Monsieur Humblot et de Charles Legros[4]. » La première génération de Makua a vécu avec cette blessure, tel que montré précédemment, et a décidé d'éviter cela à ses enfants. Une fois arrivée et installée en Grande-Comore, elle a changé de nom[5]. À Ntsoudjini, vivait le nommé Soilihi Boina, un grand artisan qui fabriquait des pioches en fer. Et « je vous assure que les pioches acquises à Boboni ne s'usent jamais. Et moi qui vous parle, j'ai vécu avec eux, je les fréquentais à Boboni. Ce Soilihi Boina a pris ce nom après son arrivée ici »[6].

Les intéressés, par le ton qu'ils prennent, regrettent la persistance de cet état d'esprit.

« Aujourd'hui, dans tous les villages, on peut voir une sorte de détermi-

1. Les Comoriens ont consacré une chanson stigmatisant les pratiques de l'administration coloniale au temps d'Avignon (ho ya ye dola ya Mshavinyon, Mshavinyon Fumbuni pvo arumao, owawono efarantsa kwatswa ambiwazo).
2. Ce fut un point de vue largement répandu dans le milieu des Européens. Les journaux en ont fait état, comme écrit en 1899 dans la Revue de Madagascar : « Les gouverneurs furent remplacés par des administrateurs dont l'œuvre fut plus nuisible qu'utile. Méconnaissant la tâche, pourtant si attachante, qui leur incombait, celle de la mise en valeur, ils épuisèrent, endettèrent la colonie en faisant faire des travaux inutiles, des « convalescences », des « maisons » et des jardins des fonctionnaires et négligèrent les travaux publics à un tel point qu'il est devenu presque impossible aujourd'hui de communiquer autrement que par mer d'un point à un autre de l'île ».
3. DU PLANTIER, 1901.
4. Alhamid Moindze, informateur, Djumwashongo.
5. Damir Ben Ali croit savoir que les makua, une fois arrivés, changeaient de nom.
6. Le narrateur parlait de Ntsoudjini, mais n'a pas décliné le vrai nom, car il l'a, semble-t-il, oublié.

nation à vouloir être, devenir quelqu'un par les actes. À vouloir même épouser les filles des bédja, tout simplement pour dominer, pour se donner une position dans la société. Nous ne pouvons pas aujourd'hui parler directement où les Makua sont localisés, dans les régions ou dans les villages, mais tout ce que nous pouvons savoir, c'est que les Makua existent, ils vivent à Moroni et dans tous les villages. On ne peut pas dire que c'est telle ou telle famille qui est Makua, car on ne peut pas l'accepter.[1] »

Ils rejettent cette stigmatisation et ne souhaitent plus que leurs enfants subissent le même calvaire.

« Chaque homme doit connaître « qui il est » et « d'où il vient ». Nous n'avons pas besoin de montrer de beaux visages ; non. Nous voulons réhabiliter ce passé qui est le nôtre, qui concerne nos aïeux, nos ancêtres. Comment vivaient-ils ? Sans cela, nous n'avancerons pas. Faute de nous connaître, nous ne connaîtrons notre pays. Si nous nous connaissons, nous pourrons aimer notre pays, depuis nos quartiers jusqu'à nos foyers respectifs »[2]. Quel que soit le temps ou le lieu, dans de nombreuses sociétés, ils ont été déconsidérés, méprisés ou marginalisés. Aux Comores, les esclaves ont progressivement été affranchis et libérés de toute servitude. Ils sont devenus des hommes intégrés. En dépit de l'appréhension de certains, ils sont Comoriens, musulmans, et bénéficient de toutes les prérogatives communautaires. Cependant, leur état antérieur n'est pas entièrement oblitéré.

Le descendant de l'ancien esclave est considéré comme « l'enfant de la maison »[3]. Au village ou en ville, de nombreux cas sont montrés du doigt parce qu'ils présentent des liens de parenté inexpliqués. Celui présenté à Ntsaweni[4] n'est pas un phénomène isolé. Toutefois, les facteurs économiques et sociaux ont participé à l'intégration sociale de l'individu. C'est par le biais de l'école, comme l'a expliqué un notable de la ville de Wani[5], que les habitants de Patsy se sont peu à peu émancipés et sont devenus des citoyens à part entière : « Oui, il y en (école NDR) avait même si elle a été tenue par une étrangère. C'est sous Ali Soilihi que l'école de Patsy a été ouverte, elle aussi. Il venait des gens de Nyumakele, de Bambao ou d'ailleurs pour habiter à Patsy et ce sont les parents qui leur demandaient d'enseigner aux enfants sur le modèle de ce qui se passait dans tous les villages. Des gens de Mutsamudu venaient travailler à Patsy, eux, ils n'enseignaient pas. Ils étaient des employés alors que dans l'administration, on parlait de fonctionnaires. En général, ce sont des employés qui y étaient. Ils ne pouvaient pas travailler à Patsy jusqu'à 17h et pouvoir, après, rentrer à Mutsamudu. Ils avaient alors un logement. Ceux d'Oini et de Mutsamudu qui avaient un logement sur place venaient avec leurs femmes. Ils ne se mariaient pas à Patsy. Cependant, il peut arriver

1. Bakar Mdahoma, Mde, 2010.
2. Chaehoi, petit-fils de Djumwa Mnamwezi.
3. Mzé Mikidadi (Ntsudjini) et Fundi Attoumani, Moroni, Coulée.
4. Des familles habitant le village ont été intégrées au sein de certaines familles, mais on ignore d'où elles viennent.
5. Fundi Moina, 78 ans, Oini, Anjouan, 2010.

qu'un célibataire en poste à Patsy s'entend avec une femme et se marie. La mère d'Attoumani Abddalh avait été épousée par un gars de Mutsamudu ».

1. Evolution socio-économique

La valorisation[1] des exploitations agricoles et le besoin de bras pour les travaux ont généré des revenus qui ont permis d'accéder à des rangs jusque-là réservés aux membres des clans régnants. Le travail en soi n'a plus été considéré comme une corvée parce qu'il y a eu contrepartie en termes de rémunération, de distribution de ration alimentaire, et d'acquisition de biens. On rappellera qu'auparavant, les Makua travaillaient sans rien en échange. La médiocrité des conditions de vie ne leur paraît trouver de solution rapide que dans l'amélioration matérielle de leur situation et, de ce point de vue, l'importance des facteurs économiques est prépondérante.

Le contexte nouveau les a autorisés à avoir des espoirs et de nouvelles visées sociales. Alors que le colonisateur souhaitait mettre tout le monde au même niveau devant l'emploi, nonobstant les origines sociales de chacun, l'approche l'a conduit, lui ou les sociétés coloniales, à développer les exploitations agricoles en pratiquant des cultures dites d'exportation.

L'économie moderne s'est substituée à l'économie ancestrale, d'autosuffisance, a modifié la production agricole et introduit la loi du marché. Le Comorien s'est accroché à ses habitudes d'antan et a vaqué à ses champs quotidiennement au rythme habituel. Il y a alors eu prédominance de l'agriculture vivrière, de l'élevage et de la pêche, qui apportaient à tous un minimum de subsistance.

Les techniques culturales consistaient en la polyculture. « À l'arrivée des Européens, l'avènement d'une économie de plantation se substitua à l'économie traditionnelle. Cette transformation économique modifia les techniques et les rapports traditionnels de production et changea profondément la mentalité des cultivateurs indigènes. »

Des scientifiques européens et américains (Humblot à la Grande-Comore, Dupont et Sunley à Anjouan), introduisirent une agriculture typiquement tropicale, de plantes à parfum, favorisée par la nature du sol et les bonnes conditions climatiques. La petite production d'envergure nationale et régionale fut remplacée par une économie spécialisée dans les cultures d'exploitation destinées aux marchés lointains et surtout à l'alimentation des industries européennes. Et, dans cette société traditionnelle, les rapports de subordination hérités du système féodal n'ont pas connu de modifications notoires quant au fond[2]. Lorsqu'on cherche à donner, de nos jours, la même société, où les grandes familles résidant dans les plus importantes villes possédaient particulièrement l'essentiel des terres travaillées par la population autochtone des régions reculées de l'île (d'Anjouan), simplement classée en deux catégories, les wa-matsaha et les wa-Makua, on ou-

1. Cl. ROBINEAU, 1966.
2. M. HASSANI-EL-BARWANE, 2010, p.145.

blie alors les effets des bouleversements toujours en construction. Il est révolu le temps où les grands kabila d'origine arabe imposent leur autorité politique et économique sur la majorité des autochtones.

Les centres restés à l'abri des Makua sont restés à l'état résiduel, comme Jeje ou Uzini à Anjouan. Il convient de souligner que les gens les plus fortunés ont quitté ces localités pour s'installer ailleurs, dans les grands centres.

« À cette époque-là, parmi quelques aspects qui avaient été pris en compte, c'est peut-être au niveau sanitaire. À mon avis, cela préoccupait les colons. Ils ont construit de petits dispensaires, car ils estimaient qu'à partir du moment où les travailleurs étaient malades, ils ne pouvaient pas travailler. C'est le seul aspect social qui a été développé ; ce fut donc pour eux un minimum au plan social. Ils les soignaient lorsqu'ils étaient malades[1]. »

Sociétés et colons étaient peu préoccupés par les aspects sociaux et la santé des travailleurs, hommes à tout faire, sinon vulgaires esclaves. Telle était la nature du gouvernement des sociétés, qui continuaient à verser des salaires dérisoires à des travailleurs qui devaient travailler à vie. De ce point de vue, ils ont introduit la notion de Caisse de Prévoyance sociale et d'allocations familiales pour encourager les naissances : en effet, il fallait des enfants pour renouveler la main-d'œuvre du fait que le trafic, même clandestin, s'amenuisait. Cependant, un ancien procureur à la retraite pense que les Makua installés trouvaient les moyens d'appeler ceux des leurs qui devaient venir les rejoindre[2]. Pour lui, le cabotage entre la côte est d'Afrique et les Comores continuait sans qu'on s'en aperçoive. C'est ce qui fait que la notion de Caisse de retraite a été tardive et pour les fonctionnaires seulement, ils ont introduit la notion de Caisse de Prévoyance sociale pour les accidents de travail, « car à mon avis, pour les travailleurs des champs et des plantations, ils font des enfants pour qu'ils les aident. Ils les suivent ». Le colon, lui, y trouvait d'autant plus son compte que l'école était loin des préoccupations de ces hommes. L'enfant était très tôt utilisé à côté de ses parents.

Les allocations familiales variaient, d'après un ancien employé de la Caisse de Prévoyance sociale, de 350 à 1500 francs suivant l'ordre de naissance de l'enfant et la catégorie professionnelle. Un ouvrier percevait, selon le taux de salaire de l'époque (SMIG), 2998 francs. Avec trois ou quatre enfants, il touchait plus en allocations familiales qu'avec le taux appliqué du salaire minimum interprofessionnel garanti (SMIG). Résultat : des ouvriers demandaient à certains patrons de les enregistrer comme salariés de leur établissement afin de percevoir ces allocations, qui étaient partagées entre employeurs et employés. La cotisation était quand même insignifiante (-6 % par rapport aux gains).

---

1. Kambi El-Yachouroutui, ancien Premier ministre et ancien Vice-président des Comores, Mutsamudu, 2011.
2. Nidhoim Attoumani, ancien instituteur, devenu magistrat, puis procureur de la République, est natif de Bimbini Anjouan. Il rapporte le témoignage d'un vieux Comorien qui s'est installé à Johannesburg en Afrique du Sud après un long périple en Inde et au Mozambique avant de s'installer en Afrique du Sud. Pour lui, la connexion n'a été rompue que récemment.

Ces aides ont suscité une politique nataliste. En effet, dans la région de Nyumakele, rares étaient les garçons à ne pas se marier à 18 ans avec des jeunes filles de 12 à 15 ans.

Le docteur Zanoti, se rappelle-t-on, assurait la surveillance de l'état nutritionnel et sanitaire des enfants issus de ces mariages. Sa certification donnait lieu au paiement des allocations. Comme les visites étaient annoncées une semaine à l'avance, les intéressés avaient la possibilité d'échanger parfois les habits d'une famille à l'autre.

Par ailleurs, ces trafics ont donné une impulsion considérable à la scolarisation des enfants, car au-delà de 14 ans, tout parent ne présentant pas un certificat de scolarité voyait ses allocations immédiatement suspendues. Ceci a conduit à l'éradication de la connotation de « sauvages » (wamatsaha). Ils sont aujourd'hui devenus des cadres et responsables administratifs et politiques.

À Pomoni, lorsqu'on a posé la question de savoir pourquoi notre interlocuteur avait été envoyé à l'école, il a répondu : « Je suis né en 1964 et peu après l'école a ouvert ses portes. Mon père, qui avait perdu ses parents à l'âge de 7 ans, a été adopté par un Français qui travaillait à la société en qualité de travailleur de la ligne téléphonique de la société avant d'être affecté à la distillerie. Vu son parcours, il fut obligé d'envoyer ses enfants à l'école. Fréquentant les décideurs, il avait compris que ses enfants devaient aller à l'école. Il voyait déjà les avantages que lui procurait la position de chef de la distillerie. Envers ses subordonnés, dont la condition n'avait rien d'enviable, il a été alors obligé de nous envoyer à l'école ».

Ces allocations ont favorisé la création et la maintenance de l'état civil. Parmi les gens nés avant l'institution de la Caisse des allocations familiales et après 1971, année de leur abolition, très peu possèdent des extraits d'acte de naissance hors des périmètres urbains. Le centre d'allocations familiales est devenu un centre d'archivage d'état civil des enfants des anciens employés des sociétés coloniales[1].

L'histoire récente de l'archipel, et tout particulièrement d'Anjouan, a toujours révélé une division très nette entre villes et campagnes. Cette situation a prévalu dès l'arrivée des colonisateurs, qui ont scrupuleusement appliqué le principe « diviser pour mieux régner ». « C'est bien cela. Mais force est de constater qu'après le départ des colons, le fait se poursuit à Anjouan. Actuellement, tu ne peux pas imaginer les gens de Mutsamudu allant à Bazimini pour faire des achats », observe un dignitaire de Mutsamudu.

---

1. A la Caisse de Prévoyance sociale, existe toute une documentation relative aux travailleurs des sociétés. Ce sont eux qui touchaient les allocations familiales. Le directeur de la Bambao possédait également des archives, notamment les carnets individuels. Nous disposons là de sources sûres pour continuer ce travail, mais encore faut-il secourir ces pièces avant qu'elles ne soient consumées par des agents corrosifs ou tout simplement égarées ou détruites (les vendeuses de pistaches sont beaucoup plus dangereuses pour ces archives que l'humidité).

Des commerçants importants, qui ont commencé dans la distribution, originaires de petits villages, ont relativement fait fortune aujourd'hui et s'ouvrent, petit à petit, les portes des grandes villes. Des cités comme Mutsamudu, Moroni, Fomboni, Mitsamihuli... seraient en train de passer au second plan. « Parce que les écoles sont implantées partout, la plupart de ces nouveaux riches, contremaîtres, auparavant, ont acquis une certaine culture et ont pu s'ouvrir également les portes de la fonction publique. »

« Bien que confrontés aux multiples petits problèmes de la vie quotidienne, celui de l'argent en particulier, notre priorité, cependant, était l'éducation, la santé et l'économie », disait un de ces responsables politiques.

L'on reprochera à la classe dirigeante d'avoir manqué de vision, notamment sur le plan social, de par l'absence notoire de protection des travailleurs. C'est Saïd Mohamed Cheikh qui, le premier, a commencé à défendre ceux de la Société, à Anjouan. Ahmed Abdallah a joué un rôle assez important quant à la réforme agraire et s'est mis à prendre leur défense pour des raisons purement politiciennes. « Parce qu'il visait l'électorat de ces gens-là, il a pris la défense des travailleurs de Nyumakele en soutenant qu'à partir du moment où ils ont travaillé, ils avaient droit à un lopin de terre au moment où les compagnies coloniales vendaient les terrains à de riches citadins de la ville. Il bâtit sa base électorale dans la région, car certains de Nyumakele avaient acquis quelques terrains détenus auparavant par la société coloniale. » Ce sont autant d'aspects à prendre en compte dans l'actif de l'ancien dirigeant politique, mort en 1989.

Saïd Mohamed Cheikh, à un certain moment, s'est beaucoup intéressé aux problèmes de ces travailleurs[1], ce qui a été occulté dans les études réalisées. Cependant, comme le soutiennent certains responsables actuels, les orientations des partis politiques et de leurs dirigeants sont seules en cause dans cette situation chaotique.

À Anjouan, l'esprit des révolutionnaires de 1892 reste encore vivace parmi les descendants de Lopa et chez ceux qui l'ont exprimé en 1940 en réclamant des terres en échange de leurs votes à toutes les élections. En réalité, ce sont des promesses qui leur ont toujours été faites pendant les campagnes électorales.

En 1997, quelques politiciens véreux ont réussi à enrôler la masse de ces hommes, femmes et enfants dans une pente dangereuse pour instaurer une hypothétique indépendance d'Anjouan. Les dissensions, très importantes, de la classe politique se sont liées à cette vague contestataire. Malgré la méfiance des gens des grandes villes, certains parmi eux ont pris la tête du mouvement. Les nantis ont expliqué que leur salut de propriétaires leur était dû « à la religion, notamment les liens créés par les confréries. Partout, l'on a évité les pillages malgré quelques attaques contre certaines maisons des villes appartenant à des citadins et des bourgeois de Mutsamudu. Ce n'était pas par plaisir pour les contestataires de piller ; d'ailleurs c'est des cas isolés ici à Mutsamudu », a expliqué un responsable politique de Mutsamudu.

1. Kaambi El-Yachouroutui, ancien Premier ministre, ancien Vice-président des Comores, 2011.

Ces regards critiques permettent de mesurer l'évolution de la société. « On n'arrivera jamais au développement sans tirer les leçons du passé, analyser les fautes commises par nos anciens pour retrouver un cadre qui nous permettra de tirer un trait sur ces passages-là et reconnaître les victimes de ces situations. À mon avis, cela est très important. Et ce d'autant plus que les choses vont très vite. Prenez Mutsamudu comme exemple : ici, près de 60 % des magasins appartiennent à des gens dont les ascendants étaient des travailleurs des plantations. La plupart d'entre eux ont eu accès à l'école, peuvent faire étudier leurs enfants à l'étranger et sont très entreprenants. Cela est rassurant et je suis d'autant plus heureux de constater que les mariages entre gens de la ville et des villages peuvent se faire[1]. »

La haute société actuelle a ses représentants qui veillent au respect et au maintien des prérogatives que lui confère la communauté villageoise, le clan auquel les individus appartiennent pour l'honneur. Ainsi, à la mort d'El Habib, de Mutsamudu, on a assisté à un fait anodin. Sa veuve a choisi un époux parmi les plus riches de Mirontsy et son clan d'origine de réagir pour défaire ce mariage. Malgré cette union (acte d'intégration sociale par excellence), le statut des esclaves n'a guère évolué et les esclaves sont restés marginalisés dans la société en général.

Les lois prises pendant toute la période coloniale, les conventions internationales en la matière qui engageaient l'Etat comorien, et les mesures et instruments réglementaires instaurés n'ont pas enrayé définitivement les formes de servilité pratiquées dans l'archipel. Dans les formes modernes de l'esclavage, les Comores ont ratifié nombre de conventions ayant comme résultat la suppression de toutes les formes d'esclavage ou pratiques analogues telles que la vente et la traite des enfants, la servitude pour dette, le servage, ainsi que le travail forcé et obligatoire, y compris le recrutement forcé ou obligatoire des enfants en vue de leur utilisation dans des conflits armés.

L'utilisation, le recrutement ou l'offre d'un enfant à des fins de prostitution, de production de matériels pornographiques ou de spectacles pornographiques sont pour le moins des pratiques esclavagistes reconnues qu'il faut combattre.

L'utilisation, le recrutement ou l'offre d'un enfant aux fins d'activités illicites, notamment la production et le trafic de stupéfiants tels que les définissent les conventions internationales, restent une tentation qui, si on n'est pas vigilant, pourraient rendre très vulnérables ces nombreuses familles, dont les enfants ont des besoins hors de portée. Il est évident que ceux-ci seraient concernés par des travaux dont les conditions d'exercice n'auraient rien à envier au labeur servile.

Tous ces concepts relatifs à l'esclavage dans l'acceptation des conventions modernes, notamment la Déclaration universelle des Droits de l'Homme des Nations Unies, et les instruments spécifiques adoptés par l'OIT pour mettre fin aux travaux forcés et de traite des personnes, appliqués aux Comores, seraient une garantie de l'éradication du phénomène. Ce qui est sûr, c'est que la distinc-

1. Kaambi El-Yachouroutui, Mutsamudu, Anjouan, 2011.

tion qui se fonde sur la race des gens, sur la couleur de peau, sur la religion, sur l'origine, ne peut exclure quelque Comorien que ce soit, encore moins le Makua. L'origine africaine n'est pas, sur ce terrain, un critère qui lui est exclusivement réservé.

Le placement d'enfants dans des familles d'accueil demeure pour beaucoup une survivance des pratiques esclavagistes. De nombreuses enquêtes réalisées à ce sujet révèlent que l'extrême pauvreté dans des zones défavorisées l'encourage. Il n'en a pas été moins souligné non plus que certains aspects socioculturels n'aident pas non plus à y mettre fin[1]. À priori, de tels faits ne concernent pas spécifiquement les familles des milieux makua.

Les moyens de cohésion
La terre comme moyen d'intégration

Le droit colonial, nous l'avons vu précédemment, a imposé un autre comportement, que les roturiers n'avaient toujours pas adopté. Le commandant Rang donnait le signal lorsque le délai imparti d'un mois était écoulé sans que les habitants de Mayotte n'aient fait enregistrer leurs propriétés[2]. Les Comoriens craignaient, à juste titre, que l'immatriculation de leurs domaines se traduise par une dépossession pure et simple de leurs terres[3].

Une autre réalité s'est dessinée avec la création de la Compagnie des Comores, qui a obtenu un monopole sur l'économie de plantation dès 1843 à Mayotte, pendant qu'Anjouan était partagée entre Sunley et Wilson, sujets américain et britannique.

Humblot a mis au pas Mohéli et la Grande-Comore et s'est approprié presque toutes les bonnes terres. La mise en exploitation de la colonie des Comores a été l'œuvre de la SCB, véritable gouvernement à l'époque (cf. film « La Bambao, Reine des Comores »). Lorsqu'elle a démarré, le 13 avril 1895, la Société française de Pomoni a d'abord été créée. Son évolution coïncidait avec une réforme agraire qui faisait son petit bonhomme de chemin.

La Société coloniale Bambao a acheté, pour renforcer son poids, le domaine de Patsy, propriété de Wilson, le 27 décembre 1921.

Manque de bras : « en réalité, les colons de Mayotte redoutent surtout la transition du régime des engagements garantis par l'action administrative au régime de la liberté des contrats d'après les règles du droit commun »[4].

Pour les colons, la loi de l'offre et de la demande allait, pensaient-ils, faire renchérir outre mesure la main-d'œuvre, déjà assez rare dans la colonie. Ils croyaient aussi que le rattachement de l'archipel à Madagascar (en resserrant un

1. Rapport sur l'identification des travaux dangereux exercés par les enfants aux Comores. Programme International pour l'Elimination du Travail des Enfants- IPEC/ BIT.
2. Le 5 mai 1844, le commandant Rang a affiché une note appelant les habitants à faire enregistrer leurs propriétés.
3. L'attitude de l'administration coloniale avait beaucoup évolué. Voir sur ce point l'ouvrage de Du Plantier, 1901, p.34-35 : « Constitution de la propriété ».
4. Mission de 1909 : rapport Frézouls, Inspection du travail, 20 juillet 1909.

peu plus les liens entre la petite et la grande colonie) « va provoquer l'exode d'un certain nombre de travailleurs indigènes, attirés par l'appât des salaires plus élevés offerts, par exemple, sur les chantiers aurifères ». Ces craintes étaient la preuve que la main-d'œuvre était moins chère pour les colons, c'était aussi une raison pour les indigènes de refuser de travailler dans les plantations.

Apparemment, ces plaintes étaient fondées, mais l'équilibre allait s'établir normalement, sans pour autant entraîner une augmentation exagérée de la moyenne des salaires. Les appréhensions des planteurs étaient vraies. Les petits colons ont trouvé assez facilement des ouvriers travaillant à la journée. Cependant, les chefs des grandes exploitations agricoles éloignées des villages indigènes ont eu du mal à se procurer la main-d'œuvre indispensable à moins de « constituer sur leurs domaines des centres des villages où les indigènes vivront avec leurs familles ». À Anjouan, le système a fonctionné : des parcelles ont été mises à disposition pour les cultures vivrières.

Ceci a fait d'eux des hommes libres et propriétaires se mêlant à tous les Comoriens sans distinction (aujourd'hui, il serait indécent de les considérer comme des parias). Sûrement ont-ils quelques réserves, mais ils ont conscience que, sans eux, Anjouan ne peut pas compter.

Signe de richesse et seul moyen de ressources, la possession de terrains était l'apanage des familles régnantes, qui avaient là un mobile assez important et presque suffisant pour s'opposer à la colonisation. La confiscation des terrains a été la cause de plusieurs tentatives d'assassinat sur des Blancs.

Selon Monsieur Maloune Zoubeir de Mbeni (Grande-Comore, mars 2012), les Comoriens, qui ont rapidement compris que cette voie n'était pas la solution, ont alors décidé de se rapprocher de la société pour être employés et empêcher la poursuite de l'expropriation des terrains. Les colons, notamment Mchari (Monsieur Henri, beau-frère de Humblot), ont rétrocédé, plus tard, ces terrains à des personnalités qui étaient à leur service. Du coup, les terrains ont changé de propriétaires, ceux qui percevaient un salaire auprès des Européens ont ainsi disposé de quelques moyens pour y accéder. La richesse, sans changer de camp, a connu un petit élargissement.

La scolarisation, même à faible échelle, a amplifié le phénomène et la classe de la noblesse, les descendants des familles régnantes, ont pu obtenir des emplois d'auxiliaires administratifs dans les sociétés coloniales. Ceci a permis des rencontres au même endroit, c'est-à-dire sur le lieu de travail. Ces activités ont généré des revenus qui ont fait, entre autres, que les Makua salariés sont devenus propriétaires terriens, ont bénéficié d'une promotion par le mariage et ont acquis quelques équipements. Cela a été le début des Makua dans la société.

Pour sédentariser la main-d'œuvre, les sociétés coloniales ont établi des lotissements qu'elles ont affectés à chaque chef de famille employé. Ces donations étaient tacites et sans titres de propriété. À ce niveau, le puissant voisin Moya (la ville) ne remet pas en cause la propriété de ces lots, mais revendique les terrains de culture qui naguère permettaient aux ouvriers de subvenir à leurs besoins alimentaires.

La plupart de ces nouveaux propriétaires ne visaient pour leurs terrains récemment acquis que des cultures vivrières. Mais souvent, avançant en âge, ils ne pouvaient travailler en dépit de la nécessité de survivre. « Avec un peu de terrain, ils pouvaient réaliser quelques petits travaux avec leurs enfants », a fait observer à Anjouan un responsable politique en décembre 2011.

À l'heure actuelle, ces terrains font l'objet de convoitise entre « Pomoni et Moya » et occasionnent quelquefois des rixes entre voisins. Cette problématique ne se pose pas seulement dans cette contrée. En effet, des différends surgissent dans toutes les régions, et cela dans chaque île, y compris dans celle restée sous administration française.

Nous avons connu des personnages célèbres et aussi des Makua ayant réussi leur intégration. Le Makua Issulahi Assoumani Baba, habitant Nkomiyoni, dans la région de Hambu, parle d'un des leurs qui a eu du succès : « ici, les gens vendent les terrains ». Pour lui, la vente de terrains, surtout à des étrangers au village, en a stoppé l'expansion. Et M. Baba d'égrener une longue liste de gens du gros village voisin qui ont presque tout acheté.

Mmadi Heri est ce Makua qu'Humblot a fait venir de Mohéli pour l'aider à contrôler ses engagés makua qui rencontraient d'énormes problèmes, notamment de langue. Mmadi Heri a pu se constituer une petite fortune qui lui a permis d'acheter un terrain et également de se marier, étape décisive pour son intégration. Aujourd'hui, il fait partie de l'aristocratie locale qui dirige toute la contrée. « Un événement particulier vient de se produire à Nkomiyoni, Heri vient de renverser le clan régnant et l'a remplacé par un autre. Tout le village lui est fidèle », déclare un jeune de ce village rencontré ce jour-là.

Saïd Mohamed Cheikh a très vite compris l'enjeu que représentait la terre pour le Comorien, qui abhorrait le travail forcé[1]. Il l'a combattu, bénéficiant d'un environnement international favorable et même d'une opinion nationale française qui l'était encore plus. Par contre, pour l'utilisation des terres, il a simplement saisi la Commission de la France d'outre-mer à l'Assemblée nationale pour la création d'un projet de résolution relatif à la réforme agraire aux Comores[2]. Toutefois, l'imbroglio que constitue la question foncière aux Comores n'a pu aboutir à une solution, laissant le problème tout entier. Si l'on ajoute à cela la complexe équation de la démographie, avec sa densité très élevée, l'on comprend bien pourquoi la question de la terre est devenue vitale et même fatale.

La colonie a cherché des solutions pour prévenir à l'avenir ce genre de souci et a préconisé – rapport sur l'évolution économique et sociale de l'archipel des

1. M. IBRAHIME, 2008-2015 et M. IBRAHIME, 2015.
2. De nombreux villages de la Grande-Comore ayant reçu ces populations mozambicaines, aujourd'hui émancipées et citoyennes des Comores, ont des descendants qui ne comprennent pas qu'on leur interdise l'accès à la terre dans les environs immédiats. Nkomiyoni dans le Hambou et Salimani, Ntsorale dans la région de Mbude sont dans cette situation. À Mitsoudje et à Ntsaweni, les propriétaires de ces terres traînent un conflit inextricable, ressemblant à une expropriation.

Comores de 1955 – une politique d'émigration vers Madagascar pour résoudre le surpeuplement à Anjouan. L'auteur du rapport a insisté sur le fait que cette émigration, qui a concerné 750 individus en 1955, a permis de donner du travail à une masse de manœuvres agricoles aux ressources insuffisantes. Ceci a été une application erronée du principe malthusien espérant, a-t-il noté, pouvoir les fixer définitivement à Madagascar pour absorber l'excédent de population anjouanaise et contribuer au développement économique de la côte ouest de Madagascar[1].

Cette solution n'était pas adaptée. Il aurait fallu suivre les préconisations pour une réforme agraire – différente de la commission agraire essayée ! – pour régler au moins durablement le problème de l'équilibre économique responsable de la précarité. Sans doute, le développement des institutions sociales a été freiné depuis et, non prévisibles, les événements de Majunga en 1976 sont venus a posteriori dénoncer ce choix politique.

Issulahi Assoumani Baba analyse le début de l'intégration des Makua par les achats de terrains qui ont suivi le mariage ; mieux, cela a fait d'eux des citoyens comoriens. Son avis rejoint celui selon lequel : « le foncier, malgré les contradictions qu'il suscite, constitue un facteur majeur de cohésion sociale aux Comores. D'une part, il est le registre à travers lequel les individus et les familles s'inscrivent dans leur communauté, dans leur village et dans leur région.

C'est à travers le droit d'accès, d'usage, d'exploitation, de transmission ou d'exclusion de la terre que chaque Comorien est mwana wa yi ntsi (un enfant du pays) ou pas. La terre est l'un des facteurs clefs qui assurent la reproduction de la société et son modèle social auquel aspire chaque Comorien. C'est par la détention ou l'accès au droit d'exploitation que la plus grande partie de la population assure l'essentiel de la production des ressources requises pour faire face aux exigences de la vie tant au plan biologique que social. Ce faisant, toute crise foncière non maîtrisée ne peut que provoquer de la désagrégation sociale et compromettre la reproduction du modèle sociétal »[2].

En descendant de Boboni, Issulahi Assoumani Baba est venu avec femme et enfants et s'est installé à Nkomiyoni, où il a acheté un terrain. Le terrain voisin était à un certain Mmadi Harithi, Makua lui aussi. Le terrain acquis appartenait, selon Issulahi Assoumani Baba, à une certaine Mkaribou Abdallah qui, au soir de sa vie, a préféré vendre ses terres. « Autrement, nous ne serions pas de Nkomiyoni ».

Les us et coutumes ou le mariage des esclaves

« À la mort de Léon Humblot, ceux qui étaient les chefs se sont partagés les bœufs que possédait ce colon. Les Boina Mze, les Heri etc. sont devenus riches. Grâce à ces biens, les Makua qui géraient les domaines de Humblot ont pu trouver des épouses parmi les femmes locales. C'est la raison pour laquelle ils ont été

---

1. ANSOM, 2D75 (2) Rapport sur l'évolution économique et sociale, 1955.
2. SAÏD M., 2009, p.26.

acceptés dans nos familles[1]. »

Entre les deux guerres, de nombreuses personnes mobilisées, s'ajoutant à celles qui étaient engagées dans les îles de l'océan Indien et qui étaient rentrées au pays, ont ramené une certaine idée d'évolution qui a induit quelques changements. Les lignes de noblesse ont un peu bougé du fait que ces éléments avaient un peu de culture et des moyens. Ils étaient donc considérés comme riches et, comme tels, ont été admis en tant que personnalités de référence capables de s'exprimer en français. La plupart ont acheté des terrains et des bœufs, signes de richesse dans la société comorienne. Ainsi s'expliquent leur ascension sociale et leur acceptation par la société comorienne. Voici un témoignage recueilli en 2011 dans la région de Bambao en Grande-Comore :

« À ce temps-là, Mwepva est retourné avec 1 00 000 fc. Non, on leur donnait 100000 fc pour rentrer. Certains pouvaient toucher jusqu'à 150000 fc. Mwepva, lui, a acheté un champ appartenant à Saïd Ghalib qui est d'Iconi à la somme de 100 000 fc. À cette époque, des rumeurs circulaient partout dans la région de Bambao à propos de cette arrivée de Mwepva qui était désormais riche. Saïd Ghalib, père de Saïd Hassan, s'est marié à 100 000 fc et cela grâce à cette somme que lui a versée Mwepva pour l'achat de son champ.

Ensuite, parmi ces engagés, il y avait ceux qui étaient embarqués vers Mayotte. Là-bas, ils produisaient du sisal et la canne à sucre après que la colonisation ait été une réalité dans les îles et que les colons faisaient exécuter ces travaux. Au retour de ces engagés de Mayotte, ils rentraient chacun avec son argent. Ceux qui ne restaient pas longtemps là-bas, ils ramenaient au maximum 15 000 fc ou 20 000 fc. Par contre, Mwepva, lui, avait amené beaucoup d'argent à tel point que s'il y avait une banque à cette époque-là et qu'il décidait de mettre cet argent en banque, on lui aurait attribué la banque.

À son arrivée à Ngazidja, très vieux, il n'avait pas fait encore le grand mariage coutumier. C'est alors qu'il décida de le faire, célébrant ce mariage avec la mère de Rachidi ; après avoir accompli tous les actes, il est passé au grade de Mfomamdji. C'est ce que nous avons appris de nos grands-pères. À ce même moment, un de nos grands-pères, Cheha Athoumani, était parti pour Msumbidji. Après qu'il se soit rendu au Mozambique non pas pour aller travailler, mais après avoir vendu 10 bœufs pour la somme d'environ 50 000 ou 75 000 fc. À l'époque, j'avais environ 20 ans à ce moment-là à l'arrivée de Mwepva. Mais mon grand-père Cheha Athoumani, et on peut estimer à plus de 200 personnes, voire plus, tous les gens qui étaient partis pour aller effectuer ces travaux difficiles ; et ils sont revenus très robustes. Parmi tous ces gens, il y avait ceux de Mwandzaza-Mbwani, Mwenda-Ndzé Mchangama ; ce n'était pas le seul. Du même groupe, Mzé Msayidiyé Mlomdri, surnommé par les jeunes Msayidiyé Bagatel, pseudonyme emprunté d'un lieu-dit à La Réunion du même nom ; un autre appelé Soilihi Mvouna qui est mon grand-père ; dans les autres villages, à Mbachile, il y avait aussi des gens qui étaient partis, à Selea, à Nyoumadzaha aussi, mais je ne me

1. Mze Alhamid Mwandze, Nkomiyoni, Hambu.

rappelle plus les noms de ces engagés. »

En société musulmane, il y avait interdiction de prostituer les femmes esclaves ; seuls leurs maris ou leurs maîtres pouvaient user d'elles légitimement. En
réalité, aux Comores, il a toujours été question d'enfants « naturels » de dignitaires avec des femmes esclaves. Dans la société contemporaine, avec la pratique
des enfants placés pour, dit-on, « être éduqués », de nombreuses jeunes filles ont
eu des enfants malgré elles. Auteur de cette grossesse non désirée : un membre
influent de la famille, le fils aîné par exemple, l'oncle, si ce n'est le père, chef de
clan.

De tout temps, des dignitaires ont pu faire des femmes esclaves leurs concu-
bines ou leurs épouses. Ainsi, les enfants qui naissaient de ces relations étaient
libres. Dans beaucoup de cas, les parents entendaient, au cours des mariages de
ces fils-là, réaliser une bonne opération matrimoniale. Cela a contribué à créer
le « référant » majeur de la société qu'est le lignage. L'esclave mâle ne pouvait se
marier avec une femme libre. La femme esclave pouvait séduire un non-esclave,
car les maîtres pouvaient user de leurs esclaves. Tant mieux puisque les enfants
issus de ce mariage naissaient libres. Quelles que soient les raisons qui ont poussé
à ces mariages ou ces naissances, jamais les concernés issus de ces alliances n'ont
décliné leur filiation maternelle. Tout Moroni est dans ce cas-là et il n'est pas rare
que mères ou grands-mères viennent des quartiers dits serviles, situation mise en
évidence par un grand notable à Moroni[1].

Dans les années 1960, à la suite de l'indépendance malgache, certains anciens engagés ont regagné les Comores et leurs familles, ce qui a provoqué un
électrochoc. En effet, ces anciens engagés ont contracté sur le sol malgache des
mariages avec des Comoriennes auxquelles au pays ils n'auraient jamais osé prétendre. Les enfants issus de ces mariages ont fréquenté l'école et acquis un prestige social, voire même administratif. Ils comptent parmi les élites du pays, ce qui
a en partie conduit à l'effondrement de la bourgeoisie comorienne.

En dépit de ces acquis sociaux, une partie de la notabilité reste réfractaire
aux changements de mentalité et des us et coutumes. Grâce à la révolution de
1975, certains principes ont été institutionnellement abolis, mais des résistances
perdurent.

De nos jours, le mariage continue à être célébré différemment selon les
catégories sociales des mariés et les régions.

Les festivités, organisées dans un lieu spécialement réservé aux esclaves
[quartier des esclaves], n'étaient pas identiques à celles des hommes libres.

Le mariage devait se faire de préférence dans sa ville d'origine, dans son
mdji, sa communauté coutumière, et ce phénomène se rencontrait dans toutes
les localités[2]. Il arrivait toutefois qu'un homme trouve épouse et vice versa dans

---

1. M. Bourhane Mroudjaé, notable en Grande-Comore, a expliqué, dans le cadre d'une réunion
de médiation, le boulet qu'il traîne de ce fait dans cette ville. Et de conclure que l'honorable père
a eu trois épouses qui ont donné les branches de la famille Charif Abdallah à Moroni.
2. BLANCHY S., 1992.

une autre localité. On peut suivre ce mouvement d'alliance et le mixage qui s'en est suivi et qui explique qu'aujourd'hui, il y a interpénétration des kabila. « Dans les classes sociales nobles, il y a un réseau d'échange matrimonial, pour le âda, d'un quartier à l'autre de la ville, ou d'une ville à une autre[1]. »

« Les habitants de Pomoni se mariaient à Vuani, mais jusqu'à maintenant, pas de mouvement en direction de Moya. Nous sommes une ville de démocratie et avons une très bonne entente avec Mutsamudu. Cela remonte au temps de la Société, comme dit le dicton, que les premiers instruits sont les premiers servis, beaucoup de gens de Mutsamudu ont servi la ville de Pomoni. L'infirmier qui officiait dans la société du domaine était originaire de Mutsamudu. Le chef de la société en qualité de caporal était de Mutsamudu. Donc, de nombreuses personnes de Mutsamudu avaient épousé des femmes de Pomoni. Ils ont eu beaucoup d'enfants et Pomoni récolte les avantages que cela a procuré. D'ailleurs, l'ex-président de l'île de Ndzuani, Saïd Abeid Abderemane, a épousé une femme dont le père est de Mutsamudu et la mère de Pomoni[2]. »

Sans aucun doute, le mariage est un important levier d'intégration et de promotion sociale. Cependant, ici, les coutumes et les traditions, y compris les plus rétrogrades, ont la peau dure. Sur les places publiques et à toutes les occasions, ceux qui se sentent frustrés répliquent par des boutades qui, selon leur conception, règlent les problèmes. Comme s'il suffisait de rappeler les origines sociales d'un des protagonistes pour le « calmer ».

Certains refusent de se départir de cette idée de faire allusion aux origines d'un vis-à-vis lorsque celui-ci bénéficie de considération dans la hiérarchie sociale. Comme si des origines serviles, sinon makua, étaient une avarie qui souille les pures races prédestinées à assumer les charges de la cité. Ce qui nous a valu ce constat par une des victimes de cette situation au village de Mkazi : « la hiérarchisation sociologique n'arrange pas les choses. On vit une drôle de "guerre" face à l'épineuse question de savoir qui est mshambara, qui est wahitswa shambwani pour le clan hinyarume, d'une part, qui est dignitaire et qui ne l'est pas pour le clan hinya mahatwib, d'autre part »[3]. Un peu partout dans les villes et villages, les clans régnants sont traversés par des ondes de choc qui humilient certains nostalgiques de l'ordre ancien.

Pourtant, compte tenu de ces changements socio-économiques, beaucoup de cadres tentent de juguler intégration et économie. C'est-à-dire beaucoup d'enfants nés dans les centres urbains, issus de mariages « mixtes », ont besoin d'une certaine intégration. Laquelle est permise grâce à l'apport d'une certaine fortune et de subsides financiers nécessaires pour les besoins des temps. Du coup, des mariages ont éclaboussé le cercle habituel traditionnel .

De nos jours, « de plus en plus de jeunes se connaissent à l'école, se fré-

1. BLANCHY S., 1992, p.31.
2. Ali Mabweya, Pomoni, 2010.
3. L'auteur de ces propos est issu côté paternel d'une famille régnante de la ville de Mkazi, mais est d'ascendance makua du côté maternel. Il a relaté les dissensions au sein du même clan.

quentent et, dépassant l'ère de papa, se marient. Personne ne peut plus imposer maintenant à sa fille un mari comme cela se faisait par le passé. Elle épousera qui elle veut ; c'est positif parce que c'est un facteur de consolidation de l'unité nationale ».

De plus en plus de gens parlent de l'esclavage du bout des lèvres. « Si je prends mon cas, nous avons des relations avec ce type de société. Ce n'est pas ancien, nous avons commencé une histoire nouvelle avec un des éléments de la bourgeoisie de Moroni. Finalement, il a été entretenu, ça aussi, c'est entretenu[1]. »

L'élément clé d'intégration de cette communauté nouvelle, c'est le mariage. Mais on peut aussi se demander pourquoi cette acceptation par ces familles-là ? « Non, ce n'est pas une acceptation. Cela dépend de l'endroit. Cela dépend de la famille avec qui on se lie. À certains endroits, ce fut difficile ; en d'autres, non. On a fait des décennies et des décennies, on a été comme bannis par nos familles. C'est une réalité. On n'a jamais été acceptés par nos familles. L'acceptation dépendait du milieu[2]. »

Le Makua, par convenance, a pu fonder une famille, posséder une habitation, ce qui a contribué à son cheminement vers l'intégration. Ce faisant, il a pu continuer ses cultes, sa culture et ses traditions et a fini par vulgariser sa pratique à l'ensemble de la cité, qui a fini par adopter les us et coutumes de la société qui l'a accueilli.

Dans la société actuelle, traversée par d'inévitables craquements, des éléments fondamentaux la structurant s'ouvrent et les émigrés, apportant leur contribution en tant que facteur déstructurant, s'adaptent ou s'accommodent avec les nouvelles réalités sociologiques. Avec l'argent qu'ils ont amassé, rien ne peut les arrêter dans leur quête de considération sociale. Les deux entités ont fini par faire fusionner leur pratique. « Les échanges matrimoniaux obéissent toujours aux mêmes prescriptions, dans une recomposition perpétuelle du lieu social : union inorganique exclusive, stigmatisation de l'hétérogamie[3]. » De nos jours, beaucoup de mariages sont célébrés en faisant fi des origines et en mettant au premier plan les capacités modernes de civilisation (*hasomo, mustaarabu, ngena mapesa*)[4]. Au demeurant, certaines familles vivent des histoires dramatiques d'acceptation de mariages, non souhaités, et certains d'entre eux n'ont pas connu de lendemains meilleurs. En dépit du cadre fixé du mariage, la société actuelle célèbre le grand mariage non seulement pour les aînés des familles, comme c'était de coutume, mais également pour l'ensemble de la descendance si celle-ci dispose de moyens. La communauté pouvait valider l'événement ou amoindrir les

---

1. C'est la réponse d'un haut cadre des milieux universitaires.
2. Entretien réalisé à Moroni en 2010. Nous avons tardivement démarré les enquêtes à Moroni à cause d'une boutade qui me rappelait toujours cette difficulté : vous risquez de vous casser les dents parce que Moroni, c'est eux. Cela m'a beaucoup bloqué. Je ne travaillais pas beaucoup à Moroni, je quittais la ville pour avoir des informations.
3. BOTTE R., 2001, p.11.
4. Littéralement, instruit, intellectuel et riche.

effets, eu égard à certaines disponibilités de ressources[1]. Avec l'avènement des crédits bancaires et la prépondérance de ceux de la communauté comorienne en France qui rentrent pour l'événement[2], la société n'a pas la capacité d'apporter un réel jugement sur la faisabilité de l'événement. D'autant plus que le clan de l'épouse peut rehausser le prétendant dans les hautes sphères de la société. « On s'en doutait que l'immigration allait changer les mœurs et les règles de la nature. La situation qui entoure les mariages dans la communauté comorienne de France est un parfait exemple[3]. »

2. Cadre institutionnel du changement

Le colonisateur, inquiété par l'emprise de la classe régnante (sultan, prince, vizir...), a voulu s'en défaire afin d'asseoir en douceur son autorité dans le pays colonisé. Il a par conséquent institué son cadre d'intervention, juste après avoir aboli les sultanats, s'appuyant alors à la fois sur sa règlementation et sur les notables, qu'il a lui-même créés, et qui servaient d'intermédiaires entre le pouvoir public, religieux, et la population. Ces notables étaient choisis dans la classe moyenne ou intermédiaire, mais ils devaient avoir des influences religieuses et coutumières[4]. Par cette voie, le colonisateur a établi une nouvelle classe (ouatou akoubwa[5]) qui travaillait en connivence avec lui, marginalisant de facto la haute dignité indigène.

Cette approche devait permettre l'intégration de l'ensemble des composantes (nobles et esclaves d'hier) pour former une société uniforme, dont le mérite devait se fonder sur le travail. Ceci a permis la monétarisation de l'économie et, par la suite, chaque société coloniale a frappé sa monnaie.

Egalité devant le travail et l'emploi

De 1841 à 1896, des bouleversements sont intervenus. Ils ont changé le sens de l'histoire de ces petites îles : la pénétration française s'est placée devant une réalité douloureusement contradictoire de servitude et de pénétration coloniale. On a assisté au début d'une administration française au contact d'une société à la fois antique et esclavagiste en déclin en faveur d'une autre, féodale et bourgeoise en formation. C'est alors que le régime des engagés a été établi. Il n'avait rien à envier au régime de l'esclavage qui, aux yeux des gens, subsistait malgré l'abolition à Mayotte en 1847 et la généralisation qui a suivi dans l'ensemble de l'archipel. Et ce n'est pas peu dire que pour les esclaves, anciens et nouveaux maîtres se ressemblaient. La vie était la même.

1. Mohamed Rachad Ibrahim, président de l'Université des Comores, entretien réalisé en 2012.
2. Les mariages se célèbrent au mois d'août en raison de leur disponibilité pendant la période de vacances. Ici, ils sont appelés « les je viens ».
3. Article d'Ahmed Abdallah Mgueni pour HZK, « Le mariage en France ».
4. Maloune Djoubeir, Mbeni Hamahamet, 2011.
5. ANSOM, dossier n°813 du 2 février 1915 ; voir arrêté portant organisation du village et du « Ouatou Akouba » ou conseil des Notables » dans la province des Comores du 27 janvier 1915.

La vie dans la colonie allait au rythme de la succession des gouverneurs, avec moins d'incidence sur les conditions d'existence et d'asservissement, qui n'évoluaient guère, sauf en ce qui concernait l'appellation. De l'engagement[1], on est passé au louage de services, institué par un décret de février 1905 réglementant les rapports entre les propriétaires locaux et les travailleurs indigènes pour, semble-t-il, concilier les intérêts des engagistes et des engagés. Le système des engagements a créé un lien trop étroit entre les indigènes et les planteurs et il en a résulté, selon le rapport du ministère des colonies au président du 22 octobre 1906, « des abus que les prescriptions les plus précises et le contrôle le plus minutieux n'ont pu faire cesser ».

Pour Saandi Soulé, il y a eu un esclavage moderne, lié à la colonisation[2]. En effet, l'acte de 1904 a été suivi d'un aménagement officiel de la traite, prenant la forme d'une réquisition pour compléter l'engagement. D'autres formes d'esclavage sont apparues sous des appellations diverses : msada (local), engagement (colons) et réquisition (officiel).

« Tous les colons affichaient une préoccupation permanente, le risque de manquer de bras, raison pour laquelle ils faisaient pression aux administrateurs pour prendre d'urgence les mesures nécessaires pour conserver les travailleurs présents sur leurs établissements et pour en augmenter le nombre. »

Les administrateurs coloniaux ont réussi à convaincre les sultans, qui ont tous opté pour l'abolition de l'esclavage dans sa forme la plus grossière. Le projet qui consistait à instituer un régime de pleine liberté a été tout simplement contourné, comme on l'a souligné. Les responsables de la société à Anjouan étaient loin d'admettre qu'il était aboli. Grâce aux efforts de Saïd Mohamed Cheikh et d'Ahmed Aballah, après que les travailleurs des sociétés et des régions spoliées par la politique coloniale se soient révoltés, une loi est venue mettre fin à ces supplices imposés par les sociétés coloniales.

« Les responsables de la société coloniale voulant appliquer des mesures de réquisition ont parlé d' « engagement », un terme qui, pour les Comoriens et de nombreux habitants de l'océan Indien occidental, signifie « esclavage ».

Toutes les sociétés créées à Ngazidja, à Mohéli, à Anjouan et à Mayotte, les sultans jusqu'à la fin du XIXᵉ siècle, et tous les grands propriétaires terriens, tous utilisateurs d'esclaves, ont dû modeler leur attitude face à l'esclavage. En effet, les anciens propriétaires, en même temps que leurs esclaves, ont été mis au travail. Ce climat a été à l'origine de plusieurs conflits contre la colonisation à la Grande-Comore (voir le cas Bouvier).

Voyons comment sont décrits le régime de travail de ces engagés et leurs nouvelles conditions de vie : « chaque matin, à cinq heures, le travail commence et dure sans interruption jusqu'au coucher du soleil ; nulle part, excepté dans les

---

1. La matière, ici règlementation du travail, est largement traitée dans le dossier 6(8) D 5 AN-SOM à Aix-en-Provence.
2. Saandi Soulé, informateur âgé de 53 ans, Mitsamiuli, 2012.

ateliers du gouvernement, dans les prisons, et peut-être sur une ou deux habitations, le repos de midi et du dimanche complet n'est accordé au travailleur ; on le force à passer treize heures, soit au champ, soit à l'usine, sans prendre ni repos, ni nourriture ; et après l'appel du soir, à sept heures, que lui donne-t-on pour sa ration de la journée ? 1200 grammes de riz en paille qu'il est obligé de piler, de vanner et de faire cuire avant de le manger »[1]. Concernant les salaires, la fixation était, selon les propos du rédacteur du rapport du 10 février 1910 au président : « susceptible d'avoir des inconvénients. Le minimum pouvait en fait devenir un maximum, il est à craindre, en effet, que les employeurs s'autorisent du chiffre administratif pour en transformer le caractère et pour lui donner comme le prix légal de la journée de travail. Or, comme l'administration devra prendre le chiffre le plus inférieur, le minimum de salaire sera toujours excessivement bas et en fixant pour les indigènes le prix minimum de la journée de travail, on arrivera à ce résultat d'abaisser le prix de la main-d'œuvre ».

Louis Vigouroux situe la contradiction dans cet exemple de la Grande-Comore, sous la direction de Léon Humblot : « mal payés, mal nourris, mal traités, les travailleurs désertaient. Alors, le résident de la France, assailli de plaintes par Humblot, est obligé de les punir et de les remettre aux agents de la société. Il y a 2000 Comoriens sans ressources pour lesquels le travail est virtuellement et légalement obligatoire. La société et Cie et M. Legros ne peuvent pas en employer plus de 2000. Il semblerait naturel de favoriser l'exode de ces travailleurs vers La Réunion et Madagascar, qui manquent de bras. »

Dans les grandes chaînes de production, à l'huilerie de Moroni par exemple, les accidents de travail étaient nombreux, mais à aucun moment les machines ne s'arrêtaient. Les travailleurs se rappellent un homme tombé dans une citerne. Un de ses collègues criait : « Un homme à la citerne ! Un homme à la citerne ! » Quoi ? Un homme à la citerne ? Un Blanc a accouru pour voir, projecteurs braqués. Un homme à la citerne, c'est tout ! Des mouvements sociaux, partis des mauvaises conditions de travail, ont éclaté ici et là, telles les grèves de 1947 à Mayotte, qui ont affecté les travaux publics en janvier, le domaine de Kongo contre le sieur Grimaux et à Combani en mai pour la SCB. Les raisons invoquées avaient trait à la personnalité des directeurs. Les travailleurs refusaient leurs méthodes, qui leur rappelaient la période de l'esclavage.

La seule évolution significative dans le domaine de la législation du travail a été la création de la Caisse de Prévoyance sociale, qui répondait à un besoin plus qu'urgent. On le verra plus loin, les sociétés avaient besoin de travailleurs valides et en bonne santé. La règlementation du travail est restée des plus rudimentaires, gangrenant en effet l'évolution sociale dans l'archipel[2]. C'était donc

1. ANSOM, 6(8) D 5, rapport au président du 10 février 1910.
2. Condition de travail. Réglementation du travail, correspondance entre 1909-1910
Circulaire : « A la suite des instructions qui m'ont été données par M. le Gouverneur Général de Madagascar et Dépendances, j'avais donné ordre le 9 août courant aux chefs de poste détachés de la grande terre pour qu'ils ne reçoivent plus à leur poste en punition les engagés de 6 heures du soir à 6 heures du matin et du samedi soir 6 heures au lundi matin 6 heures.

un effort vain que de vouloir réussir un rapprochement des catégories sociales par le travail et l'emploi.

Le développement de l'exploitation agricole a eu comme conséquence l'extension de la main-d'œuvre exclusivement masculine au détriment de la main-d'œuvre féminine. Les femmes ont été employées à la cueillette des fleurs, à la préparation du cacao, au séchage des clous de girofle.

De nombreux administrateurs pensaient faire du travail un moule à partir duquel il serait possible d'aligner tous les Comoriens, quelle que soit leur origine sociale. Ces derniers ont été soumis à des conditions de travail et à une règlementation qui a subi de fortes évolutions pour s'adapter à la situation à laquelle faisaient face les colons.

Comme le souligne Rantoandro, « dans l'étude de l'esclavage, c'est sans doute la condition vécue par les esclaves qui occupe une des places essentielles, car c'est par elle que l'on peut mieux caractériser la nature même d'un système[1]. »

La loi stipulait que les individus concernés par le travail obligatoire devaient justifier, quand cela était requis, être employés chez un colon ou un indigène de la première catégorie[2]. Plutôt que d'empêcher le maraudage et le vagabondage, le but de cet arrêté était de fournir les bras nécessaires à la colonisation et à la mise en valeur du pays. Tous les individus, en dehors de la première catégorie, étaient visés par l'arrêté[3]. Les Comoriens libres s'en sont servis pour protéger les Makua libérés de l'engagement[4].

En 1935, Regoin, délégué de Mayotte et des Comores, a écrit au gouverneur à Dzaoudzi en ces termes : « Il sera considéré comme vagabond, ce qui revient à dire que tout indigène qui n'a ni ressources ni moyens d'existence, devra à toute réquisition, justifier par la représentation d'un livret, qu'il satisfait bien aux conditions imposées par la loi, c'est-à-dire qu'il se livre à un travail quelconque, sinon il sera considéré comme vagabond, et comme tel, tombera sous le coup de

Des engagés venant de se plaindre à M. le Procureur de la République d'avoir été envoyés, en punition, au poste de police la nuit, j'ai l'honneur de vous faire savoir que le droit de punir les indigènes, travailleurs permanents ou libres sur les propriétés, n'appartient qu'aux tribunaux de la colonie pour les infractions aux règlements administratifs en vigueur dans la colonie. En conséquence, tout indigène qui se trouverait de par ses actes être en faute devra être envoyé, avec une plainte motivée à ma disposition par l'intermédiaire du délégué de l'administration de la grande terre à Mamoudzou, pour qu'une sanction intervienne contre lui.

Le droit de punir, en vertu du décret du 30 septembre 1887 relatif à la répression par voie disciplinaire des fautes commises par les indigènes non citoyens français, n'appartient qu'au Gouverneur. Je suis persuadé qu'il m'aura suffi de vous rappeler la teneur des textes en vigueur pour qu'à l'avenir aucune infraction ne soit constatée.

Tout indigène, je le répète, coupable d'infraction quelconque à ses engagements doit être dirigé sur le chef-lieu où justice sera rendue. /. »

Mayotte (Dzaoudzi) le 28 août 1908. Le gouverneur, signé : Paul Oatté

1. RANTOANDRO G. A., 2007

2. L'arrêté du 5 janvier 1899 divisait les indigènes en 2 catégories. La première était composée des cultivateurs, des commerçants ou propriétaires.

3. L'arrêté en question disposait en son article 7 : « des peines contre tout individu de la 2ᵉ catégorie non muni d'un livret ».

4. Témoignage de Fouad Goulam sur les liens de parenté inexpliqués dans la famille.

l'article 7 ».

En substance, les individus de la deuxième catégorie, libres ou esclaves, étaient mis sur un pied d'égalité devant la loi[1]. Il n'est pas impossible que ces indigènes aient été livrés à l'engagement contre leur gré, comme affirmé par Léon Humblot, pour mettre fin à l'influence de l'aristocratie.

Pour l'administrateur chargé de l'appliquer, c'était un moyen de contrôle et de vérification alors que plus d'un Makua avait pu trouver un employeur pour éviter de retomber dans l'engagisme. Cette attestation d'emploi chez un indigène de la première catégorie était une preuve indispensable vis-à-vis de l'administration. La loi précisait que le mot « engagé » était employé pour désigner les travailleurs. Dans cette seconde catégorie, esclaves et non-esclaves se côtoyaient et leurs conditions de vie ne différaient en rien : dépendance à l'égard d'un hypothétique employeur. Ils étaient métayers ou fermiers. L'un était de condition non-libre et l'autre libre.

Au fil du temps, tous deux sont devenus des habitués du village ou de la ville, ont travaillé la terre, ont porté des haillons et oripeaux. Ils ont sympathisé dans la misère et dans le dénuement. En 1935, la situation n'a pas beaucoup changé ; dans les domaines souvent laissés en friche, des gens de la deuxième catégorie ont continué à gratter le sol et, dans une certaine mesure, ont occupé des terrains que les colons n'exploitaient plus. Ils ont été employés dans les domaines. Peu à peu, ils ont accédé à la propriété sans pour autant pouvoir justifier de titres de propriété. De nombreuses années plus tard, le régime foncier est entré dans un bourbier, état de fait que seuls les plus forts pouvaient s'approprier[2].

La population a hérité, malgré elle, des liens très à l'étroit avec les sociétés et les colons, liens qui ont continué avec les aristocrates devenus propriétaires des terres, les premiers et les seconds formant les groupes sociaux dominants pendant et après la période coloniale. Et comme de tout temps, ils se sont appropriés les terrains et ont fait travailler les habitants des campagnes, dont les enfants n'embrassaient pas forcément le même travail. À l'époque des sociétés, celles-ci n'hésitaient pas à détruire la case, à dévaster les cultures et à brûler leurs biens. Les habitants des hauts d'Anjouan suspectent les grands propriétaires des terres de vouloir leur faire subir les mêmes supplices qu'auparavant. Il est rapporté, pour illustration, ce cas d'un individu qui, mis à pied, a dû partir, car le village est bien enclin dans le domaine. De telles pratiques ont été possibles parce que, jusqu'en 1950, la population active était moins nombreuse et les sociétés étaient à même d'exiger des villageois de travailler pour elles. Dans l'esprit du propriétaire du

1. « Le travail est rendu obligatoire pour tous les individus de cette deuxième catégorie. Ils doivent être porteurs d'un livret individuel, où seront mentionnés les renseignements suivants : 1° la durée de l'engagement ; 2° les conditions dudit engagement ; 3° les salaires mensuels et le mode de paiement ».
2. Le conflit sur le foncier a pour source cette incompréhension qui a donné naissance à un litige entre les habitants des villages enclavés dans les domaines des colons, aujourd'hui abandonnés, et les nouveaux ayants droit, qui cherchent effectivement à déloger ces anciens travailleurs (engagés), qui les considèrent comme leurs.

domaine, tout lui appartenait, y compris ceux qui y habitaient. Il pouvait donc exercer tous les droits sur eux et à son avantage. Cl. Robineau écrivait : « Les gens étaient obligés de travailler sur les plantations sinon ils n'avaient rien »[1]. Cette réalité perdure.

Certaines sociétés fournissaient à leurs travailleurs des parcelles pour leurs cultures vivrières. À Anjouan, chaque entreprise contrôlait les habitants des villages enclins dans le domaine. Pour partir, à la période de l'engagement, il fallait changer de nom et de village. Ce qui hantait les entreprises, c'était le départ de la main-d'œuvre à destination de Madagascar. Le combat des villageois était compréhensible, soutenable et même souhaitable. Il consistait à sortir le village des domaines de colonisation pour devenir administratif. Autrement, le village tout entier, y compris les enfants, relevait du colon.

Le deuxième axe était de sortir du régime du travail forcé, demeuré réel à Anjouan jusqu'aux années 1960.

À la veille de l'indépendance, certains membres des grandes familles nobles, instruits et faisant partie de l'élite, dont Ahmed Abdallah, Mohamed Ahmed, Ali Bazi Selim, et d'autres, ont acheté de grands domaines et ont continué la plantation : Ahmed Abdallah à Anjouan s'est fait le représentant des paysans et des habitants de la campagne. Interlocuteur avisé, il a constitué son domaine en achetant aux colons, pressés de vendre face à la montée de l'exaspération des paysans. Et à ces derniers, il a demandé de patienter pour éviter les tracasseries judiciaires. « Attendez, leur disait-il, car ils vont partir ». En revanche, il les a priés de maintenir la pression, ce qui lui a permis (à lui et ses clients) d'acheter pour presque rien les terres des Blancs.

Interprète à la Société Bambao à Bambao la Mtsanga, par cette opportunité, Ahmed Abdallah a fait connaissance avec beaucoup d'Anjouanais qui, par la suite, lui ont fait confiance et l'ont désigné comme représentant dans la commission de la réforme agraire de 1947. Il a su faire pression sur les sociétés coloniales pour créer les réserves indigènes et le périmètre d'extension des villages. Naturellement, à travers cette action, il a pu se tailler la part du lion tout en favorisant ses amis à l'accès à la propriété.

La bourgeoisie était cette élite des villes ou des campagnes qui commercialisait tout, jadis intermédiaire, succédant aux colons et aux sociétés. C'étaient eux les responsables de la misère des paysans et des gens des campagnes. Ils étaient à la tête des domaines et des sociétés, ils achetaient la vanille, ils imposaient leurs prix, ils faisaient des prêts. Pour les honnêtes gens, ils étaient là pour maintenir la domination de leurs aïeux.

Les paysans et le prolétariat étaient les groupes sociaux les plus représentatifs. Le prolétariat était formé de ceux qui ne pouvaient pas subsister à la campagne. Ce groupe a vu ses effectifs augmenter au fil des ans et est devenu plus pressant des années 1960 à nos jours. La paysannerie, quant à elle, a vu ses effec-

1. La société détruisait la maison, dévastait les cultures et brûlait leurs biens. Mis à pied, le villageois devait partir, car le village était bien enclin dans le domaine.

tifs diminuer, car les enfants des années 1960 n'ont pas travaillé la terre. Ils sont allés à l'école, mais leurs conditions n'ont pas pour autant changé. Ce sont eux qui ont été touchés par le chômage, ce qui explique leur débrouillardise. Ils ont diminué en tant que groupe au profit des premiers, lesquels étaient preneurs des illusions qu'on leur vendait.

Le girofle et la vanille étaient les principales cultures riches auxquelles les paysans anjouanais pouvaient s'adonner. Elles constituaient, hormis le salariat sur les plantations, leurs principales sources de revenus monétaires.

Cette organisation sociale traditionnelle a évolué en fonction de la monétarisation croissante de l'économie et des influences extérieures apportées par les échanges internationaux et par les apports successifs de la diaspora comorienne vivant à l'étranger[1].

La commercialisation de la vanille a mis en rapport des producteurs et des collecteurs. Ces derniers étaient les intermédiaires.

Au cours des années 1960, les Comores ont accédé à l'autonomie interne. Les colons, se sentant menacés, ont orienté leur système de production en abandonnant les cultures qui nécessitaient beaucoup de bras, comme la vanille et l'ylang, ce qui a passé la main aux gros producteurs de Mutsamudu, Oini, Sima et Domoni. Ces derniers ont créé des sociétés qui ont servi d'écran, voire même de pare-feu, à l'occupation des domaines des colons. En définitive, l'employeur a changé, mais les rapports d'exploitation sont restés les mêmes. Aux yeux des travailleurs, les nouveaux patrons n'ont pas changé leurs conditions de travail et de survie. Ils ont même perdu les assurances et allocations familiales dont ils bénéficiaient dans les domaines des colons. Les nouveaux patrons ont instauré un système relais à travers un collecteur, qui traitait directement avec les travailleurs. En conséquence, les pressions que ces derniers pouvaient exercer sur les domaines étaient, du coup, émoussées.

Les autochtones sont peu à peu arrivés à assumer des responsabilités jadis endossées par les administrateurs coloniaux. Mais comme les nouveaux patrons détenaient eux aussi des postes politico-administratifs, les disparités entre travailleurs et patrons ne se sont pas pour autant dissipées. Il a fallu attendre la révolution de 1975 pour arrêter ces pratiques et mettre sur un pied d'égalité les individus, quels que soient leur classe sociale, leur lieu d'origine (rural ou citadin) et l'état de leur fortune en vue de former, par le travail, une société égalitaire.

Une règlementation difficile du travail

Le point de vue officiel pour régler la contradiction consistait en une réglementation du travail. Voici un extrait de compte rendu : « Reste la question du contrat de travail. Cette mesure a donné, certes, de bons résultats à la grande île en régularisant et en stabilisant les relations entre employeurs et employés. Mais le Malgache ne ressemble en rien au Comorien. Si le Malgache ignorait la chose, le Comorien, lui, l'avait connue sous un autre nom. Le système des engagements

1. MSA A.,

organisés par les arrêtés des 18 mars 1846, 2 octobre 1855, 16 août 1856, 31 mai 1878, lui avait laissé de cuisants souvenirs qu'avait à peine adoucis le décret plus libéral du 16 février 1905 : peines corporelles, geôles privées, etc. »[1]

La circulaire du 17 novembre 1904 et le décret du 22 octobre 1906 traitaient de la main-d'œuvre, instruments qui ont été complétés par une lettre du gouverneur intérimaire précisant : « tous les indigènes seraient employés à titre permanent sur les propriétés qui demanderaient des travailleurs ». N'était-ce pas là consacrer le triomphe de l'esclavagisme ? Ces temps sont évidemment lointains, mais n'ont pas été oubliés. L'indigène de Mayotte était incapable d'apprécier les différentes modalités d'un système vis-à-vis duquel il conservait une profonde répugnance, il faut le reconnaître.

« Le meilleur remède à la crise de la main-d'œuvre dont souffrent les exploitations de Mayotte réside dans une action administrative, se manifestant par une vigilante surveillance des autorités indigènes, une active répression du vagabondage, une lutte incessante contre la dissémination des villages, une révision des locations consenties, une modification des conditions de mise en valeur des concessions indigènes, une stricte application des règlements concernant le régime forestier.

Les Comores retrouveront alors leur ancienne prospérité, débarrassées des entraves mises à leur développement, et dotées de règlements appropriés[2]. »

Aux Comores, les conditions de travail et les possibilités de rendement ont pris un caractère différent selon l'île envisagée. La question de la main-d'œuvre ne s'est guère posée qu'à Mayotte, avec le régime des grandes concessions. Sur les maigres parcelles disponibles, l'indigène ne pouvait cultiver et récolter que des produits en quantité presque insuffisante, juste pour subvenir à ses besoins. Le sol particulièrement fertile à Mohéli lui permettait d'avoir en abondance et sans peine les produits nécessaires à son alimentation.

La main-d'œuvre préférait s'établir à son compte, car ne désirant pas assurer le paiement de hauts salaires, les propriétaires avaient pris l'habitude de céder en complément de rétribution des terrains de culture[3].

À Anjouan et en Grande-Comore, la plus grande partie de la superficie cultivable a été concédée ou louée à des sociétés. Presque tous les domaines ont abandonné gratuitement à leurs travailleurs des parcelles de terrain. Bananes et noix de coco leur étaient vendues à prix modique. L'avance du montant des impôts leur était concédée avec abandon du droit de pacage pour les animaux. Les femmes et les enfants étaient employés à la fécondation de la vanille ou à la cueillette de l'ylang-ylang, moyennant rétribution, bien entendu.

L'indigène aurait évidemment apprécié une augmentation. Néanmoins, comme il se rendait compte qu'une fois augmenté, l'employeur ne se contentait

---

1. Maurice Bouilloux-Lafont, député du Finistère, membre de la Commission des Finances.
2. Maurice Bouilloux-Lafont, idem.
3. Rapport annuel pour l'année 1936, archipel des Comores. 4e partie, main-d'œuvre. Idem. Le rédacteur écrit : « la plupart des employeurs s'accommodent de cette coutume qui permet

pas des cinq ou six heures de travail effectif qu'il fournissait, il préférait encore la solution actuelle, qui lui laissait la moitié de la journée pour ses propres travaux. En réalité, ces rémunérations, qui paraissaient inférieures, étaient normales dès l'instant qu'elles ne s'appliquaient qu'à une demi-journée de travail. C'était le cas général, exception faite des ouvriers travaillant aux pièces. Encore, cette catégorie était très rare. Il avait été imaginé des offices de placement, dont les débuts n'ont pas été prometteurs.

La réglementation du travail était inopérante, car elle faisait abstraction des conditions particulières de l'archipel et était contournée dans beaucoup de ses dispositions par les colons. Il serait faux d'affirmer qu'il y avait insuffisance de main-d'œuvre ; il y avait plutôt un refus des travailleurs de s'engager, entraînant une crise de rendement due à la réglementation et à l'attitude excessivement autoritaire employée par les colons.

On aurait dû croire le contraire, que la colonisation française aurait fait disparaître l'esclavage. Elle a surtout provoqué le départ des Comoriens de Mayotte et de Grande-Comore, ralentissant effectivement l'évolution. Il semble que la société éprouvait des difficultés à trouver des travailleurs, c'est la raison pour laquelle elle importait des Makua, des travailleurs à Ngazidja dépendant du sultan Saïd Ali. Une affirmation que réfute un de nos interlocuteurs de Ngazidja, qui soutient : « depuis la venue de Léon Humblot, Saïd Ali n'a pu régner et ne pouvait, donc, pas disposer de travailleurs. La population se serait concertée en vue de l'éliminer pour avoir fait venir Humblot »[1]. La liberté du travail a été proclamée dans la colonie de Mayotte et dépendances par le décret du 28 mai 1907[2]. Cet acte constituait déjà un sérieux progrès sur le régime institué par le décret du 22 octobre 1906. Il a supprimé l'obligation du travail, les pénalités pour insuffisance dans le nombre de journées de travail, la mise à disposition des condamnés aux colons. Il a fait, en d'autres termes, disparaître tout ce qui était attentatoire à la liberté des indigènes et a conservé tout ce qui, dans les dispositions antérieures, paraissait devoir sauvegarder les droits des travailleurs, la tenue des registres par les employeurs, la fixation d'un minimum de salaire...

Depuis que la colonie de Mayotte était placée par le décret du 9 avril 1908 sous l'autorité du gouverneur général de Madagascar, ce haut fonctionnaire s'était rendu compte que l'application de ces mesures était de nature à présenter de grandes difficultés. Il a manifesté la crainte qu'elles n'atteignent pas leur but du point de vue des travailleurs indigènes. Il a tout d'abord fait observer que la valeur probatoire à accorder aux registres tenus par les employeurs était nulle, que les ouvriers indigènes étaient pour la plupart incapables de discuter des

à quelques-uns, dont la mentalité est proche de celle de l'indigène, de se procurer de la main-d'œuvre à bas prix. De leur côté, les ouvriers ne récriminent pas puisqu'ils jouissent d'une tranquillité absolue en cultivant, pour leur compte personnel, les terrains que leurs employeurs mettent à leur disposition ».
1. Alhamid Moindze, Djumwashongo.
2. Rapport au Président de la République française du 10 février 1910, régime du travail.

comptes, volontairement compliqués, et que l'intervention de l'inspecteur était illusoire, aucun agent ne pouvant vérifier chaque mois la légitimité des inscriptions portées sur les livres.

Concernant les salaires, l'établissement d'un minimum aurait pu être soutenu avec le régime de l'obligation du travail, car l'autorité qui forçait l'indigène à travailler était contrainte d'assurer une rémunération. Si le travail était libre, la fixation d'un salaire minimum n'était plus d'aucune nécessité et était même susceptible d'apporter de nombreux inconvénients. Le minimum pouvant, en fait, devenir un maximum. Il était à craindre que les employeurs se servent de ce chiffre pour le transformer en un taux légal de la journée de travail. Dans cette manipulation de chiffres, l'administration aurait pu tomber dans une confusion qui lui aurait fait considérer le chiffre inférieur comme salaire minimum (toujours très bas) d'une part et d'autre part, payer les ouvriers devant un agent représentant l'autorité administrative. Le fait comportait le risque que les indigènes confondent l'employeur et l'autorité et ce d'autant plus que l'autorité administrative pouvait fixer les salaires. Cette confusion était, partout, source de dangers et de graves abus. Même si les réquisitions de main-d'œuvre étaient réprimées aux Comores depuis 1940, la loi sur la liberté du travail est presque passée inaperçue[1]. Le rédacteur du rapport n'a pas manqué de regretter une telle réforme, car pour lui, « le travail étant libre, l'indigène a la liberté de ne pas s'y livrer ». Il est alors apparu nécessaire pour le législateur de prendre des mesures d'accompagnement devant lui permettre de créer des besoins en favorisant l'importation de tissus, de vaisselle...

On note encore à partir des années 1950 peu d'évolution sur le plan social, la majorité de la population étant restée en marge du modèle de développement et démunie de tout.

Dans les zones rurales, dans les villages, le mode de vie auquel les ruraux étaient confrontés a créé des solidarités et rapproché les habitants dans un modèle de vie sociale communautaire, lequel était en contradiction avec les conceptions sociopolitiques et socioculturelles occidentales. C'est ce qui ressort du rapport de 1955 sur l'archipel des Comores qui stipule que la mise en application du Code du Travail aux Comores a été réalisée sans heurt ni difficulté particulière[2]. Sans doute, le développement des institutions sociales a-t-il été freiné par la précarité de l'équilibre économique. Ce qui veut dire que dans tous les domaines de la technique, de l'économie, et surtout de l'immense action sociale, pas seulement limitée aux seuls travailleurs, car c'est une minorité, mais entreprise en faveur de tous les habitants, de grandes réalisations devaient être inscrites sur le sol. On en est encore là.

---

1. Le rapport annuel de la subdivision d'Anjouan de 1947 (2D76) le souligne et précise que : « Le député Saïd Mohamed Cheikh, qui se targuait d'être l'un des artisans de la loi abolissant l'indigénat, doit une partie de sa popularité au grand enthousiasme qu'avait à l'époque déclenché cette réforme à l'intérieur du pays ».
2. ANSOM, 2D76 (2) Evolution économique et sociale, rapport de 1955.

Pour cela, les ressources de l'archipel ne sont pas encore toutes exploitées et c'est la voie suivie par l'expérience révolutionnaire d'Ali Soilihi, visant entre autres à réduire, sinon à supprimer, toute distinction fondée sur l'origine sociale des individus. L'agriculture peut intensifier encore sa production. La richesse peut s'accroître si toutes les volontés continuent par leur unité et leur collaboration à maintenir la paix sociale. Le regroupement autour du mudiriya (commune) de plusieurs villages, sans considération de statut, renforce la cohésion. À l'œuvre commune, tous sont invités à s'associer ; et pour qu'elle soit plus féconde encore, il faut que soit unanimement adopté le seul mot d'ordre : travail. Nous renvoyons à l'œuvre d'Abdallah Nourdine, pour qui le travail constitue une norme par rapport à laquelle s'évalue l'intégration ou l'exclusion sociale[1]. L'administration coloniale aurait voulu se servir du travail comme une prestation rémunérée pour en faire un moule où tout le monde serait aligné sur un pied d'égalité afin de pouvoir rejeter les distinctions fondées sur les considérations sociales. Sinon, ce serait perpétuer un modèle moribond formé de propriétaires d'esclaves et esclaves.

Imposition obligatoire

La colonisation a voulu mettre tout le monde au travail pour casser la dominance de la classe des nobles par rapport aux Makua et autres catégories serviles. Elle a instauré l'impôt (lateti), payé par tête d'habitant d'une part, et sur sa maison d'autre part. Cela a conduit tous les hommes actifs à chercher un emploi pour l'acquitter. Le non-paiement faisait l'objet d'une contrainte par corps, ce que redoutaient les populations indigènes. L'arrêté local du 1er décembre 1906 stipulait que : « la contribution personnelle des indigènes est portée à 20 francs par an »[2].

Il ressort également d'une correspondance du gouvernement général de Madagascar et Dépendances la volonté de généraliser l'impôt à toute personne résidant dans l'archipel[3]. Il fallait l'assujettir au même régime fiscal que celui auquel étaient soumis ceux (étrangers d'origine asiatique ou africaine) habitant Madagascar.

Les Comoriens gardent en mémoire ce qu'était l'impôt et les conséquences

---

1. Abdallah Nourdine, « Comment connaître le travail quand le travail n'est plus travail ?»
2. En 1908, le rédacteur du rapport de rattachement à Madagascar expliquait que les résidents étaient hostiles au relèvement du taux de la contribution personnelle, qui leur paraissait suffisant, surtout que quinze francs par tête représentait environ pour l'ensemble de la population un prélèvement d'un douzième des salaires que pouvaient gagner les travailleurs au cours d'une année.
3. A. Schrameck, 3 décembre 1918, rappelant les dispositions de l'article 74 du décret du 30 décembre 1912 : « Nul étranger de race asiatique ou africaine ne peut résider dans la colonie de Mayotte et Dépendances sans être muni d'un permis de séjour. Ce permis de séjour donne lieu à la perception d'une taxe annuelle dont la quotité est fixée par l'administrateur de la colonie ».

qui en découlaient si on ne payait pas. Cheikh Allaoui à Domoni aimait à dire aux gens : « vous allez à l'école sans comprendre le français. Moi, le chef de la subdivision me disait d'expliquer aux notables que payer l'impôt est un droit »[1].

La colonisation a généralisé, ne serait-ce que dans les zones urbaines, l'économie monétaire, jusque-là ignorée par la majorité de la population. Pour faire fonctionner les administrations mises en place, elle a institué un impôt par tête (*lateti*). Les Comoriens l'ont « accepté » et « respecté ». Difficile de se mettre en fronde, voire se révolter, contre la milice indigène et les chefs de canton et de village chargés de le collecter. L'attitude différait selon les îles, comme le montrent les deux exemples suivants. Le village de Koni, qui compte près de 2500 indigènes, est habité par une population wa-matsaha qui, hier comme aujourd'hui, a toujours été considérée comme systématiquement réfractaire à toute entreprise émanant des autorités centrales. Aussi, en 1911, des habitants ont choisi de se suicider plutôt que d'être astreints aux obligations de l'impôt[2]. En Grande-Comore, le résident Teyssandier a constaté : « les Grand-comoriens font preuve d'une bonne volonté par le paiement de l'impôt. Tant dans ce but qu'afin de pouvoir subvenir aux besoins de leurs familles, ils se sont employés le plus possible chez les Européens ».

Les représentants de la France ont voulu, par l'impôt, obliger les Comoriens à s'engager afin de pouvoir l'acquitter. Les engagés des plantations ne pouvaient s'extraire de cette obligation puisqu'elle était amputée directement sur salaire. Humblot a trouvé le moyen de payer lui-même l'impôt de ses employés et de le retenir sur salaire, ce qui a donné lieu à des abus que d'aucuns ne manqueront pas de dénoncer. Les autochtones « payaient l'impôt, même les bœufs payaient, les champs aussi ». Il fallait donc travailler. Les nombreux colons installés offraient des possibilités d'emploi, mais personne n'était forcé à travailler, disait-on, chez Humblot. « Sous la colonisation française, hommes et femmes devaient payer l'impôt (la teti) ; ma mère l'a payé pendant deux ans. Puis, nous payions l'impôt d'habitation. Oui, pour franchir le seuil de ta maison, il fallait payer. Et c'était 2 francs par tête », témoigne un ancien employé, dont le premier emploi, alors qu'il avait 9 ans, était chez Charles Legros ! « Je me rappelle comme maintenant, il m'a appelé "jeune homme" lorsque mon père me présenta à lui. »

Nul, au vu de la loi, n'était épargné par cet impôt, peu importait son statut. En effet, anciens esclaves et Makua étaient astreints à le régler au même titre que les hommes libres et les anciens maîtres (propriétaires d'esclaves). L'égalité devant l'impôt a partiellement cassé la dominance des uns sur les autres.

Ce sont « des esclaves qui ont été razziés en Afrique de l'Est, à l'arrivée, ils

---

1. « Explité aux notables, payer l'impôt, c'est droit. Payé pas 15 francs amende et 15 jours prison et n'a jadire », soit : « expliquer aux notables que payer l'impôt est un droit. S'il ne paie pas, il aura 15 francs d'amende et 15 jours d'emprisonnement. C'est tout. Je n'ai rien à dire ».
2. Comores, rapport politique et administratif de l'année 1913 - Situation politique et état d'esprit des indigènes – sécurité.

étaient enchaînés de la tête aux pieds. Mais après, tout le monde était mélangé »[1]. L'obligation, sans distinction, de payer l'impôt, dont le recouvrement était confié au chef du village, maintenait l'état de servilité. « Mais à vrai dire, bon nombre de Comoriens sont des descendants d'esclaves. Ils sont arrivés et par la suite sont devenus des citoyens comoriens. Il est difficile de les distinguer. » À Anjouan, il y a eu regroupement de ceux qui travaillaient à la Bambao à Koni. « On connaît en effet les villages dont les habitants ont été des esclaves introduits à partir de l'Afrique de l'Est, Bambao, Patsy, Pomoni et Tsaha[2]. »

Une correspondance du gouverneur Montagné a fustigé les errements de la politique des administrateurs dans l'archipel. Ces derniers n'ont pas laissé d'archives assurant la continuité de l'œuvre et il s'en est suivi une méconnaissance totale de ce qui se faisait. En matière d'impôt, on impute le résultat chaotique à l'absence de documentation des chefs de canton et au contrôle fragmentaire de certains chefs de subdivision[3].

La lutte engagée contre le vagabondage n'a pas laissé d'autres choix : les enfants préféraient suivre leur père et travailler aux champs en prévision du risque de payer l'impôt.

En Grande-Comore, on a toutefois noté un refus de certains hommes libres de travailler. Un cas qui ne sera pas unique puisqu'il sera observé par la population libre des trois autres îles de l'archipel. Aucune catégorie socioprofessionnelle n'était épargnée par l'impôt[4]. Les taxes frappaient à la fois les pêcheurs et les propriétaires de boutres.

L'impôt pesait lourdement sur la population. Elle s'est révoltée à Ngazidja en 1915. Les sociétés coloniales occupaient une grande partie des terres, surtout à Anjouan. Le Nyumankele, zone rurale pauvre, peuplé de paysans sans terres,

1. Ahmada Mdere, 70 ans, Ongoju, Anjouan.
2. Ahmada Mdere, 70 ans, Ongoju, Anjouan.
3. Dzaoudzi, le 19 novembre 1931
Le gouverneur des colonies, Lieutenant-gouverneur de l'archipel des Comores, Officier de la Légion d'honneur
(Extrait)
À Monsieur le gouverneur général, Tananarive
Au cours d'une tournée d'inspection dans l'archipel, il m'est apparu que des droits de justice étaient perçus à Mayotte et à la Grande-Comore suivant le tarif fixé par l'arrêté du 20 janvier 1928.
J'ai fait rechercher si des textes n'avaient pas établi des droits spéciaux pour la justice musulmane des Comores. Dans l'état actuel de nos archives et de nos bibliothèques, il semble que cette matière n'ait jamais été réglementée.
Cette carence cadre parfaitement avec le respect superstitieux envers les coutumes locales dont témoignent tous les vieux textes tels que l'arrêté du 1er septembre 1843, l'ordonnance du 26 août 1847, le décret du 30 janvier 1852, le décret du 25 octobre 1879 enlevant aux cadis la connaissance des affaires répressives et le décret du 5 novembre 1888 pris à la suite de notre établissement à Anjouan, Mohéli et la Grande-Comore. Montagné.
4. ANDAOM c 412 d 1106. Astor prend un arrêté le 23 avril 1910 fixant le mode d'assiette et de perception des droits de navigation aux Comores. En voici la teneur : « Tout propriétaire, capitaine ou patron de bâtiment, boutre, chaloupe, baleinière ou pirogue ayant pour port d'attache l'une des localités est assujetti à une tâche fixe ».

s'est soulevé en 1940 contre la réquisition de main-d'œuvre pour les domaines coloniaux. Saïd Mohammed Cheikh, le premier député comorien à l'Assemblée nationale, s'est préoccupé de la question agraire, mais l'élite autochtone – dont il faisait partie - et les colons avaient des intérêts de classe qui limitaient les réformes [1]. À noter qu'en dépit des abus issus du paiement de l'impôt, ce principe a permis de dégeler la dominance des autochtones des uns sur les autres, et particulièrement des Makua. Par ailleurs, toutes les personnes valides étaient obligées de travailler, réduisant du coup le vagabondage et sortant les vagabonds de l'anonymat. Cela était un signe administratif d'intégration. Nul ne pouvait a priori échapper à l'impôt. Toutefois, la mémoire collective n'a pas retenu les noms des hauts dignitaires poursuivis ou arrêtés pour non-paiement. De par l'organisation sociale des Comores, beaucoup de gens, par complicité avec les hiérarchies villageoises, ne l'ont pas acquitté. Un informateur issu du milieu des Makua a dénoncé le caractère discriminatoire de cette obligation. Selon lui, les enfants de nobles, des aristocrates et des dignitaires de la place n'ont jamais atteint l'âge de l'honorer. « C'étaient toujours les mêmes qui le payaient ». Cette mesure a aussi conduit à la monétarisation de l'économie du pays, créant ainsi une échelle de valeur relative à la fortune du point de vue fiduciaire. Ce qui a fait dire à un colon : « utsina biye ngupvo » (littéralement – celui qui n'a pas de billets de banque ne peut pas s'en sortir - sans billets de banque, tout coûte cher). Ceci a marqué le début d'un changement : passage d'une économie de subsistance et de troc à une économie de marché, passage du concept de l'économie ancienne à celui de l'économie d'échange.

Accès à la fonction publique

« De nos jours, on trouve des jeunes de Pomoni qui sont dans presque toutes les sphères de l'administration publique comorienne. Ils sont aussi dans tous les secteurs avec une volonté de diversification des branches d'études et d'activité[2]. »

Pendant la crise séparatiste (1997-2001), le député de la région était originaire de la localité. Aujourd'hui, les Pomoniens sont acceptés par tous et partout à Anjouan. Finies les brouilles avec le village voisin de Moya, une localité réputée pour être la première et la plus instruite de la région. « En politique, les gens de Moya accaparaient tous les postes[3]. »

L'apport essentiel de la fonction publique, depuis les débuts de la colonisation, a été l'intégration de tous les Comoriens, quelle que soit leur origine. Il suffisait d'être lettré, d'avoir son certificat d'études primaires élémentaires pour y accéder. Les redéploiements et affectations étaient décidés en fonction des besoins réels des localités. Donc, fils de nobles ou Makua étaient déplacés pour ces motifs. Ainsi, la fonction publique a créé une dynamique, un engouement pour les études. C'était à travers elle qu'on obtenait un emploi stable et pérenne, ga-

---

1. M. IBRAHIME, 2004, p.9.
2. Ali Mabweya, conseiller pédagogique, Pomoni, juillet 2010.
3. Ali Mabweya, conseiller pédagogique, Pomoni, juillet 2010.

rantissant en fin de compte une assurance vieillesse.

Les premiers emplois se sont développés dans les secteurs de l'éducation et de la santé, qui servaient de cadres de référence aux Comoriens pour aller à l'école et s'épanouir. Ces deux secteurs prenaient en charge une grande partie de la population. Les premiers éléments formés ont été pour la plupart investis dans ces domaines. D'ailleurs, on doit mentionner que les premiers élus au suffrage universel étaient des instituteurs ou des infirmiers[1]. Ceux-ci représentaient la connaissance et l'autorité de l'Etat. Cas d'Absoir Abderemane ou de Mohamed Houmadi Mchinda, chef de section de la société NKML qui, pour les besoins de la collectivité, ont été engagés comme enseignants dans le primaire à Domoni. Les enfants des anciens engagés ont eu la possibilité de s'instruire. Aussi, à leur retour au pays, ils ont fait partie des élites et plusieurs fonctions leur ont été proposées, notamment celles de chef d'état civil, préfet, douanier et même ministre. À ce titre, ils ont bénéficié de privilèges tels que la prise en charge par la communauté. Ils étaient également sollicités pour se marier dans les villages et ainsi assurer leur intégration et dispenser le savoir à la collectivité.

La fonction publique a par ailleurs créé un blocage, car tout agent qui n'était pas de bureau rappelait toujours le souvenir du travail manuel, du colportage et des engagés. Avec le temps, les collectivités ont exigé que les enfants ayant obtenu un niveau d'étude égal ou supérieur au CEPE soient embauchés par la fonction publique[2]. Pour accéder à cette demande, les autorités coloniales ont ouvert des formations pédagogiques accélérées pour tous ceux qui aspiraient à devenir enseignants, notamment les enfants issus des milieux makua. La fonction publique est alors devenue le premier employeur du pays et un élément clé de cohésion sociopolitique et nationale. La totalité des personnes recrutées étaient natives des Comores[3].

Les droits civiques : le suffrage universel et le mandat électoral

L'expression démocratique à travers les élections a été instaurée dès la fin de la guerre. Elle a fait de Saïd Mohamed Cheikh le député des Comores à l'Assemblée nationale et a mis en place le Conseil général. À chaque élection, seules les questions de personnes jouaient, la vie politique et sociale était dominée par l'action individuelle de quelques individus qui cherchaient à rehausser leur prestige.

---

1. En effet, dans de nombreux villages des zones rurales, dans les environs des plantations, c'étaient des personnes venant d'autres contrées qui assuraient les cours. Elles en ont profité pour asseoir leur popularité.

2. Le recrutement par clientélisme est le résultat du clivage politique entre parti blanc et parti vert, entre partisans de Saïd Ibrahim et partisans de Saïd Mohamed Cheikh/Ahmed Abdallah. Donc, en retour de leur engagement en faveur des uns ou des autres, les enfants étaient soit envoyés en formation soit recrutés après un certain niveau à l'école comme fonctionnaires. Cela a amené un nombre important de personnes originaires des villages enclavés dans la fonction publique.

3. La première génération de makua était totalement employée dans les plantations et c'est progressivement que ses enfants ont fréquenté l'école.

Le scrutin leur donnait l'occasion de continuer à jouer un rôle face à certains éléments de la population d'extraction modeste qui tentaient de conquérir ce lustre social. Il se constituait une opinion autour des fortes personnalités (notables) qui formaient leur clientèle immédiate pour rivaliser à l'accession au pouvoir. La masse de la population était sollicitée, car son vote avait un sens, une personne, une voix. Même les femmes votaient. Alors, cette masse réagissait aux consignes de vote des notables locaux, qui usaient de leur influence. Ici comme ailleurs, les citoyens participaient aux élections en échange d'une carte établie à leur nom, la discrimination par origine n'avait pas cours. La période de l'après-guerre a fait des Comores une entité se détachant de Madagascar et de surcroît a renforcé la personnalité de l'habitant de ce territoire.

En Grande-Comore, contrairement à Anjouan, les sites ayant connu la présence massive de Makua étaient encore l'objet de stigmatisation, laquelle n'épargnait pas l'autorité politique et/ou administrative. Ainsi, en 1969, le village de Henyamrama, parce que restant une localité non recensée, n'a pas été porté sur la liste des bureaux de vote aux côtés de ses voisins[1].

Arrêté n°70-487-PR/INT portant désignation des bureaux de vote ouverts le 11 juillet 1970 en vue des élections pour le remplacement à l'Assemblée nationale française d'un député démissionnaire représentant le territoire des Comores. Les villages de Boboni et Henya Mrama ne sont pas explicitement cités, mais cela ne veut pas dire que les habitants concernés n'ont pas participé au scrutin.

Le 3 décembre 1972, pour la première fois, le nom de Mdjoyezi (Henya Mrama) apparaît dans l'arrêté n°72-951/PR/INT fixant la liste et les emplacements des bureaux de vote. L'isolement géographique et psychologique en Grande-Comore et à Mohéli a probablement été à l'origine de la méprise de ces populations, chose impensable à Anjouan et à Mayotte, où les Makua étaient visibles[2]. Des villages entiers, qui portaient en eux une majorité électorale, ont appelé au respect du suffrage universel. Makua ou pas, le vote de tout électeur était très sollicité. Celui des Wamatsaha à Anjouan, essentiel, leur a fait prendre conscience peu à peu qu'ils comptaient et avaient un rôle à jouer dans la société.

Des élus de marque, à cette image, on note l'élection de Youssouf Ousseni, originaire de Mremani, député des Comores à la fin des années 1960.

Par ailleurs, le législateur a cherché à enrayer toute différence entre les individus. Ils étaient tous considérés comme ressortissants de l'archipel. Des instruments juridiques ont été adoptés, complétant les décrets d'abolition de l'esclavage, ainsi que des mesures coercitives pour quiconque aurait recours à la traite clandestine.

Dans le prisme de l'égalité en droit et en devoir, l'évolution sociopoli-

---

1. Arrêté n°59-47/-C portant ouverture des bureaux de vote dans le territoire des Comores pour les élections du 8 mars 1969 à l'Assemblée territoriale. Ressort du bureau 28 : Helendje, Douniani, Mandza, Maoueni, Ipvembeni.
2. D'après ce qu'on dit, Mayotte a connu depuis la colonisation de tels malaxages de population qu'il n'existe pratiquement plus de villages traditionnels.

tique a biffé un pan de l'histoire parce que, à l'heure actuelle, le Comorien ne se présente ou ne se classe pas par sa descendance, mais s'enorgueillit de son parcours en termes de culture et de formation. Et il n'est pas rare de rencontrer quelques individus qui se vantent de leur réussite économique. On pourrait dire que l'évolution des Comores a atteint son apogée en ce sens qu'il semble dégradant de revenir sur les origines des uns et des autres. La préoccupation actuelle est d'avoir réussi un cursus universitaire de haute technologie attestant l'accession à la connaissance, voire à l'érudition. Hier, la licence comme grade universitaire était la référence. Aujourd'hui, c'est l'obtention de hauts diplômes comme le doctorat. Peu importent les origines ou l'ascendance.

À l'issue des imbroglios politiques survenus après l'indépendance, les privilèges au regard de l'emploi sont plutôt revenus aux protégés politiques plutôt qu'à l'origine sociale des intéressés. On a servi le client politique au détriment du profil et des compétences. Dans le contexte actuel, l'élu n'est pas systématiquement citadin ou fortuné. Le manque d'emplois, conséquence d'une absence de politique dans ce domaine et de la défaillance de stratégie économique du pays, frappe tout le monde, sans distinction d'origine, de lieu, et de formation.

Chapitre 7.
Une intégration réussie des Makua et dépérissement de l'esclavage ?

1. L'enseignement, facteur essentiel d'intégration

La colonisation a trouvé en terre comorienne des structures ancestrales qui assuraient l'initiation des jeunes Comoriens et leur formation. L'enseignement arabo-islamique disposait d'institutions (écoles coraniques, mosquées, confréries et, à l'échelle régionale, émigration vers des pays tiers pour l'approfondissement). Seule l'élite pouvait partir vers l'extérieur. Vieux de plusieurs siècles, il a résisté à la pénétration de l'enseignement dispensé à l'école française, officielle pendant la période coloniale[1].

Dans un premier temps, l'élément introduit comme main-d'œuvre dans l'économie de plantation s'est tenu à l'écart de l'encadrement proposé. Dans un deuxième temps, il n'a pas été très encouragé à intégrer les structures sociales. En effet, pour maintenir cette main-d'œuvre servile dans les exploitations agricoles, il fallait nécessairement les laisser dans l'ignorance et l'obscurantisme. Nous verrons plus loin le rôle de l'école dans la transformation sociale comme instrument anti-tradition. Pour les colons, elle a formé les fossoyeurs de la colonisation. Les exploitants avaient besoin de gens robustes, capables de réaliser les gros travaux des champs, l'élevage et l'exploitation des produits forestiers. Raison pour laquelle de nombreux villages dans les environs des centres d'exploitations agricoles n'ont pas eu d'école jusqu'à un passé récent. La plupart n'ont eu leur établissement scolaire qu'à partir des années 1970. C'est le cas d'Henya Mrama, aujourd'hui Mdjwaezi ya Mude, de Mwembwa mbwani en Grande-Comore et de la majorité des villages de regroupement des Makua à Anjouan. Cela coïncide avec l'époque où les colons vendaient leurs domaines, également signe du changement de l'économie. On mentionnera le cas exceptionnel de Boboni, qui a disparu dans les années 2000 sans connaître une structure scolaire.

Il y avait donc deux écoles. L'école française était exclusivement réservée aux fils issus des classes régnantes, d'abord pour faciliter la communication entre ces deux pouvoirs et ensuite pour permettre l'emploi des autres comme manœuvres. Le Makua était la victime par excellence. Pour adoucir les mœurs, le colonisateur a préconisé la scolarisation et l'envoi des jeunes à l'école, celle des Blancs. Elle a conduit l'autochtone ordinaire et surtout les enfants des Makua et des autres travailleurs à devenir mécréants, donc à aller droit en enfer. Cet aspect a constitué un élément de blocage pour la fréquenter.

---

1. Damir Ben Ali.

L'enseignement religieux

Egalité devant Dieu ? La mosquée et les confréries sont des lieux de rencontre où toutes les couches de la population se fréquentent. La colonisation a laissé intact l'enseignement coranique traditionnel, dont la finalité demeure encore la socialisation de l'enfant dans l'islam. Fréquentée par tous les enfants de toutes conditions à partir de cinq ans, cette école est un modèle qui les prépare et les intègre dans leur milieu.

Dans la tradition comorienne, dans un village, dans un quartier, tous les adultes veillent et répriment tous les enfants qui ne seraient pas envoyés à l'école ou qui ne suivraient pas une initiation telle que la communauté la conçoit. Ils ne peuvent échapper à ce contrôle. Ainsi, à Moroni, par exemple, les enfants fréquentent les grandes écoles coraniques avec l'ensemble de ceux de ces zones et connaissent les mêmes maîtres ou maîtresses coraniques. Aussi, tous ont l'obligation d'exercer des travaux ou d'aller au champ ramasser des fagots en guise de rémunération pour l'enseignement qu'ils reçoivent. Ce sont les conditions sociales des familles qui distinguent les enfants.

« Je suis intéressé par la façon dont ces populations ont été absorbées dans leurs sociétés (où ils sont utilisés) de centre serveur, les manières dont elles ont maintenu et ont transformé leurs propres identités culturelles, et les influences qu'elles ont portées avec elles dans ces nouvelles situations historiques. Les Comores sont une partie intégrale de cet aspect de la diaspora qui mérite cet examen plus étroit », notait Alpers. Le Makua, ici aux Comores, voulait imiter le comportement de l'autochtone, musulman, afin d'accéder à ses valeurs.

Parmi les problèmes soulevés par cet extrait, on trouve le rôle des confréries (twarika) dans l'introduction des travailleurs makua aux Comores. Par ce canal, il y a peut-être la réponse au problème d'assimilation et d'intégration. N'a-t-on pas fait remarquer, au XIXᵉ siècle, le choix de l'élément malgache pour contrecarrer l'influence de l'islam à Mayotte ? L'école coranique a servi de cadre pour conduire certaines cérémonies religieuses au même titre que les autres autochtones. Son objectif reste la connaissance des textes religieux ainsi que l'apprentissage de la culture musulmane. Quand il en sort, l'enfant doit être capable de lire et écrire le coran. Ses modalités d'accès et son fonctionnement sont réglés dans un cadre environnemental de proximité (le village, le quartier) et elle a son prolongement à la mosquée. Tout jeune (fille ou garçon) est accueilli sans considération de son origine sociale, ce qui conduit à sa socialisation. À Moroni, par exemple, de nombreuses personnes de milieux sociaux différents continuent à entretenir des rapports construits depuis l'école coranique.

En Grande-Comore, le Cheikh Aliki, Makua de Boboni, officiait pour la twarika shadhuli. Ainsi, l'école coranique a été un élément d'intégration sociale incontestable. Cependant, même s'il a adopté l'islam, le Makua n'a pas oublié ses pratiques ancestrales, ce qui fait qu'aujourd'hui, bon nombre de Comoriens marient aisément islam et animisme.

Par ailleurs, dans la tradition religieuse et l'organisation sociale, la mosquée est un lieu de rencontre par excellence. Qu'on soit Makua ou non, on est tous alignés et confondus, la différence sociale laisse place à l'égalité devant dieu. Comme le souligne Mahmoud Ibrahime, ce lieu de prière est aussi, conformément aux traditions islamiques, un endroit de discussion. De nombreux Makua ont suivi une formation dans des écoles coraniques et, islamisés, se sont confondus avec les fidèles dans les mosquées, dans les confréries, et se sont mariés, même si c'était avec des femmes de soustraction particulièrement modeste (mfuwantsi que l'on peut rapprocher du bouffon).

L'école coranique est un moule essentiel où se côtoient tous les enfants[1]. Ce qui fait dire à un administrateur que la négliger est en écarter tous les enfants. À travers la politique française en matière d'enseignement, nous insistons sur le fait que l'école a exclu une grande partie de la population au profit d'une élite ; ce ne sont évidemment pas les enfants des engagés et des ouvriers des plantations et des usines qui ont été les premiers élus.

« Je crois qu'aujourd'hui, dans tous les domaines, que ce soit dans le domaine religieux, dans le domaine économique, dans le domaine politique, il n'y a pas vraiment une grande différence. Il y a interpénétration des hommes, les gens de Bambao Mtsanga peuvent venir à Mutsamudu dans les cérémonies religieuses, de mariage, il n'y a pas vraiment une grande distinction. Je crois que dans les années à venir, on ne pourra pas distinguer ces « machins » [les guillemets sont mis par nous], le mshambara et le matsaha. Vous ne pouvez pas imaginer combien les gens qui viennent de ces régions sont accueillis, il suffit d'avoir quelque chose. Nombreux sont ceux de Bambao qui ont épousé des femmes à Mutsamudu, particulièrement s'ils sont affublés de l'étiquette d'homme religieux ». C'est le bilan de l'action des cheikhs religieux, qui ont encouragé des lettrés à s'installer dans les régions de dominance makua pour tenir école et enraciner l'enseignement religieux[2]. Dans ces mêmes conditions, Henyamrama et Boboni en Grande-Comore ont connu leur école coranique. Les habitants des localités avec concentration de travailleurs de plantation ont, par mimétisme bénéfique, recruté des personnes pouvant tenir école pour leurs enfants sur place et leur éviter ainsi des déplacements. Ils en ignoraient les implications. Tel a également été le cas à Mpatse, à Anjouan. « Il fallait juste apprendre à nos enfants à lire et à connaître les rudiments de l'islam. C'est un maître qui dispense un enseignement coranique et religieux dont nous avions besoin. » Celui qui officiait à Mdajwayezi ya Mbude a épousé une femme du village. Les habitants lui ont facilité ce ménage afin qu'il soit disponible pour leurs enfants.

---

1. Dans les quartiers des grandes villes, évoluaient des enfants ayant juste fréquenté l'école coranique.
2. Témoignages obtenus à Pomoni et Wani en 2011.

L'école officielle

Les entreprises coloniales étant florissantes, leurs administrateurs avaient besoin d'auxiliaires pour remplir des tâches à la fois administratives et financières. Ceci a conduit les colons à aider à scolariser certains enfants de leurs employés proches. En Grande-Comore, la femme du puissant Humblot a créé la première école, qui a été fréquentée par les enfants de leurs engagés. Cet établissement a été dénoncé par l'administration coloniale, qui voyait là un moyen pour la Société de garantir le renouvellement de sa main-d'œuvre. Elle n'a pas non plus été la bienvenue dans la notabilité autochtone, qui la considérait comme un dévoyeur de la voie de l'islam. En tout état de cause, pour les colons, le certificat d'études primaires élémentaires constituait un niveau trop élevé, déjà suffisant pour accéder à des emplois administratifs et dans les domaines d'exploitation coloniale.

Le résumé du rapport politique de 1910 préconisait de créer des écoles, d'étendre l'assistance médicale et de chercher par la suite « à atténuer l'influence de la classe aisée et des notables et à faire disparaître les partis qu'ils ont créés dans le but de maintenir à leur profit certains privilèges injustifiés »[1]. L'instituteur et l'infirmier ont permis de changer les mentalités[2]. Ils ont à cet égard été des acteurs essentiels. Ils ont d'une certaine manière participé à l'évolution actuelle. Le colonisateur s'est vite aperçu du phénomène et a enrôlé les jeunes de son entourage en les scolarisant. Cela a été le cas à Pomoni.

L'école des kabaila, au départ, a accueilli des enfants de nationalité française. Elle est vue en tant que structure plutôt que comme l'analyse des réalisations par rapport à la politique coloniale d'enseignement. Ce compte rendu, réalisé au moment de l'exposition universelle de 1900, est révélateur. En effet, l'archipel des Comores, à ce moment-là, ne possédait d'écoles primaires qu'en Grande-Comore et à Mayotte. Le lieutenant de vaisseau Louis Mizon, qui présidait aux destinées des îles Comores, affichait son vif désir de remédier à cette situation et de répandre autant que possible la connaissance de la langue française dans sa circonscription administrative.

Son projet n'a pas été poursuivi. Ce sont des établissements privés, auxquels il faut joindre, pour Mayotte, deux écoles officielles (une de garçons et une de filles), qui étaient les seuls de tout l'archipel. De leur installation à Mayotte jusqu'au protectorat de 1886, les colons établis, préoccupés à développer l'économie de plantation et la production de sucre, ont soumis l'archipel. Ce dont ils avaient besoin, c'était de main-d'œuvre plus que d'écoliers[3].

D'ailleurs, on peut imaginer le choc qu'il y aurait eu entre les indigènes

---

1. ANSOM 2D72, rapport politique pour l'année 1910 (11 mars 1911). Les partis dont il est question sont partisans des sultans. Il s'agit bel et bien de la suppression des sultanats en 1912.
2. Rattachement de Mayotte et Dépendances au Gouvernement Général de Madagascar et Dépendances. En 1908, les instituteurs en poste étaient pour la plupart d'origine malgache.
3. Madame Léon Humblot a ouvert une école pour les enfants des engagés, mais a été sévèrement critiquée par la mission d'inspection, mission Frézouls, en visite à la Grande-Comore, qui a démasqué la supercherie. C'était une sorte de pépinière de préparation d'engagés dès leur plus jeune âge.

qu'on aurait obligés à aller en classe et les colons qui souhaitaient les avoir dans les plantations et les ateliers. Cela s'est vérifié pour 15 enfants requis dans les villages, qui ne se sont pas présentés à Dzaoudzi en 1864. En réponse, on a envoyé les militaires pour les chercher. La situation paraissait normale pour cette population qui s'interrogeait sur la mission même de l'école. C'est justement sur ce dernier aspect que les colons se sont questionnés pour avoir établi « le parallèle entre les travaux forcés, les écarts énormes d'une poignée de Blancs et de chefs locaux détenteurs du pouvoir et de la richesse, la misère sans nom de la grande masse des peuples colonisés, et ces valeurs de la devise républicaine française »[1].

Les colons, beaucoup plus que les administrateurs, avaient conscience que mettre en place l'école officielle contribuait à préparer les continuateurs de 1789 sous les cocotiers, à 12000 km de la puissance colonisatrice. Ils ne voyaient pas l'intérêt de le faire, cela reviendrait à les priver de main-d'œuvre.

Les colons ont réalisé que l'alphabétisation n'était pas un élément suffisant et sûr pour assurer la survie de leur œuvre coloniale, notamment leurs exploitations. Ils ont imaginé des moyens instituant des alliés socio-économiques pouvant servir de relais entre la société indigène et la colonisation. En effet, l'administration coloniale a institué par arrêté le conseil des « ouatou oikubwa » des villages. Instrument indispensable qui, aux yeux des autochtones, était une garantie que les colons n'allaient pas saper la société locale. D'ailleurs, pour évoluer, la structure avait besoin de celle corollaire des cadis. Les colons, quoique chrétiens, ont compris d'emblée le concours inestimable que pouvaient leur apporter les prédicateurs musulmans pour légitimer leurs actions.

On comptait, pour l'archipel, 54 écoliers pour 2 écoles à Mayotte en 1898[2]. D'aucuns imputaient cela à la résistance face à l'école occidentale. La situation n'a guère évolué. C'est par la force qu'on a ouvert l'école à Anjouan, mais ce serait faire abjure que d'imputer la responsabilité du retard d'encadrement à la population, aux indigènes. Les administrateurs ont fait preuve de négligence jusqu'à laisser les colons à la tête des sociétés impulser la politique de développement du pays. C'est ce qu'on apprend dans le rapport politique de l'année 1928. Les obligations scolaires étaient la principale cause de non-évolution des habitants, elles n'étaient pas existantes[3].

Amdjad Omar, cité par Ibrahim Mohamed[4], dans un article consacré à l'économie, situe la responsabilité au niveau des sociétés, qui détenaient la réalité du pouvoir :

« En 1959, Amdjad Omar rend la société coloniale Bambao responsable de

---

1. Ibrahima Mohamed, « Histoire de l'enseignement aux Comores 1854-1994 », Centre de documentation pédagogique de La Réunion, p.26
2. H BOUVET, 1985, p. 22.
3. ANSOM, 2D76, rapport politique de 1928 ; ce rapport indique qu'il n'y a qu'une école dans l'île et pointe du doigt la défaillance de l'administration locale : « elle a manqué de fermeté en ne créant pas dans les principales agglomérations de l'île des établissements pour l'éducation de la jeunesse ».
4. Ibrahima Mohamed, ibid.

la situation catastrophique de l'enseignement aux Comores : elle peut s'opposer avec efficacité pendant près de 60 ans à toute installation d'écoles dans les régions qu'elle dominait dans tout l'archipel. Ainsi, toute idée pernicieuse pour le travail domanial ne pouvait pénétrer dans ses fiefs. La société pouvait, grâce à cet obscurantisme, employer dans ses plantations des enfants de 8 à 12 ans qui auraient été à leur place sur les bancs d'une école quelconque[1]. »

Henri Bouvet[2] a fait le bilan de l'œuvre de la colonisation en matière de formation et d'enseignement : « pendant de nombreuses années, l'action de la France a été quasi nulle, tous les rapports le soulignent ; deux écoles sont ouvertes à Mayotte (à Dzaoudzi et Mamoudzou), mais ne sont fréquentées que par un nombre très réduit d'élèves ; dans les autres îles, des Comoriens, des maîtres sans qualification, dispensent un enseignement médiocre. »

Il poursuit : « L'annexion des Comores et leur rattachement à Madagascar va apporter une amélioration ; en effet, on compte à la veille de la seconde guerre mondiale une dizaine d'écoles appelées écoles indigènes du premier degré et placées sous la responsabilité d'un instituteur, les études durent quatre ans et chaque année cinq élèves (après concours) vont « poursuivre leurs études » à Madagascar ; ils sont accueillis pendant trois ans à l'école régionale de Majunga ».

Amenés jusqu'au niveau du certificat d'études primaires et élémentaires, ils pouvaient déjà occuper des emplois publics comme celui d'instituteur, d'aide-soignant et de petit employé de bureau. Ceux-ci ont rendu d'énormes services à la fonction publique et aux administrations. « … À cette époque, la population scolaire, qui se compose essentiellement de garçons, représente environ un millier d'élèves, soit environ 3 % de la population scolarisable. » Et il a fallu attendre 1950 pour qu'on ouvre dans l'archipel les cours complémentaires, qui n'accueillaient que les enfants indigènes de nationalité française ; pour les autres, il y avait le cours complémentaire de type local (CCTL) ; ces établissements de premier cycle ne regroupaient en fait qu'une centaine d'éléments. On continuait ses études de deuxième cycle à Madagascar.

1961 est une véritable étape dans cette lente évolution. En effet, les Comores ont changé de statut politique et accédé au régime de l'autonomie interne (Chambre des députés, Conseil de gouvernement avec Président élu). Ce gouvernement décentralisé a été plus attentif à la question de l'enseignement. Beaucoup d'écoles ont été construites et on a fait appel au concours de la population ; des instituteurs ont été recrutés ; il s'agissait de jeunes gens venant des cours complémentaires ayant obtenu le B.E.P.C. Le nombre d'élèves a considérablement augmenté puisqu'il a atteint près de 3700 élèves.

Le premier lycée des Comores a été créé en 1963 à Moroni, celui de Mutsamudu n'a ouvert qu'en 1970. En 1974, on constate que des progrès ont été accomplis. Cependant, de nombreux problèmes se sont posés.

L'enseignement primaire a accru ses effectifs dans des proportions consi-

1. M. IBRAHIMA, ibid, p.32.
2. H. BOUVET, 1985.

dérables ; de 3604 en 1960, ils sont passés à 19694 en 1972, soit une augmentation de 53 %. Pour la première fois dans l'archipel, le taux de scolarisation a été supérieur à 25 %.

En 1926, l'archipel comptait 150 écoliers, ils étaient 1000 en 1939, avec une majorité de garçons. Jusqu'à la loi-cadre de 1958, il n'y a pas eu d'amélioration sensible, sauf l'option pour l'autonomie interne, qui a laissé entrevoir des progrès malgré la pression démographique dans le territoire. Ceux-là, en fait, ont pu participer à l'évolution institutionnelle et politique des Comores. Ils ont été les premiers élus du pays, par exemple au poste de conseiller de subdivision. À ce titre, ils ont eu à gérer les activités multi-locales et la gouvernance des cantons.

L'enseignement secondaire a démarré à Mitsamihuli et l'unique école de l'archipel a été transférée à Moroni en 1953. Elle est devenue le lycée Saïd Mohamed Cheikh en 1963. Au même moment, des collèges ont été ouverts à Mutsamudu et Dzaoudzi.

Certains ouvriers et employés ont eu accès à la propriété foncière et ont éprouvé le besoin de scolariser leurs enfants. Cette prise de conscience subite résultait du fait que ces terrains apportaient une plus-value économique (culture de cocos, d'ylang-ylang, de girofle, de cacao, de vanille…) qu'il fallait gérer ainsi que la propension croissante à l'indépendance.

Après plus d'un siècle de colonisation, la population scolarisable stagnait. La masse de la population était constituée de descendants d'anciens esclaves, de fils d'engagés et de paysans pauvres, bons à rester des employés de plantations. Ils ne ressentaient pas le besoin de tracer une politique éducative. La conséquence a été la marginalisation des enfants de l'école officielle. Encore une fois, le rédacteur du rapport de 1928 n'a pas manqué de relever la contradiction, parlant des ratés de l'administration locale en ces termes : « elle a peut-être encore voulu à ce sujet éviter toute controverse d'idées avec la grande colonisation peu favorable à la diffusion de l'enseignement pour garder des bras d'enfants au travail ». Sans doute, malgré les timides mesures tendant à rendre les classes autrefois esclaves plus libres, celles-ci n'ont pas évolué étant donné le rôle effacé de l'administration française. La grande colonisation, quant à elle, a cherché à tenir sous autorité complète les éléments travailleurs. C'est ce qui explique l'arrivée tardive de l'école à Mpomoni[1]. Un informateur se souvient des premiers écoliers : « j'ai un souvenir, car je connais certains. C'est le cas d'un enseignant qui travaille ici à Pomoni qui s'appelle Mohamad Dina, un maître chevronné qui tient la classe de CM2. Il fait partie de ceux qui ont commencé à l'école de Pomoni. Il a fait le CP jusqu'au CE1 à Vuani et après, c'est l'ouverture de l'école de Pomoni. Nous avons passé le concours d'entrée en 6e à Sima. Les premiers élèves inscrits à l'école de Pomoni ont passé le concours au lycée de Mutsamudu. Ces élèves connaissaient des problèmes de déplacement très graves à telle enseigne que les élèves se comptaient sur les doigts de la main, peut-être 3 à 4 élèves qui pouvaient poursuivre jusqu'au CM ».

1. Ali Mabweya, Pomoni, juillet 2010.

Le lycée de Moroni, l'école technique de Mitsamihuli, et celle de Wani ont contribué aux échanges entre Comoriens et au transfert du savoir qui a permis la circulation des agents et cadres territoriaux des Comores. Les admissions dans les écoles précitées se faisaient par concours et donc sans distinction d'origine.

« Je crois que c'est l'accès à l'éducation, au niveau des écoles, des lycées, que depuis Ali Soilihi, ça se multiplie partout. Et puis, les parents, si pauvres qu'ils soient, acceptent de gros sacrifices pour envoyer leurs enfants à l'école. J'ai vu une personne ici qui vend des pistaches, elle fait étudier son fils à l'école privée. C'est courageux. L'éducation est un des facteurs majeurs d'évolution, d'insertion et de promotion sociale »[1].

Une idée pour le moins saugrenue était largement répandue, constituant un écueil contre la fréquentation de l'école : l'enseignement du français conduisait l'individu à être mécréant ou chrétien. L'école comme moyen de promotion sociale n'était fréquentée, en 1930, que par des enfants dont les parents envisageaient pour eux un emploi administratif.

Elle n'a finalement accueilli jusqu'en 1970 qu'une minorité d'enfants des grandes villes, là où étaient installées les quelques écoles existantes[2]. Comme pour les travaux forcés et l'impôt, la masse des gens devait être mobilisée pour qu'elle envoie sa progéniture dans une institution dont les fondements étaient considérés comme opposés à ceux de l'islam. Les familles, notamment les anciens engagés, ne se sentaient pas concernées par cette école, trop éloignée selon elles de leurs préoccupations. L'évolution des effectifs traduit ce manque d'intérêt et l'absence de politique éducative par l'autorité en place.

De 1953 à 1957, le taux de scolarisation n'a pas progressé, passant de 10,8 % à 10,7 %. Un rapport du Sénat évalue ce même taux à 15 % en 1966. Il était de 20 % en 1969, de 28 % en 1973 et de 36 % en 1975. Soit, en 1975, 24852 enfants scolarisés pour tout l'archipel.

Par rapport à ces chiffres, l'enseignement officiel opposait 7 écoles et 182 élèves. Ces chiffres sont un enseignement administratif.

« L'expérience a démontré que les villages les plus évolués étaient ceux dans lesquels était installée une école, d'où la nécessité de multiplier les écoles, au lieu de rassembler les élèves dans quelques centres seulement[3]. »

Concernant l'enseignement, les villages qui ont évolué sont ceux dans lesquels était installée une école. En en édifiant aux centres de rassemblement qui étaient les chefs-lieux, on s'exposait à ce que la fréquentation scolaire soit mal

1. Kaambi El-Yachouroutui, Mutsamudu, Anjouan, 2011.
2. Voici la situation des effectifs par île. Les chiffres donnent un total de 19694 élèves ainsi répartis : 10005 en Grande-Comore, 5519 à Anjouan, 2884 à Mayotte et 1286 à Mohéli pour l'année scolaire 1972-1973. La scolarisation par île révèle une autre réalité. Sur 31825 jeunes scolarisables, 10022 ont été scolarisés (31,4 %) pour la Grande-Comore ; sur 25462 à Anjouan, 5529 l'ont été (21,7 %). À Mayotte, sur 9548 enfants scolarisables, 2867 l'ont été (30,2 %) et enfin à Mohéli sur 2122 enfants scolarisables, 1270 l'ont été (60,1 %). Pour l'archipel, sur un total de 68957 jeunes scolarisables, 19696 ont été scolarisés, ce qui représente 28,5 %.
3. ANSOM 2D76, Archipel des Comores, Rapport politique, année 1947.

assurée. Les enfants éloignés étaient les premiers exclus, malgré eux. C'est ce qui traduit dans les faits le petit nombre de jeunes scolarisés. Cette politique, pratiquement élitiste, qui favorisait les enfants des kabaila et des grandes villes, n'accueillait que quelques rares enfants de travailleurs habitant dans les hameaux et en forêt. Boboni a disparu sans avoir jamais connu d'école. Cas rare, peut-on dire, seulement la plupart des écoles dans ces zones reculées ou habitées par les anciens engagés ont été introduites dans les années 1970.

« L'école de Pomoni est construite en 1967. Nous avons obtenu la 3e salle de classe en 1971. Depuis, nous avons utilisé ces trois salles et avons construit un hangar. Nous abritions les classes du CP au CM2. Nous avions une classe par division. Avant cette date, les enfants de Pomoni allaient à l'école à Vuani, à 7 km de Pomoni. Oui, après Moya, c'est Vuani qui a eu une école. Surtout qu'il n'y avait pas de route pour aller à Moya[1]. »

En ce qui concerne l'enseignement, l'évolution a été sans égal. « Il n'y a pas longtemps, nos enfants allaient à l'école à Mitsamihuli. À peine dix ans maintenant, Membwabwani dispose de sa propre école primaire pour éviter aux enfants de faire de longs trajets »[2].

C'est dans le cadre de la politique générale des gouvernements et du ministère de l'Education nationale que des écoles ont été construites dans certaines cités. En sont sortis les premiers cadres de toutes les localités, instituteurs, infirmiers, policiers, petits fonctionnaires et agents des administrations.

Avant 1967, Pomoni a connu des enfants ayant fréquenté l'école. « C'est véritablement M. Abou, actuellement âgé de plus de 70 ans, qui fut parmi les premiers natifs de Pomoni à avoir fréquenté l'école. Il a fait l'école à Wani jusqu'au CE2 », confie Ali Mabweya. Avant 1967, l'école n'était pas une préoccupation pour les parents parce qu'elle n'existait pas dans cette ville ni dans la région, excepté à Moya.

Des élites distinguées en sont sorties[3]. Les cas d'ascension sociale étaient possibles par plusieurs leviers, mais l'école restait la voie royale[4]. Elle est souvent interprétée comme une inversion des règles coutumières. Ces promus, par leur formation, « redessinent des nouvelles légitimités sociales, car renversent ce qui, auparavant, les stigmatisait à travers des procédures spectaculaires et conflictuelles ».

Dans leur élan à vouloir garder leur autorité sur les indigents, les aristocrates se sont cherché des ascendances arabes et ne se sont pas mêlés à la population dite africaine. Détenant la puissance économique et religieuse, ils sont devenus des alliés sûrs de l'administration coloniale, envoyant tant bien que mal

1. Ali Mabweya, conseiller pédagogique, juillet 2010, Pomoni, Anjouan.
2. Radjab Msa de Membwabwani.
3. M. IBRAHIME, 2000.
4. Le grand Moufti disait à propos d'un grand mariage de la Grande-Comore que l' « on peut rentrer au pays, diplômés, mais la société ne reconnaîtra la valeur qu'après avoir fait le grand mariage. Docteur en quelques sciences que ce soit, tout le monde tend à être notable pour se faire accepter dans cette société ».

leurs enfants à l'école. C'est par ce biais qu'ils ont accédé aux postes administratifs et politiques au service des Européens. Cela a commencé au début du siècle, sauf cas rares, l'école n'accueillait pas encore les fils de ceux qui se situaient au bas de l'échelle sociale : les descendants des anciens esclaves, des engagés des plantations, des pêcheurs des villages côtiers. Tous étaient méprisés par le reste de la population. Le brassage social inhérent à la scolarisation n'a produit ses effets qu'à partir des années 1970, correspondant à l'ouverture de l'école à ce monde, jusque-là resté à l'écart. Son existence était très précaire. Aucun mariage mixte n'était toléré avec une autre caste .

Henya Mrama (aujourd'hui Mdjwaezi), dans le Mbude, a vu ses premières salles de classe ouvertes au cours des années 1970, tout comme les principaux villages des domaines de plantation à Anjouan.

À cela, il faut ajouter la difficulté consistant à faire de longs déplacements pour se rendre à l'école, nonobstant les autres aspects de discrimination, de rétention des enfants admis à l'école, et des coûts que la scolarisation engendrait. De ce point de vue, on peut partager la position développée par Soibahaddine Ibrahime dans sa thèse, accusant le caractère répulsif de l'école vis-à-vis des enfants issus de ces milieux. Certaines boutades laissant croire que les enfants de pauvres ne pouvaient s'instruire ont fait d'énormes ravages. Ceux-ci ont préféré, malgré eux, faire comme leurs parents, continuer à exercer le métier de ces derniers. Toutefois, certains ayant pris conscience de l'intérêt d'assurer une quelconque formation à leur progéniture, sont tombés dans le système des enfants placés. Ce que les familles d'accueil en ont fait est une perversion de l'idée généreuse qui visait à éviter à ces jeunes le même sort que celui réservé à leurs parents : des distances longues par rapport à ces écoles.

La lenteur avec laquelle l'école s'est développée dans l'archipel a maintenu cette catégorie dans une situation de sous-développement, de retard économique et social. Les raisons du maintien de cet état de choses relèvent beaucoup plus de l'économique, sans pour autant négliger la force de l'idéologie rétrograde véhiculée à travers cette autre boutade : « l'école des chrétiens », l'opposant, sans fondement d'ailleurs, à l'école coranique. Les rédacteurs des rapports annuels pour l'archipel des Comores n'ont pas manqué de relever la prédominance de l'école coranique au point de ne rien entreprendre pour améliorer ce qu'on appelait l'école officielle. On était loin de la France du XIXe siècle, où l'école était imposée par la force[1].

Ali Mabweya , conseiller pédagogique, pôle n°7 CIPR de Sima, explique le retard de l'enseignement à Pomoni : « Le taux de scolarisation, à Pomoni, est faible, la capacité d'accueil de l'école est insuffisante en dépit d'une réhabilitation de trois salles par un projet du ministère de l'Education nationale. La faiblesse du taux de scolarisation est due à la faiblesse des moyens des familles, incapables de payer divers frais liés à l'inscription, aux fournitures etc. Des fois, j'inscrivais

1. La période de l'autonomie interne a prouvé que la poussée démographique dans l'archipel ne saurait à elle seule relativiser les progrès accomplis dans le secteur de l'éducation.

certains élèves après appréciation des conditions de vie de leurs parents »[1].

Le brassage social inhérent à la scolarisation a conduit à quelques lentes mutations. Malgré le retard accusé sous la période coloniale par l'école, une réalité s'impose à tous : elle a tout de même été un facteur de changement dans plusieurs domaines de la société. Ceux qui l'ont fréquentée, parmi lesquels certains de Pomoni, sont conseillers pédagogiques, instituteurs... et exercent des métiers qui leur étaient inconnus auparavant.

L'école aura été pour Ali Mabweya un moyen de mutation et d'ascension sociale, ainsi que pour Mohamed Moilimou, qui la considère comme une nécessité pour tout démarrage d'une transformation d'une société par l'apprentissage d'une culture nouvelle. Aujourd'hui, ils se rappellent les métiers exercés à Mpomoni (Anjouan) et à Duniani (Grande-Comore) avant l'avènement de l'école dans leurs villages respectifs. Les gens n'avaient d'autre choix que d'aller travailler à la société coloniale comme gardiens ou distillateurs d'ylang-ylang, comme leurs parents. « Le reste des Pomoniens se tournait vers l'agriculture ou l'élevage. Si les artisans étaient rares, on n'en distinguait pas moins quelques maçons et un plombier. »

Dans certaines localités, des parents avertis ont envoyé leurs enfants dans des familles d'accueil des grands centres urbains afin de leur donner la possibilité d'aller à l'école. Les chefs-lieux disposaient d'écoles du CP à la 7e. Sima, Mutsamudu, Domoni, Mramani, Vuani (Marahare) constituaient des pôles d'attraction pour les chercheurs d'emploi en raison de leurs activités portuaires ou parce qu'ils avaient reçu les nouveaux arrivants déjà installés.

L'enseignement aux Comores visait en particulier, au départ, à mettre en place un embryon d'instruction pour les indigènes, dont la colonie avait besoin pour se développer. Il était exclusif, si on se réfère au manque de politique dans ce domaine. En effet, la colonisation, sous prétexte de ménager l'islam[2], s'est servie du pouvoir traditionnel pour atteindre ses objectifs. Elle n'a à aucun moment mis en place un enseignement de masse qui aurait favorisé – ce qui a été le cas dans beaucoup de pays d'Afrique – des fils d'extraction très modeste, parmi lesquels les enfants des travailleurs des plantations. Les premières élites formées étaient issues des classes aisées. Pourtant, la dilution relative à la catégorie des descendants de Makua s'est faite par la fréquentation de l'école coranique et la généralisation pour un enseignement de masse de l'école officielle, notamment à partir des années 1970. Cette démocratisation est venue en renfort d'initiatives souvent isolées ayant permis à des éléments issus de ces milieux de fréquenter l'école et d'intégrer des structures qui leur ont permis d'évoluer[3].

1. Je suis conseiller pédagogique depuis juillet 2009 après avoir été instituteur au terme d'une formation à l'Ecole normale pendant trois ans. Après ma réussite au CAE, en 1997, je suis devenu directeur de l'école de Pomoni avant d'être promu conseiller pédagogique en 2009.
2. COQUERY-VIDROVITCH, MONIOT H., 1976-2005.
3. Soilihi Djibaba III a décliné le parcours de formation de son père, lié à cette histoire, formé sur le tas. Dans la région de Hambou, où la société a marqué le paysage local, hommes et femmes, issus de ce milieu ont acquis, après passage à l'école, une ascension sociale très respectable.

Malgré ses réticences de départ, le Comorien s'est rendu compte que l'école était un excellent moyen de réussite sociale, surtout d'accès au pouvoir politique. Pour de nombreux Comoriens, c'est à l'école que se forme le destin des gens. Au-delà du concept présenté précédemment, c'est un outil de développement et d'épanouissement de la personne, lui permettant d'évaluer son vécu et de projeter son avenir. En effet, en apprenant les sciences, la technique et les autres cultures, le risque d'abandon des richesses traditionnelles n'est pas exclu en même temps qu'il promeut la capacité de changement de la société.

3. Une mauvaise presse contre les Makua ou signe d'intégration ratée ?

Un sens vil, abject, entraînant une mauvaise presse. Ceux des Makua qui n'ont pas été candidats ou forcés à l'émigration se sont éparpillés dans certains villages de Grande-Comore. Aujourd'hui, on les rencontre, eux ou leurs descendants, à Nkurani ya Sima, dans des villages de la région de Hambu. « Mais il est difficile, poursuit notre informateur, car les Comoriens se sont mélangés avec les Makua et avec les autres ethnies localisées à Fumbuni ou à Salimani ya Itsandra. » Et puis, « tout Noir aux Comores, venu d'Afrique, est considéré comme Makua »[1]. De nombreuses personnes étaient concentrées à Boboni pour les travaux du bois. On les trouve à Ouroveni. Leur mode de vie se rapproche de celui des washendzi. Dans de nombreux villages de Bambao, les habitants sont pour ceux d'Iconi leurs serviteurs, gardiens de leurs champs. Par conséquent, il est très difficile de se commettre ensemble.

Les cargaisons de *kotriya* étaient composées d'hommes, de femmes et d'enfants. Mais souvent, la gente masculine était majoritaire, ce qui fait dire à Abdou Mwedha qu'ils devaient nécessairement trouver épouses parmi les Comoriennes[2]. Quoi qu'ils fassent, certains pourront toujours dire que c'est normal, car « ce sont des Makua ». Malgré la répression psychologique et le relatif rejet de la part des habitants, ils ont fait preuve d'intelligence pour y demeurer et vivre en harmonie. En décidant de se convertir à l'islam, ils se sont appropriés un élément culturel fondamental de la société comorienne, voire cultuel. Même convertis, ils ont continué leurs rites et croyances en même temps qu'ils se sont rendus dans les mosquées[3]. Ces pratiques sont courantes dans l'archipel et supposent les mêmes origines pour l'ensemble de la population, primo et derniers arrivants.

La domination de la culture arabo-islamique gauchit un peu l'histoire et le colonialisme aussi puisque le propre de ce dernier est d'isoler la population

1. Ali Msa, Ntsudjini.
2. « Du fait qu'ils ne venaient pas avec leurs femmes, ils se mariaient ici, des Comoriennes avec qui ils ont mélangé leur sang ».
3. « Les Africains étaient animistes, ils adoraient d'autres divinités, mais une fois arrivés (aux Comores), ils se sont convertis à l'islam, ils priaient même si certains parmi eux n'avaient pas abandonné leur première croyance ».

en lui montrant que non, voilà vous, vous êtes bien, vous n'êtes pas comme les autres. Vous parlez bien... L'un dans l'autre, nous finissons par croire que, effectivement, nous sommes différents de nos frères du continent africain, que nous sommes des wa ungwana et eux des wa-shendzi. Cela fait mal et les gens ne se rendent pas compte des conséquences.

Que les Comoriens acceptent le fait qu'ils sont Africains. Cela pose encore des problèmes. « À Mayotte, avec l'arrivée des Rwandais et tout ça, les Mahorais disent ces « Africains-là ». Ils n'ont pas compris qu'ils sont eux-mêmes Africains[1]. » Il serait bon que les Mahorais, que tous les Comoriens d'ailleurs, acceptent, et pas seulement du bout des lèvres, qu'ils sont véritablement des Africains, non seulement de par leurs origines, mais également de par leur mode de vie, qui est le nôtre. Certes, une fois que l'on se trouve dans une île, il y a certaines choses qui apparaissent et qui diffèrent un tout petit peu de ceux qui sont en Afrique, mais pour l'essentiel, la façon de vivre est identique.

L'émigration et ses conséquences

Les Comoriens à l'extérieur, tentés par les grandes villes, ne reviennent plus aux Comores et sont perdus pour l'archipel. La Grande-Comore est plus importante par la vitalité de ses habitants, qui émigrent dans l'océan Indien, mais reviennent pour réaliser les événements relatifs au cycle de vie sociale.

L'on n'aura pas assez écrit, dit et répété que le mobile principal de l'émigration tient à la pauvreté qui frappe la quasi-totalité de la population. L'engagisme a laissé une tradition de mobilité chez les Comoriens vers Madagascar, où ils se sont établis en très grand nombre, conférant au port de Majunga, sur la côte ouest de la grande île, le statut de première ville des Comores. Rantoandro écrit : « Le Dr Cantal signale également qu'autour de Majunga, des Makua fournissaient les ouvriers agricoles »[2].

La plupart des gens formant la population de Majunga viennent des Comores, mais ce n'est pas tout. On distingue aussi Diégo-Suarez, Ambadza, Nosy Be..., où ces originaires des Comores constituaient une main-d'œuvre assez nombreuse, faite de bras à tout faire.

Ils déclinent une origine très ambiguë – andzuani – ou citent des parents qui seraient, de mémoire, venus des Comores. L'engagement a encore puisé dans les milieux makua, à l'exemple du fils de Djumwa Mnyamwezi, Ali Djumwa, installé à Diégo. La scolarisation des enfants comoriens à Madagascar a fourni un alibi pour le départ de l'élite et de sa progéniture. Les premiers responsables de l'archipel en sont sortis[3]. De manière générale, les premiers lettrés des Comores ont émigré dans les pays riverains et, au temps de Humblot, de leur position de l'extérieur, ils ont pu influencer la dynamique évolutive à travers leurs apports en

1. Entretien avec Youssouf Moussa (voir annexe).
2. RANTOANDRO G. A., 2007, note 15 : le Dr Catal signale également qu'autour de Majunga, des Makua fournissaient les ouvriers agricoles.
3. M. IBRAHIME, 2000.

échange, en matériel et en modèle de civilisation[1].

On peut citer la musique, certaines danses, des pratiques agricoles ou le football. Les engagés à Madagascar, à La Réunion, à Maurice, ou leurs descendants, puis les anciens militaires, à leur retour aux Comores, ont beaucoup contribué aux changements. Ce sont les Makua qui ont constitué les premiers contingents émigrés en tant qu'engagés, militaires ou encore navigateurs. C'est la raison pour laquelle ils sont nombreux à avoir fait les deux guerres et à être restés anonymes.

Avant l'accession de Madagascar à l'indépendance, en 1960, on estimait à plus de 50.000 le nombre de Comoriens qui s'y étaient installés. La majorité avait été déplacée par les colons et la moyenne d'âge était de 35 ans. Le départ de cette force de travail, très prisée par les colons, a marqué le début de la plus grave catastrophe connue par les Comores. Si seuls les vieux restaient, cela voulait dire que l'amélioration des conditions économiques restait un leurre : tous ceux qui partaient ne nourrissaient pas le moindre espoir de revenir.

L'esclavage et la colonisation ont amené les Comoriens à s'installer à Madagascar. Les événements sanglants de 1977, qui ont vu périr plus de 1000 Comoriens à Majunga, ont permis de mesurer le poids démographique de la diaspora comorienne dans ce pays après leur retour massif en 1972, à partir de la base de Diégo.

Kaambi El-Yachouroutui estime que ce sont ces travailleurs, dont une bonne partie a regagné Mayotte, qui ont réussi. « Certains se sont naturalisés Français », rappelant que la plupart des gens de Bazimini étaient des anciens des plantations et aussi des anciens de Mayotte. « Le changement pour eux, c'est d'abord partir[2]. »

Les émigrés, une fois revenus au pays, disposaient d'un peu de fortune, ce qui a contribué à effacer les stigmates qui les distinguaient des autres. Les concepts d'organisation ont aidé à éradiquer la stigmatisation, car il était établi que chacun pouvait faire carrière ou fortune, indépendamment de ses origines sociales.

L'étude de cas éclairera le chercheur qui voudra entreprendre l'examen de ce sujet. Leurs descendants ont-ils réussi leur installation, leur assimilation ou leur intégration dans ces pays d'accueil ? L'expérience à Madagascar et à Zanzibar permet d'espérer rencontrer dans la classe politique de ces pays, y compris en France, des gens de souche comorienne.

Hiérarchie socio-spatiale

Aux Comores, vit une population peu nombreuse dans les villes murées, développant une vie citadine. S'agissant d'un quartier de Moroni, à l'origine, ceux qui y habitaient étaient des serviles, selon Mme Sophie Blanchy, du palais

---

1. Il n'est pas étonnant de constater que les Comoriens qui réclamaient la rupture avec la France résidaient pour la plupart en Tanzanie et en Afrique de l'Est.
2. Kaambi El-Yachouroutui, Mutsamudu, Anjouan, 2011.

(djumbe), qui sont venus rejoindre d'autres de même statut qu'eux déjà installés derrière les murs de Moroni[1]. On peut estimer qu'ils se connaissaient, qu'il s'agissait des mêmes groupes et qu'ils venaient des mêmes régions (d'Afrique ?). « Du coup, la composante makoua-makonde dans la population comorienne prend une autre résonnance[2]. » Son importance dans la population comorienne contemporaine prend une autre dimension. En effet, tous ceux qui sont arrivés, par réflexe d'étrangers, se sont regroupés, ont formé des villages et développé des coutumes. Cela remonte au début des années 1900. Ont-ils continué ce réflexe d'étrangers, défensif, se protégeant au risque de disparaître ? En Grande-Comore, cela n'a pas été le cas. Les hommes se sont éparpillés et ont intégré des villes et villages, comme nous l'a révélé un informateur de la ville de Mbeni[3] que nous avons rencontré à son domicile. En se mélangeant, ils n'ont pas formé de villages à part, à quelques exceptions près[4]. À Anjouan, cela a été complètement différent. La séparation a été nette et on a créé pour eux des villages entiers, près des plantations, parce qu'ils formaient la main-d'œuvre dont on avait besoin.

Ils avaient donc leurs propres villages : Pomoni, Patsy, Bambao… Voilà pourquoi la contradiction sur cette île est nette. L'opposition entre eux et les grandes villes était forte. Mutsamudu, Domoni et Wani formaient un monde à part, à conquérir. Ba Artaji nous a expliqué que, pendant longtemps, ces villes leur ont été interdites[5]. Puis, au nom de l'égalité établie par le chef de subdivision, représentant français, les Comoriens d'origine ou de catégorie vile ont eu le droit de passer, de siéger sur les places publiques de Mutsamudu sans être contraints d'ôter leurs chaussures ou de se murer dans un mutisme complet. Ba Artaji a raconté avec amertume les vexations quotidiennes. « On est bien loin de ces temps » a-t-il aimé ajouter.

Ces agglomérations ont souvent payé les révoltes qui se nourrissaient de cette opposition chauvine développée par ceux des campagnes. Une approche analytique montre que ceux-là n'étaient pas forcément esclaves ; les wa-matsaha (bushmen) étaient là et ont certainement trouvé chez les nouveaux venus des alliés. Clockers a rapporté ce témoignage :

« Des témoins oculaires attestent dès le XVIIe siècle la présence de ces populations en Grande-Comore, identifiables par les scarifications caractéristiques de ces ethnies. Elles sont confirmées par des témoignages du XVIIIe siècle et du XIXe siècle. En 1981, elles furent encore confirmées par un ancien planteur de l'île d'Anjouan. (Communication personnelle de Mr Plaideau, ancien colon à Anjouan, qui atteste avoir observé des scarifications sur les visages d'habitants

---

1. Ils ont affirmé que des démons venaient perturber leur vie et ont quitté les lieux. Curieux, ils ne sont pas allés ailleurs.
2. CLOCKERS A., 2003, p.41
3. Fundi Maloune Djoubeir. On peut consulter l'enregistrement réalisé en 2012.
4. Même source, indiquant cette fois-ci le village de Bweni, devenu aujourd'hui Mdjihari, dans la région de Hamahamet. Ses habitants étaient les esclaves de la famille régnante.
5. Ba Artaji, Bambao Mtsanga, interview réalisée à Moroni en 2010 : « Un enfant matsaha n'osait pas passer au centre-ville de Mutsamudu et adresser un salut aux kabaïla ».

noirs des hauts de l'île d'Anjouan, dans la région de Coni Jojo – coni N'gani, réputé pour avoir été le dernier refuge des populations serviles de l'île).

C'est cela, la réalité combinée, qui montre que les Comoriens formaient une population homogène, les nouveaux venus n'ont pas eu de mal à se mélanger ou à cohabiter avec les primo-arrivants. Leur mode de vie n'était pas du tout différent, ils ne présentaient pas de différences physiques. L'absence d'état civil depuis cette période n'a pas aidé à distinguer les gens et ce point rend pertinent la sauvegarde des carnets dont disposaient les travailleurs de la SCB et de NMKL.

Le terme esclave est générique. Le Makua a un sens plutôt péjoratif, il est étranger, *mdjeni*, et a du mal à s'intégrer, car il est, dans ce milieu, marginalisé. Des villages comme Mwandzaza djumbe, Selea, et Salimani à Hambu ont pendant longtemps été des références. Cependant, il existait d'autres esclaves d'origine comorienne qui étaient dans une situation de dépendance (*wa-trwana*[1]) et qui vivaient dans les itreya. Ils n'étaient pas du tout Makua, mais on disait qu'ils étaient esclaves. C'est le cas de Mhandani à Itsandra. Ces deux types d'esclaves ont participé à former la catégorie sociale située au bas de l'échelle. Encore faut-il les étudier pour mieux les distinguer et fixer leurs origines et liens avérés.

Dans le concept comorien, on est étranger par rapport à la famille, au quartier, au clan, et ainsi de suite. Les anciens engagés sont appelés wamanga, c'est-à-dire qui viennent de l'étranger. Certains auteurs contemporains, utilisant une démarche ethnologique, ont classé les nouveaux arrivants parmi les Africains, à la fin du XIXe siècle, par les types de tatouages qu'ils avaient[2]. Ce type n'ayant plus cours, il reste alors le nom que l'individu porte et le prénom qu'il fait porter à son fils.

« DJUMWA n'est pas le nom qu'il avait à son arrivée ici aux Comores », nous a-t-on dit au cours de nos enquêtes. On leur a donné sur place des noms, pas ceux qu'ils portaient, qui paraissaient plus compliqués, ou par mépris. Les Comoriens les ont rebaptisés avec des noms plus maniables et à leur convenance. Ceux qui sont arrivés les premiers ont peut-être conservé leur nom d'origine. Ils sont reconnaissables, car ils sont bizarres : Gaya (fleur), Mkazambo, Sururu, Labo...

Ils ont donné, par la suite, un nom d'ici à leurs enfants. Lorsque nous avons cherché à comprendre pourquoi, voilà ce qu'ils nous ont répondu : « ce changement de nom fut stratégique pour éviter les railleries et aussi pour des commodités d'intégration. Ils n'allaient pas donner le même nom à leurs enfants pour qu'ils vivent les mêmes problèmes. Ils vont leur chercher des prénoms comoriens », a expliqué Monsieur Bourhane[3]. Ils voulaient en effet éviter à leurs enfants des souffrances inutiles. Parce que, pour eux, le retour au pays natal était hypothétique, voire impossible.

« On appelle aussi l'esclave ou l'engagé africain d'après l'ethnie mozambi-

---

1. Mtrwana (sing) : esclave.
2. A. GEVREY, 1870 et C. HÉBERT, 1984.
3. Originaire de Mdjwayezi ya Mbude (Henyamrama).

caine la plus représentée, les Makua, ou par des termes signifiant africain, mdri-ma, et mshendzi, péjoratif, désignait l'esclave africain non acclimaté aux Co-mores, c'est-à-dire ne parlant que sa langue, le kishendzi. Cette langue n'existe pas. Et ne pratiquant pas l'islam. Rien dans la sociabilité ne laisse deviner le cloisonnement social et comme le déplorent certains, la loi du silence règne. Cela ne sert à rien. On ne prononce jamais à haute voix, wanu warumwa. Et quand je le dis en commentant des photos de 1897, une femme d'un lignage dominant m'a aussitôt arrêté : ne dis pas cela, ils sont nos cousins. Maintenant, ce sont nos frères[1]. » Kidani n'est plus cette personne achetée en Afrique et placée dans les maisons nobles comme membre de cette famille-là. Toute sa vie, elle devait dépendre d'elle et servir. À Moroni, comme ailleurs, ces individus sont nom-breux. Leur origine africaine semble être oblitérée, mais les parents la rappellent pour interdire à leurs enfants toute commensuration, eu égard à leur statut et à leur origine. Abdallah Nau en fait partie. Nau, sobriquet qui signifie « part de la récolte qu'il apporte au djumbe ». Ils ont été nombreux ceux qui sont arrivés aux Comores détenteurs d'un art ou d'un métier et qui se sont installés dans des quartiers comme Mvundzoni[2], où existait la forge. Seul le mshendzi en avait le secret.

Par la force des choses et du temps, les us et coutumes permettent d'estom-per ces différences et d'atténuer les pratiques. Les gens s'acceptent et certaines attitudes ne seraient pas comprises par les nouvelles générations, car cela ne rime pas avec modernité. Cela doit changer. À quoi cela servirait de dire qu'ils sont descendants d'esclaves ou de familles d'esclaves ? De nombreux Comoriens pré-tendent qu'il n'est pas utile de soulever ces questions, d'évoquer des situations du passé. De nos jours, en effet, le brassage qui a été opéré aux Comores a atteint un niveau tel que parler d'esclave est synonyme de s'injurier soi-même, car les des-cendants d'esclaves ont épousé des femmes de la bourgeoisie, voire des familles régnantes.

Au fond, cela veut dire que rien n'a disparu, elle ne veut pas en parler pour ne pas offenser. Pour elle, ce sont nos anciens esclaves. Certains, voyant les descendants d'esclaves sur la place publique, expliquent : « avant, ils n'osaient pas venir jusqu'ici ». Ils ne le diront pas en face, mais à un autre de leur clan, à leurs enfants. C'est justement sur ce point que nous voulons crever l'abcès. Que l'on parvienne à une réalité étudiée. C'est la victoire de toute une partie de la population comorienne qui est en jeu. Cette histoire, on ne la connaît pas, on la chuchote. Nous voulons l'écrire. Elles sont allées quelque part et disent qu'il y a des habitants sur le front de qui on a écrit qu'ils sont les moins-que-rien de cette île, ils ont dit qu'ils ont besoin qu'on sache d'où nous venons, qu'on sache notre histoire, que nous sommes des êtres humains. De toute façon, le Makua que vous évoquez n'est pas synonyme d'esclave. C'est une ethnie avec des habitants qui sont libres chez eux. Seulement, ils ont été victimes d'un système qui les a réduits

1. S. BLANCHY, ibidem.
2. Mvundzoni, terme signifiant l'endroit où on plie et qui désigne probablement la forge.

en esclavage. Donc, esclave est une situation, un fléau dans l'histoire.

« L'esclavage, en tant que forme d'assujettissement d'un individu, forcé à travailler et réduit en propriété, n'a plus cours aux Comores. Il n'y a plus d'esclaves aux Comores, au sens antique du terme. Par contre, le préjugé de la «supériorité sociale», fondé sur l'origine sociale, persiste et s'est fortement enraciné. Ce puissant préjugé est un rejeton de cette forme d'exploitation de l'homme par l'homme. » C'est parce qu'une catégorie sociale a été assujettie que s'est perpétué ce sentiment qui marque encore fortement la conscience collective, à savoir l'inégalité sociale entre les individus ou la hiérarchisation dans la considération sociale des personnes. Nous n'avons plus d'esclaves, mais la société comorienne continue à fonctionner sur la base du préjugé inégalitaire. Des individus ou groupes d'individus sont convaincus et définitivement gagnés par ce préjugé selon lequel, dans la hiérarchie sociale, ils occupent la première place, du simple fait de leurs origines sociales. Ce préjugé est tellement fort qu'il a su résister aux inversions de tendance que peuvent et doivent induire le savoir et la compétence dans les considérations sociales. Le même paradoxe se pose concernant cette irrésistible propension des intellectuels à chercher l'estime sociale par l'entremise du grand mariage, comme si le savoir ne suffisait pas à leur conférer notoriété et respect. « Alors que des individus doivent batailler pour accéder à la considération sociale de type «prestige social», d'autres sont fermement convaincus qu'elle leur est acquise d'avance. Et l'imposture, c'est cet acquiescement consciemment ou inconsciemment entretenu, comme si les rangs sociaux étaient fatalement fixés[1]. »

Les Shambara et Makua de Ba Lopa avaient décidé de mettre fin à l'esclavage et de rétablir l'égalité. « Désormais, disaient-ils, nous pourrons prendre des épouses parmi les femmes arabes de Mutsamudu. » Kaambi El-Yachouroutui a fait aussi le rapprochement, analysant la situation après la crise séparatiste. Voilà ce qu'il a dit : « mais Dieu merci, étant donné que le fait religieux domine, cette agressivité ne s'est pas autant développée qu'on l'aurait pu penser. Presque, c'est le cas de dire, que ça ce sont les enfants des « machins » qui travaillaient comme domestiques dans les maisons de « machin ». Maintenant, on trouve ces mêmes personnes de Nyumakele qui ont des maisons à Mutsamudu. Elles les ont et ils font travailler aussi des descendants des familles arabes, tous ces aspects-là doivent être pris en compte ; maintenant, les mariages se font de plus en plus, les jeunes se trouvent à l'école, ils sortent ensemble et ils dépassent les trucs de papa. Moi, je ne peux plus imposer maintenant à ma fille qu'elle épouse telle ou telle personne. Elle épousera qui elle veut et ça, c'est quand même positif parce que ça permet de consolider l'unité et d'éviter les conflits inutiles. Donc, c'est la cohésion sociale ». C'est un souhait, mais quand on sait qu'il n'y a pas si longtemps des hauts dignitaires de Mutsamudu ont défait un mariage pour la simple raison que la présence de l'époux de Mirontsy allait créer un choc psychologique...

Dans l'esprit, l'égalité, c'est aussi cela, et nous le voyons à travers le comportement et les pratiques des générations passées et actuelles.

1. Communication de Chabane Mohamed, professeur de philosophie à Moroni.

Ils veulent vivre libres, pratiquer leur culte et, comme tout être humain, parce que chacun possède ces facultés, diriger la prière. En Grande-Comore, le sermon du vendredi a pendant longtemps été réservé à une famille, Hinya Mahatubu. Lopa a fait preuve d'imagination en 1891 en s'adressant à ses concitoyens réunis, en l'absence des Arabes, en prononçant le nom de dieu dans sa langue et en déclarant que ça, c'est la *fatiha*[1].

Du concept comorien, il y a eu échange entre les familles. La classe régnante est allée épouser d'anciennes esclaves et descendantes d'esclaves d'hier. La société comorienne accueille favorablement cette approche qui permet de gérer de manière durable le patrimoine familial. Ce phénomène a droit de cité au niveau des quartiers, de leur hiérarchisation, à Moroni. D'ailleurs, des éléments de diverses origines fondent aujourd'hui des familles à travers des unions. C'est un signe intangible que le changement est irréversible.

Le changement est inéluctable dans cette société, où on assiste à un renversement des valeurs pour laisser place à de nouveaux riches. Les anciennes familles qui s'auto-suffisaient grâce à leur naissance dans les grandes villes contractent des mariages, souvent de raison, pour sauver leur rang social, qui se fonde non pas sur les origines, mais sur la richesse.

Nous vivons actuellement dans une société qui se métamorphose inéluctablement parce que des nouveaux riches et parvenus la composent. « En l'état actuel des choses, ceux qui veulent se dire que « nous sommes les vrais Anjouanais et les autres sont des arrivants », ce phénomène-là, on est en train de le dépasser. On est en train de créer un égalitarisme, et c'est ça qui fait que les gens de Bambao quittent la région pour aller dans les grandes localités pour se marier et vice versa. Le complexe commence à disparaître. » Economiquement, ceux qui étaient pauvres deviennent riches, les prétendus sultans se distinguaient des autres classes sociales à cause de leur suprématie économique, mais maintenant, au niveau d'Anjouan, « ceux qu'on jugeait wa-matsaha d'hier sont devenus les riches d'aujourd'hui. On prend par exemple le cas de Zovro de Nyumakele, Ongoju, qui est capable d'acheter tout Anjouan parce qu'il est bien riche. D'où vient sa richesse, ça c'est la question ». Mais Ongoju ne fait pas partie de la liste des villages constitués de Makua, notre interlocuteur précise : « Oui, mais m'matsaha[2] est souvent utilisé dans un sens très péjoratif alors que Mshambara, Makua et Makondé sont désignés en tant qu'ethnies, des gens qui sont venus, ramenés d'Afrique au XIXᵉ siècle ». On les trouve en Grande-Comore aussi.

Parmi eux, il y a des gens qui ont réussi. « Oui, effectivement. Je connais aussi à Mdjamawe un certain Saïd Abdallah surnommé Metalet. À Bambao Mtsanga également, il y a des gens qui arrivent à se débrouiller. Soit ils ont été « servis », soit ils ont servi dans l'armée française et sont revenus avec quelques subsides. »

---

1. Pendant longtemps, à l'occasion de toute cérémonie, on a demandé aux descendants des sharifs de faire la *fathia* « mlopo na mlopo iyo fatiha iyo »
2. Signifiant « sauvage ».

La société moderne et ses avatars

Comment l'esclave s'est-il intégré, est-il devenu plus libre et admis dans la société ? Ceux qui voulaient maintenir l'institution parlaient d'un esclavage doux, mais il est clair que la présence française s'est traduite par l'extension des rapports marchands dans les campagnes et l'instauration de l'impôt par tête.

Cet impôt contraignait esclaves et hommes libres à se mettre au travail pour gagner de l'argent. Ainsi, la libération des anciens esclaves et des travailleurs originaires d'Afrique de l'Est a fait d'eux des propriétaires de petits lopins de terre, tout comme la capitation par tête a eu l'effet de créer un nouveau besoin, la recherche d'argent, qui a commencé à modifier le système de valeur. « Actuellement, il n'y a pas de différence entre noble et esclave, car le système éducatif, l'école, assure l'intégration de tout un chacun, réduit les clivages et permet de nos jours des mariages entre membres des familles nobles et des anciens esclaves. Parce que les descendants de ces derniers sont instruits et gagnent leur vie[1]. » Feu Si Naçr eddine le reconnaît. Car, en fait, l'économie de plantation, pour s'épanouir, a nécessité l'intervention de l'administration française. L'esclavage devait être aboli. L'action des résidents a rendu la charge des sultans caduque.

Toutefois, l'organisation de la hiérarchie sociale traditionnelle est restée inchangée. Mme Blanchy n'a-t-elle pas écrit que les différentes formes de rapports de dépendance entre Comoriens qui s'inscrivaient dans une hiérarchie sociale n'ont pas disparu ? Le Comorien se montre très respectueux des obligations que lui imposent les castes dans lesquelles il est enfermé. Le servage demeure, mais aux yeux du législateur, l'homme n'est plus une marchandise, une main-d'œuvre dont on use sans rendre de comptes à quiconque. Un individu d'un village d'esclaves peut le quitter aisément, mais il restera considéré comme tel partout où il aura été connu dans son précédent état. La difficulté majeure est que pour tout individu interrogé, le Makua est présenté comme esclave.

En dépit de l'abolition de l'esclavage, l'esclave reste et demeure « esclave » aux yeux de son ancien maître. Alors que le Makua, lui, n'est resté l'esclave de personne. Paradoxe inextricable, sauf que le Makua est vu comme un sous-homme, une personne de second rang étrangère à la société. Il vit à part, dans une zone bien déterminée. Il vit dans la communauté comme citoyen de la cité. Dans beaucoup de villes et villages, rien ne permet de l'identifier.

Une famille présente quelques signes particuliers, l'enfermement, le mode de vie, l'extrême pauvreté et des surnoms évoquant cette réalité. Point de généralisation sur cet aspect quand bien même, dans cette famille, les gens portent des noms islamisés, mais gardent des surnoms d'origine Lawar, Nkalaga, Tshenya, Nahau... La problématique, bien qu'elle soit la nôtre ici, ne trouve pas de réponse à ces cas observés, car l'ensemble de la population de l'archipel a déjà une culture et une civilisation. Ceux qui sont venus à la fin du XIXᵉ siècle, dans l'exemple fourni par Mariamou Oi Kiliman, cette femme originaire de Kélimane au Mo-

1. Ahamada Chioni, Ntsadjeni, 2013.

zambique éteinte au milieu des années soixante à Moroni qui a été achetée sur la place Kalaweni à Moroni avec son frère Mdroinkodo.

Les Makua étaient nombreux à Moroni, mais ils se sont intégrés pour former aujourd'hui la classe dirigeante de la ville. Il est vain de tenter une étude ethnologique les concernant, non pas parce que, actuellement, nous vivons une tolérance qui se fonde sur le parcours de chacun d'entre nous, mais parce qu'en Grande-Comore, en dehors des villages de Boboni, Henya Mrama, et dans les régions de Hambou et Mbude, les Makua n'avaient pas tendance à se regrouper ou à créer une petite société locale de type franc-maçon.

À Moroni, des familles ont des relations avec cette histoire. Cependant, l'évolution de la société comorienne, le comportement systémique de cette société à partir des us et coutumes, les embourgeoisements de toutes sortes auxquels elle assiste font que ces gens-là comptent aujourd'hui parmi les familles de la haute bourgeoisie comorienne. Des personnes ont réussi à se hisser dans une position notable, telle « cette personne très proche de moi dont le grand-père appartient à cette histoire ». C'était il n'y a pas si longtemps ; est-ce que, aujourd'hui, si on lui pose un problème comme celui-ci, elle ne va pas comprendre devoir avoir des relations avec ces gens-là ? C'est une situation qui concerne de nombreuses familles. Le comportement que l'on adopte, la position qu'occupe chacun dans le système clanique ne rendent pas toujours compte de tous les aspects. Le mariage vient en renfort et fait oublier ce passé. Les relations de jumelage avec des familles kabaila ou 'ahl albet' (sharif) contribueront à effacer ce passé que d'aucuns jugent tabou.

Une ville comme Moroni s'est très tôt ouverte à l'intégration. Point de vue qui ne semble pas être partagé par tous. La liste serait longue si on devait énumérer un à un tous ceux qui ont souffert de leurs origines africaines. On ne dit jamais en public, par exemple, que le Makua ne peut pas diriger la prière. « Cela relève des fantasmes ». Ceux qui peuvent le dire le font pour justifier une situation aujourd'hui surannée.

« Depuis 1995, nous disposons de notre mosquée du vendredi », a déclaré M. Radjab Mssa de Membwabwani, au nord de la Grande-Comore. Auparavant, il fallait se rendre à Mitsamiouli pour faire la prière le vendredi.

« Des descendants de Makua se sont parfaitement intégrés dans la communauté grand-comorienne et occupent des places importantes dans le monde des affaires et de la politique. »

La considération sociale issue de l'ascendance commence à perdre de sa valeur en raison des exigences économiques qui font que, aujourd'hui, la parole revient aux nouveaux riches. À titre d'exemple, le mari faisait le tour de l'ancienne ville de Domoni en palanquin, privilège réservé aux descendants des princes et notables. À présent, toute personne moyennant une somme d'argent peut accéder à ce privilège. De même que le grand mariage est popularisé en Grande-Comore.

Les grandes familles d'hier sont talonnées, voire dépassées, par des nouveaux venus. Effectivement, plus d'un siècle après leur arrivée aux Comores, on mesure le parcours de ces braves gens qui ont su s'adapter dans une société hiérarchisée. En aucun moment, on ne distingue, sauf cas rares, une stigmatisation des Makua. Ils participent, au même titre que les autres, aux manifestations festives et coutumières. Aujourd'hui, ils prennent part au grand mariage comorien et toute personne, quelles que soient ses origines, peut le faire (grand mariage).

Dans les chefs-lieux et la capitale, les familles acceptent des enfants des régions rurales pour les utiliser dans des formes diverses. On voit que, comme la chanson de Salim Ali Amir le décrit, cette forme-là existe toujours. Sauf confirmation par enquête minutieuse, peu sont les enfants en question qui viendraient exclusivement des descendants makua, mais plutôt de familles démunies et très pauvres. Dans certains cas, cela relève de l'aspect socioculturel des gens.

L'histoire ancienne et récente du pays, orale, ne tarit pas de sources sur les origines de la population. Africaine essentiellement, c'est bien le littoral qui a fourni le gros contingent des habitants, eu égard à sa proximité. Pour le XIXe siècle, on a souvent cité comme source le Mozambique, d'où sont issus les Makua, parmi les groupes qui ont peuplé les îles. Toujours est-il qu'il faut distinguer ceux anciennement arrivés de ceux que l'engagement a drainés. En effet, outre les questions relatives à l'esclavage, il existe un autre sujet d'importance qui est souvent occulté, celui des origines africaines de la population.

C'est une étape, c'est aussi un droit de connaître son identité et ses origines. Mais maintenant que nous sommes tous des Comoriens au sens propre du terme, qu'est-ce que cela veut dire être *matsaha* ou être Makua aujourd'hui ? L'esclavage a bel et bien existé. Les gens n'en parlent pas publiquement aux Comores, car ils ne souhaitent plus y demeurer éternellement. Pour avoir mené cette étude, il m'a fréquemment été reproché le choix de la thématique.

« Puisque expliqués dans leurs causes et leurs conséquences, les phénomènes de l'esclavage et de la traite ne peuvent que se dépassionner et devenir des faits compréhensibles par tous et à l'évidence se taire, c'est faire perpétuer les rancœurs de tout genre car après tout, connaître son identité, son passé, ne veut pas dire y demeurer éternellement. »

Il y a eu un changement dans les mœurs depuis l'avènement du séparatisme à Anjouan. Des Anjouanais, méprisés et laissés pour compte, ont eu une opportunité de changer certaines réalités de l'histoire de cette île et de permettre l'intégration sans connotation de ceci. Ce qui fait que les grands centres urbains ayant des ascendances princières ou royales ont été obligés de mettre aux oubliettes leur passé pour pouvoir tenir aux évolutions de l'heure et partager le pouvoir, dont ils avaient jadis le monopole.

Comment peut-on être étranger à la société à laquelle on appartient ? Les Makua sont marqués de stigmates qui les situent dans ce milieu selon des pratiques sociales qui démêlent les origines.

Un autre phénomène est venu casser les privilèges des anciennes classes régnantes. Il s'agit de l'école française, car même les fils des anciens esclaves ont fait des études supérieures et acquis de l'autorité sur le mérite.

Par l'instruction, ils jouissent de considération dans leur quartier, leur ville. Toutefois, la « rémanence du stigmate, selon Roger Botte, est fondée sur le préjugé biologique ». À l'occasion de plusieurs cérémonies de grand mariage, les orateurs accrédités ont évité d'aborder les origines jugées peu glorieuses puisque, dans tous les cas, la société traditionnelle assiste impuissante à des associations qui commettent des fils ou descendants de Makua ou esclaves à des épouses jadis promises à l'endogamie.

Dans cette société où domine l'habit d'apparat de mariage, c'est-à-dire des habits traditionnels qui n'étaient pas accessibles aux esclaves, cela n'est plus. En effet, des dignitaires des clans régnants, libres par excellence et propriétaires d'esclaves, viennent assister à la consécration du marié. L'expression trahit ses pensées alors la question décisive est finalement celle du statut de l'individu : une rédemption est-elle possible ? Pour les descendants d'esclaves, existe-t-il une possibilité de sortir de leur état ou sont-ils condamnés à le transmettre continuellement ? Leur état n'est pas oblitéré. « La connaissance réelle de notre histoire ne peut qu'aider à enterrer les préjugés des uns et des autres et montrer que tous, esclaves et non-esclaves, ont apporté leur contribution pour bâtir la société. »

Ils sont venus de régions africaines dans le cadre des déplacements forcés pour construire ce pays. Des témoignages, complétés par des photos et images du XIXe siècle, montrent que ce sont eux les ouvriers, les bâtisseurs des grands bâtiments et monuments que nous connaissons aujourd'hui. Telle la carte postale éditée entre les deux guerres qui montre des femmes de Makua à l'ouvrage, utilisées pour mélanger le mortier. Ya Mkobe a trouvé ces dignes continuateurs chez les Makua, les Nyamwezi, et les wa-Shambara, enrôlés en grand nombre pour les travaux des routes, de construction. Le port de Moroni est un exemple éloquent, autant que le premier aéroport de Moroni. Selon Grimaldi, que nous avons interrogé dans ses locaux à Moroni, les ouvriers qui ont construit cet aéroport sont des anciens esclaves.

Ce qui se passe dans nos villes doit nous renseigner sur les formes qui se pratiquent encore à Moroni comme à Mutsamudu et ailleurs. Le gouvernement des Comores a-t-il subitement pris conscience du phénomène pour lui avoir consacré des assises nationales en novembre 2013 ? C'est à la suite d'un rapport commandé par le Bureau International du Travail (BIT) qu'on a officiellement commencé à le stigmatiser en visant les pires formes du travail des enfants.

En Grande-Comore, ils ont suivi un mouvement à part, mais la nation leur doit le site de Nyumbadju et son environnement immédiat. C'est à nos yeux un haut lieu de l'esclavage qui a marqué l'histoire contemporaine du pays. Nyumbadju était la résidence de Léon Humblot de son vivant, Shongodunda abrite maintenant la tombe de celui qui a été l'acteur majeur qui a impliqué le gouvernement colonial dans les vicissitudes de ceux qui ont fait l'objet de ce travail. Leur dédier un monument n'est que justice. Il n'y a pas que les autres, ailleurs, qui sont frappés par ce fléau, ce sont des êtres humains, les pères, mères, et leurs fils qui habitent les villages comme Boboni, Membwabwani, près du Trou du Prophète, au nord de l'île, et Salimani. Ils méritent plus de considération. Chacune des quatre îles de l'archipel a vu ses habitants se renouveler au cours du siècle dernier et a été le théâtre d'exactions commises à l'encontre de ces grands hommes. Chaque île a, au même moment, connu ses Patsy, Pomoni et Bambao ou ses Nyumachua, Ouallah et Siri Zirundani (Wanani). C'est un devoir de mémoire, un devoir de l'écrire et de l'enseigner à la génération future et c'est de cette façon que chacun contribuera à son dépérissement. S'y référer, c'est méconnaître l'histoire de l'humanité.

Alors, parmi les actions à réaliser, on peut envisager la pose de stèles ou de monuments sur les sites qui ont marqué l'histoire de l'esclavage dans notre pays.

Conclusion

Selon la tradition comorienne, « l'esclavage n'est pas une bonne histoire à raconter ».

Les traditionnalistes n'ont pas consigné par écrit l'histoire de l'esclavage aux Comores, car il est de coutume d'entendre que « l'esclavage n'est pas une bonne histoire à raconter ». C'est un refoulement collectif bien ancré pour « ne pas faire du mal à autrui ».

Lorsque l'on parle de l'esclavage, on évoque l'acte héroïque qui libère les esclaves tout en oubliant ces hommes et ces femmes qui sont enfermés dans une misère et placés dans une situation d'infériorité qui marque leur vie après la période de l'abolition.

L'opinion collective croit que les esclaves constituent une race inférieure qui n'a ni droit de cité ni capacité de s'élever à un comportement de qualité dans les relations mondaines. L'esclave est seulement relégué à sa force physique ou, au mieux, à ses capacités techniques dans les domaines agricoles et domestiques. Il est rare de penser aux rapports d'exploitation et de domination, ce qui lui rendrait justice et mettrait son maître au banc des accusés. Une telle situation serait le monde à l'envers. Aussi, il est très difficile de recueillir des informations pour bien retracer l'histoire et l'impact de l'esclavage.

Le mot n'est pas fort, leur voix est ignorée, leur histoire et leur culture le sont également. En Grande-Comore, à l'occasion des cérémonies de grand mariage, comme le rapporte Moussa Saïd : « pour certains informateurs, d'ailleurs, les évocations généalogiques ne peuvent être récitées valablement que pour les familles nobles ». Ainsi que nous l'a confié Mzé Wa Haziri d'Itsinkudi dans le Washili en juillet 1987 : « nul ne peut prétendre dire le shinduantsi d'un esclave (mdrumwa). Le shinduantsi, on ne le récite que quand il s'agit d'un homme libre (mungwana) qui ne se vexe pas si tu lui dis la vérité »[1].

La documentation au niveau local faisant particulièrement défaut, les limites de ce travail ont été celles de nos moyens pour réaliser les déplacements nécessaires à cette étude : vers le Mozambique, malgré la barrière linguistique ; vers les Mascareignes, où encore une fois les archives à l'Ile Maurice pourraient encore révéler des aspects qui nous ont sûrement échappé.

Souvent, le temps, associé à la complexité de mener l'étude sur le terrain,

---

1. MOUSSA S. A., 2000.

ne nous a pas été un bon compagnon. Avouons-le, le travail a été strident, nous étions au bord de l'abandon, car nous n'avons pas eu la chance de mettre la main sur le document ou le témoignage semblant nous encourager dans cette direction. Dans une société où domine l'oralité, le moindre papier écrit semblait contenir les informations souhaitées jusqu'à ce qu'il apparaisse comme versatile. En effet, la moindre discussion semblait vous mettre mal à l'aise jusqu'à ce que l'on dise : « je dois recommencer cette présentation ».

Le résultat de ce travail, effectué essentiellement sur la base d'enquêtes de terrain et dans les archives françaises (Hexagone et La Réunion), n'a pas permis un inventaire de ce que l'on connaît sur la question. Aux Comores, il y a peu de traces écrites. Il a fallu tenir compte des contraintes liées au temps, à la dispersion, faute de disposer des fonds d'archives de la SAGC et de la société Bambao, entre autres, pour ce qui était des « engagés libres ». C'est ce que nous appelons les travailleurs des plantations ou les autres Comoriens autour des établissements et domaines exploités par les colons.

En ce qui concerne l'intégration, l'étude a visé les derniers Makua arrivés pour aller vers une reconnaissance. Il n'est pas ici seulement intéressant de connaître leur nombre. Ils ont surtout transmis des techniques, des apports linguistiques et culturels. Ensuite, il faut accepter et sortir de l'oubli et ne pas rester dans cette amnésie volontaire, pour une réhabilitation ? Pendant une certaine période, on nous a appris, à l'école primaire, « nos ancêtres, les Gaulois ».

Voilà en gros le cadre, toute réflexion a ses limites. Il fallait commencer un travail. L'objectif n'était pas d'étudier d'une manière exhaustive toute l'histoire et l'impact de l'esclavagisme aux Comores, qui paraît encore plus difficile si on tient compte des milliers de kilomètres qu'il fallait parcourir jusqu'en France pour consulter les archives. Aujourd'hui, à Mayotte, les archives départementales ont ramené dans la zone les documents d'archives coloniales qui existent en France et ailleurs pour qu'on ne soit pas obligé, malgré les subterfuges administratifs et le visa Balladur qui se dressent devant le chercheur comorien, d'aller en France.

L'avenir de la recherche se présente-t-il sous de bons auspices pour le chercheur ? Il y a des raisons d'être sceptique quand on sait que malgré les efforts, sous nos cieux, pour constituer un fonds d'archives à la disposition du public, sans même avoir eu l'autorisation du gouvernement des Comores, une partie se trouverait conservée aux archives de Mayotte. Il n'y a aucune politique pour les archives aux Comores et encore moins de moyens humains, techniques et financiers, investis.

Que peut-on retenir après avoir mentionné les difficultés liées à la recherche sur l'esclavage aux Comores ?

L'abolition de l'esclavage aux Comores est l'un des faits de la colonisation française. C'était une évolution bien souhaitable. Cependant, la colonisation, et par la suite l'abolition, ont eu comme conséquence le départ des Comoriens vers les pays voisins, notamment Madagascar, Maurice et Zanzibar. Ce départ massif a ralenti l'évolution du pays.

L'esclavage aux Comores a recouvert généralement les fonctions agricoles et domestiques.

En effet, la politique agricole développée exigeait une main-d'œuvre abondante pour couper le bois, le sisal, cueillir et collecter l'ylang-ylang, féconder et surveiller la vanille et bien d'autres travaux qu'exigeaient les impératifs de production quand les usines de fabrication de sucre ont arrêté de tourner.

Après l'abolition, c'est l'engagisme qui a supplanté la traite des Noirs et poursuivi l'esclavagisme d'une manière déguisée. La politique de plantation a orienté les planteurs à chercher des travailleurs en Afrique voisine, car la main-d'œuvre locale était réfractaire à cause de l'ampleur de la tâche.

Après l'esclavage agricole, qui était de loin le plus dominant, c'est l'esclavage domestique qui a occupé la deuxième place. Certaines familles nobles ou bien placées dans la société possédaient et exploitaient les esclaves, qui étaient à leur merci. Les hommes étaient utilisés pour toutes les tâches demandant des bras et les femmes étaient principalement destinées aux tâches ménagères. Avec leurs filles, elles étaient également exploitées sexuellement.

Notons, par ailleurs, que l'abolition n'a pas enchanté les esclaves des Comores[1]. Les affranchis et engagés étaient comme prisonniers dans leur île. Les plus chanceux se sont proposés à l'exil, comme indiqué précédemment. Malgré tout, ils sont restés « les esclaves » et n'ont pas eu d'évolution dans leur statut.

Il est donc difficile de parler de dépérissement de l'esclavage, aspect qui peut faire l'objet d'une autre étude. Mais comment peut-on analyser les facteurs bloquant l'insertion des éléments makua et serviles ?

C'est d'abord la culture du dénigrement qui a pris le dessus. L'esclave a été contraint à gommer son histoire pour ne pas faire partie des catégories de la société les plus haïes et refoulées.

À Anjouan, le langage utilisé pour les désigner et les stigmatiser a pris un relief qui a divisé la population en deux catégories : « les vrais et les autres Anjouanais ». La deuxième catégorie, appelée également « wamatsaha », renvoie à leur lieu de naissance (qui désigne les wa-Shambara et les wa-Makua). Comment ces derniers vivaient-ils leur quotidien dans une société où la position sociale dépendait de la pigmentation, du lieu d'origine, et du clan auquel ils appartenaient ? Aux yeux du législateur, l'homme n'était plus une marchandise, un cheptel de qualité, mais une main-d'œuvre dont on usait sans rendre de comptes à quiconque. Dans la société comorienne, un individu issu d'un « village d'esclaves » pouvait assez aisément le quitter, mais il restait considéré comme tel partout où il avait été connu comme descendant d'esclave.

Les différents responsables du pays, depuis le gouvernement des gouver-

1. MARTIN J., 1976.

neurs et résidents et ceux issus de la période de l'après-guerre jusqu'après l'indépendance, pour faire face ou effacer ces clichés ont-ils véritablement agi pour enrayer ces différences ? Dans l'île d'Anjouan, l'engagé n'appartenait plus à une élite de travailleurs arrivés en petits groupes, mais à une masse déferlante vouée essentiellement aux plantations, comme force de travail. Il en était ainsi pour l'ensemble du territoire.

Sous un autre angle, venant du continent vers des îles où l'influence arabe était si présente parmi des gens de races mixtes qui ne se considéraient pas comme des Africains et détestaient qu'on les nomme ainsi, le Makua était marginalisé alors qu'il cherchait à vivre simplement comme tout autre individu dans la société.

Pourtant, le présent ouvrage démontre que la communauté makua a largement contribué au peuplement et a aussi apporté des éléments de culture qui, aujourd'hui, forment le patrimoine intangible : le langage, le culturel et le technique[1].

Avec le temps, il y a eu une envie réciproque de rapprochement. Le Makua, pour mieux s'intégrer, a eu à apprendre les coutumes, notamment islamiques, à travers l'école coranique, les twarika et la mosquée.

C'est dans cet environnement qu'on peut comprendre l'effort qu'il a fourni. C'est chose bien faite, car le mariage entre le Makua et les autres est courant et sans connotation.

Dans les Comores d'aujourd'hui, le Makua en soi n'a pas de réalité isolée des autres. Il est présent dans toute la hiérarchie sociale du pays et occupe les mêmes fonctions.

En dépit des différences instituées par l'insularité du pays, beaucoup d'éléments historiques se recoupent par le peuplement des Comores. Naturellement, il ne manque pas un certain langage pour créer des divergences. Mais les commentaires fournis par les traditionnalistes corroborent les pans de l'histoire.

Les Makua ont conservé beaucoup de leurs rites et traditions, surtout au niveau du folklore. À la date d'aujourd'hui, le « trimba » et le « mdandra » sont des danses d'origine makua qui sont exécutées soit au début de la saison de culture, soit pendant la période des mariages. Par contre, le maganja, le biyaya, le shigoma... sont également des danses makua, mais tellement vulgarisées que personne ne soupçonne leur origine.

L'absence de chronologie rigoureuse et de diversité des formes de l'escla-
1. AHMED-CHAMANGA M., GUEUNIER N.-J., 1979.

vage dans l'ensemble de l'archipel saute aux yeux du chercheur. Les investigations de terrain (traditions orales, questionnaires et interviews) ont donné l'occasion de cerner la perception des gens sur l'esclavage et le servilisme en général.

L'évolution actuelle nous donne une société atypique dans un pays dont le tissu économique renforce davantage la précarité. Les signes de réussite s'expriment en émigrant en France ou en assumant les hautes responsabilités de l'Etat (Sophie Blanchy) et surtout en passant au gouvernement. De ce point de vue, le manque d'espoir fait que le pays est répulsif et moins attrayant parce que pauvre et sans richesses. La société laisse apparaître au grand jour tous les signes d'essoufflement.

Toute personne, quel que soit son niveau intellectuel ou technique, préfère s'exiler à la recherche d'un idéal de mieux-être. Ici plus qu'ailleurs, la colonisation a sacrifié l'industrie, elle n'a même pas laissé un embryon pour rappeler sa présence à un moment donné. Pire, son orientation économique a mis en péril l'agriculture. Le secteur des services est tout simplement dominé par le monde des affairismes commerciaux, liés davantage à l'importation qu'à l'exportation.

Les séquelles contemporaines de l'esclavage sont visibles dans les couches les plus vulnérables de la société. Ce sont les enfants accueillis dans certaines familles citadines ; les domestiques qui n'ont aucun statut et des salaires de misère ; et les travailleurs au noir à Mayotte, exploités sans vergogne. Ces trois derniers constituent sans doute aux Comores ce que l'on appelle ailleurs l'esclavagisme moderne.

Les textes et informations recueillis tout au long de nos travaux n'épuisent pas la quête de connaissance de l'esclavagisme aux Comores. L'espoir est que cette thèse pose un jalon et ouvre de nouveaux axes dans la thématique de l'histoire de l'esclavage aux Comores en particulier, et dans la zone océan Indien en général.

Ainsi, les générations futures rendront caduque la formule : « L'esclavage n'est pas une bonne histoire à raconter ».

ANNEXES

Problématique

Le servilisme et son impact dans la société des îles Comores : côté démographique, enrichissement culturel, puis infrastructures qui sont encore en partie en service.

À leur arrivée, les esclaves étaient cantonnés dans des sites pour une sorte d'acclimatation. En fonction des besoins, ils étaient répartis dans des zones où allaient être développés des chantiers ou des exploitations agricoles. Ils ont constitué un groupe important dans la composition de la démographie des îles. Cette population s'est intégrée dans la société après l'éclatement des aires de cantonnement (comme Nyumbadju, Salimani, Boboni, Patsy, Mpomoni, Bambao Mtsanga et Dindri) et sa dissémination à travers le pays.

Ces Makua aux Comores étaient des guerriers. Ils ont profité de dons en termes de terrains. Ils étaient utilisés comme esclaves au service de la cour et des familles régnantes (domestiques), dans les travaux manuels du génie civil, et dans les plantations.

D'après la tradition orale et certains manuscrits anciens, le peuplement des îles Comores semble être un fourre-tout du fait que des humains seraient venus d'Asie, des pays du Golfe et d'Afrique. Il m'a paru intéressant de vérifier ces dires à partir de témoignages et d'ouvrages récents crédibles.

Au regard de la typologie[1] des habitants des Comores, certains éléments humains introduits semblent difficilement vérifier la provenance de ces hommes. La prépondérance de la race noire suspecte ou rend difficile l'acceptation de diverses origines (Asie, Golfe). Il est probable qu'une minorité turco-perse ait dominé économiquement et culturellement l'archipel. Les Makua, contraints d'effectuer un voyage sans retour, ont dû faire beaucoup de concessions sur leur vécu pour s'intégrer dans leur nouveau pays d'adoption. En sus de ces affirmations, l'archéologie nous apporte aujourd'hui certaines révélations qui corroborent ces faits et explicitent certains modes de vie, notamment alimentaires, non décelés auparavant.

Méthodologie

De nos jours, les Comoriens ont des a priori quant aux aires de concentration des travailleurs des plantations, qui étaient définis en fonction des activités à mener ou de l'éloignement des sites d'habitations régulières ou encore des environs des représentants des sultans. Nous pourrons citer, en Grande-Comore, la région de Hambu, où le brassage est nettement marqué (les localités concernées sont Salimani, Mdjwaezi, Nyumbadju et Singani). D'autres régions de l'île

---

1. A. GEVREY, 1870.

75

comme Bambao (Boboni, Mkazi et Moroni), Mitsamiouli (Membwabwani, Mdjipare, Henyamrama, aujourd'hui Mdjwaezi) sont touchées par l'implantation de la population makua.

Mohéli, en dépit de son étroitesse, n'a pas échappé à l'introduction des Makua, localisés autour de certains sites tels que Nyumashua surtout, puis Ndrondroni et Fomboni.

Anjouan était la plateforme de distribution des éléments de l'ethnie makua et washambara, considérés comme esclaves. Certains sites ont conservé leurs empreintes à ce jour. Citons Mpatsy, Mpomoni, Dindri et Bambao Mtsanga.

Mayotte, qui n'a pas été couverte par cette enquête, abrite de nombreuses localités de concentration makua. Il s'agit de Dzumonye, Kombani, Dembeni.

Pour mieux cerner notre problématique, il a fallu concentrer les investigations dans ces localités, où la probabilité d'approcher la réalité à travers des descendants de Makua ou de personnes proches de ces milieux avait de fortes chances de prouver des faits réels.

Trois outils étaient à ma disposition pour sonder ces milieux : des questionnaires, des interviews et des vestiges, reliques des installations.

1. Les questionnaires
Ces questionnaires devaient livrer certaines données relatives à leur :
Provenance
Habitations
Mode de regroupement (isolé ou groupé)
Mode de vie et d'habillement
Langue
Religion et croyance
Festivités
Mode d'acquisition et d'exploitation des terrains
Transmission des richesses
Mariage (conception et organisation)
Décès et funérailles

2. Interviews
Les interviews étaient basées sur des questions larges où il me revenait de retenir les aspects saillants relatifs aux Makua, à l'histoire et à la perception de l'esclavage. Ces éléments sont disponibles en audio, partiellement traduits en français. Elles ont par ailleurs infirmé certains dires relatifs aux Makua. Par exemple, le cannibalisme, que nous n'avons rencontré nulle part, ou le buveur de sang humain ou animal. Par contre, certaines habitudes alimentaires telles que la consommation de hérisson et de maïs à l'état de grains étaient véridiques.

Dans la collectivité, si une personne enfreignait le principe de la communauté, on lui infligeait un bannissement temporaire ou définitif, mais qui pouvait faire l'objet d'une transaction moyennant des zébus ou de l'argent. Ce principe, qui leur était propre, est en partie usité dans nos îles, notamment à Mayotte et en Grande-Comore, alors que dans les conceptions comoriennes d'antan, le bannissement se transformait en servitude, d'où les itreya.

3. Vestiges/reliques

Le guli, outil pour extraire le jus de canne à sucre, consistait en un engrenage en bois qui la compressait. En dessous, un récipient collectait le liquide ainsi produit, qui était ensuite chauffé pendant plusieurs heures en vue de permettre sa conservation sans fermentation. Le guli sert encore de nos jours à cet effet.

Les forges : les outils aratoires pour l'agriculture traditionnelle étaient fabriqués par les Makua. On rencontre encore le coupe-coupe (shononde), le mbaya, la barre à mine... dans les travaux agricoles actuels. Pour décorer les maisons à travers les balustres en fer et en bois, c'est à eux qu'on faisait appel. Dans certains édifices anciens, ils sont encore là pour prouver ce savoir-faire.

La pêche : la pirogue à un ou deux balanciers est l'œuvre des Makua, qui s'en servaient pour le transport d'un village à un autre et pour la pêche. C'est pourquoi, d'une manière péjorative, on appelle les pêcheurs les descendants de Makua ou on dit que la pêche est un travail de Makua. On leur attribue également la confection des nasses en roseau pour la pêche côtière à marée basse et l'utilisation du tephrosia comme agent d'asphyxie pour capturer les poissons.

Il existe encore des banga ou vala construits en argile (non cuite, mais mélangée avec des herbes hachées) avec laquelle on enrobe une charpente en bois pour confectionner les murs d'une case. La préparation de ce mortier, naguère exclusivement faite par les femmes makua, constituait une matière de construction. Au début du siècle passé, elles étaient mobilisées pour cette tâche ainsi que pour l'étalage des dalles des toitures des maisons en dur.

À travers les contrées où étaient implantées les aires de cantonnement des Makua, on retrouve encore des restes de construction rappelant une architecture de dispensaire. On reconnaît facilement le complexe d'habitation des malades, le poste médical et l'habitation de l'infirmier. Ailleurs, des poteaux rappellent les vestiges d'une scierie ayant servi à l'exploitation forestière, notamment la forêt du Karthala.

Un imposant bâtiment en ruine a certainement fait office de magasin portuaire à Salimani, port important dans le trafic négrier. Ces mêmes reliques se retrouvent dans les trois autres îles (Mohéli, Anjouan et Mayotte).

4. Précision de terrain

Il est vrai que, jadis, certaines collectivités présumées makua habitaient certaines localités. Mais les activités de la place n'ont plus cours, les habitants ont été contraints de déguerpir et de s'intégrer dans les villages environnants. Il s'agit de Daweni et Dzahani autour de Bundadju ; de Djumwashongo, Nkomiyoni,

77

Mdjwayezi et Nkurani ya Sima. Donc, Boboni et Nyumbadju demeurent des éléments pertinents, tout comme Shwadjuni, quant à leur disparition.

Autant en Grande-Comore les Makua de ces villages disparus se sont incorporés dans des villages proches, autant à Anjouan ce sont des éléments autres qui se sont intégrés dans les communautés et localités makua. On peut citer l'exemple de Mpatsy, Mpaje et Hadjoho.

Démographie

Certainement, les îles étaient habitées depuis plusieurs années. Mais l'arrivée des Makua a permis une explosion démographique à l'échelle des îles. En effet, les cités d'habitation sont devenues peu à peu de gros villages et centres d'agglomération. Ces nouveaux venus ont commencé par occuper les périphéries, puis ont pénétré à l'intérieur des cités. La différenciation des anciens et des nouveaux venus résulte du fait que les nouveaux occupants ont créé des jardins de case dans leur périmètre.

Des privilèges étaient accordés aux couples et aux couples avec enfants pour maintenir en place la main-d'œuvre et assurer son renouvellement. Les colons, pour encourager et dynamiser les chefs de clan ou d'équipe, faisaient don de lopins de terre avec titre de propriété, ce qui entraînait un dévouement particulier et une augmentation de la productivité dans les plantations. À un âge avancé, le colon n'hésitait pas, pour service rendu, à céder des terrains en guise d'assurance vieillesse, ce qui permettait à ces Makua de devenir propriétaires et d'acquérir un gage servant d'élément d'intégration. Avec ce moyen, ils pouvaient réaliser le mariage coutumier.

Intégration

Précédemment, j'ai en partie décrit les éléments de concession que les Makua ont dû faire pour être acceptés dans la communauté locale. Ils ont dû faire preuve de reniements majeurs au niveau de leurs croyances, de leurs rites, afin de permettre leur insertion. De ce fait, ils se sont convertis à l'islam et, forts de leur pécule, se sont mariés et ont fait porter à leurs enfants des noms islamo-comoriens, leur ont assuré un enseignement à l'école coranique. Ils se sont ainsi intégrés dans leur environnement local.

En revanche, ils ont organisé en aparté leurs activités culturelles comme les chants, les danses, et parfois leurs croyances, et ce dans le désintéressement des communautés locales. Avec le temps, certaines danses et certains rites sont entrés dans les mœurs de tous les habitants et font aujourd'hui partie du patrimoine intangible.

Infrastructures

Dans le cadre des travaux forcés, certaines réalisations ont vu le jour. Il s'agit des pistes rurales : elles ont désenclavé des sites d'activités agricoles, voire semi-industrielles (plantations de café, cacao, sisal et ylang-ylang) ; elles ont également permis la circulation des Makua d'un domaine ou d'un chantier à un autre de façon presque incognito.

Pistes d'avion

Les premières constructions de pistes d'atterrissage pour aéronefs ont été réalisées avec le labeur servile des travailleurs makua. Certes, elles ont reçu quelques améliorations, mais les enceintes demeurent les mêmes. J'ajouterais qu'il n'y avait pas seulement des Makua dans ces réalisations, ce qui a favorisé le rapprochement des communautés.

Les bâtiments

Pour la construction des bureaux des cantons et des cadis, la main-d'œuvre était essentiellement makua. Toutefois, la construction des centres médicaux et des écoles a rassemblé toute la communauté villageoise.

Dans une certaine mesure, toutes les communautés ont été sollicitées dans les travaux d'intérêt collectif, mais la main-d'œuvre makua a été d'un apport considérable.

En définitive, la société comorienne d'aujourd'hui est un brassage intime des différentes composantes d'éléments turco-perses, arabes et africains. Ils forment le peuple des Comores. Cependant, certaines indexations ou stigmatisations perdurent à l'endroit des Makua dans certaines collectivités, mais n'ont aucune reconnaissance légale dans la société. De nos jours, il est impossible de définir avec clarté ou précision la descendance de telle ou telle personne. C'est le fruit de l'école, de l'égalité au travail et devant la loi, de l'accès aux postes de dirigeants administratifs ou politiques, et de la vie ouverte à l'économie de marché. C'est le pouvoir de l'argent qui a contribué à éclabousser la société comorienne.

Exemple de réponse au questionnaire sous forme d'interview

« Je m'appelle Hassani Yahaya et ma mère s'appelait Binti Mkubwa et ma grand-mère Riama Hamadi de Ntsinimwashongo. Ce sont les parents qui ont décidé le mariage entre ma grand-mère et le *mshendzi* (Makua). Pour eux, c'était le seul moyen de faire face aux nouvelles exigences. Avait-elle d'autres choix ? Se rapprocher d'eux permettait de gagner sa vie. Je suis la huitième du même père et les autres sont tous morts. J'ai 89 ans maintenant. »

Traçage des pistes rurales

Le traçage des pistes au début de la colonisation a été fait, non sans calcul, pour atteindre des objectifs économiques. Le portage, manifestation essentielle de l'esclavage, était le principal objectif, loin devant le désenclavement. L'aménagement des routes était l'occasion de faire travailler esclaves, libres, hommes, femmes, et enfants ensemble.

Désenclavement des domaines agricoles

Anjouan :

1° SIMA : la piste relie Sima à Bungweni

2° Mremani est relié à Mramani (désenclavement)

3° Mramani à Komoni (zone agricole)

4° Axe Mutsamudu – Pomoni (nord : passe par Sima, Vasi, Pomoni, et relie Moya)

5° Axe Mutsamudu – Mremani (sud : passe par Mpatse, Koki et Bazimini), continue vers :

Tsembehu

Bambao la mtsanga, Domoni, Ada et Mremani

6° Axe Tsembehu – Pomoni : contourne le mont Tringi et le lac Dzialandze en passant par Dindri et Lingoni

Remarque : les boutres arrivaient à Pomoni remplis d'engagés et de Makua. Ils étaient disséminés vers les centres Bambao et Mpatse.

Mayotte

1° Tsingoni (port) – Kombani : passe par Sulu, Longoni et Dzumonye

2° Kombani vers Kokoni, Ongoju et Dembeni

3° Kombani vers Sulu, Longoni et Dzumonye

Grande-Comore

1° Nyumbadju vers Salimani en passant par Shwadjuni (ne traverse pas Mitsudje)

2° Nyumbadju vers Nkurani (Badjini), passe près de Tsinimwashongo, relie Nyumadzaha et Fumbuni

3° Nyumbadju – Boboni – La Grille (nord) Charles Legros

4° Moroni – Boboni

L'analyse des données est contenue dans le premier volume de ce travail. Celui-ci regroupe les matériaux oraux collectés auprès des personnalités et personnes concernées ou témoins. Leurs récits ont permis de construire ce passé historique de l'archipel.

Les enquêtes

1. Issulahi Athoumani Baba, Makua, Nkomiyoni[1]

... Il a posé la première pierre là où on produisait la chaux. Une maison fut construite à cet endroit. Les ânes assuraient le transport des matériaux de construction. Le sous-sol de la maison était le lieu où l'on stockait les vivres de Humblot. Et un homme spécial assurait la garde de ce sous-sol. Chaque jour, ses serviteurs allaient prendre ce dont il avait besoin. Que ce soit de l'eau, de la viande...

D'où venait cette nourriture ?

Cette nourriture venait pour l'essentiel de Msumbidji, Mdrima et aussi d'ici. Tout cela, je le tiens de monsieur Polépolé, Halafu Polépolé.

Et qui est monsieur Polépolé ?

Messieurs Polépolé et Halafou viennent de Mdrima. Le sultan Mwinyi Mku amenait son navire vers la côte est-africaine. Son navire s'appelait « Mkatrapum ». C'était le navire que Humblot et Charles utilisaient pour se ravitailler, de cette côte, de la main-d'œuvre des humains. Ces gens-là, qu'ils prenaient sur la côte, ne s'étaient pas volontairement engagés en vue de venir travailler. D'ailleurs, c'est après avoir atteint un nombre assez important d'humains qu'ils ont décidé de leur donner du travail. Ces gens-là étaient capturés à l'aide de régimes de bananes que les marins leur offraient en manifestant une attitude de charité pour les attirer à monter sur le bateau. Une fois capturé un grand nombre de gens, le bateau mettait le cap vers les Comores, principalement vers Mbachilé. Arrivés à Mbachilé, ces gens-là étaient logés, nourris durant quatre jours (Mandza). Et le quatrième jour, ils étaient conduits à Shongodunda. Le problème était qu'une fois à Shongodunda, ceux qui les avaient capturés n'arrivaient pas à communiquer avec eux.

C'est ensuite qu'ils sont retournés voir Mwinyi Mku, lui demandant de leur trouver une solution. Mwinyi Mku fait alors appel à un homme appelé Athoumani. Ce dernier a joué le rôle de traducteur jusqu'à ce que les gens de Humblot arrivent à communiquer avec ces capturés après leur avoir enseigné cette langue. C'est après que naquit l'idée d'aller faire de Boboni leur zone d'exploitation. Il y avait même un télégramme à Boboni. Ce qu'ils faisaient le plus dans ces zones d'exploitation, c'était l'abattage des arbres. Shongodunda fut le premier à connaître cet abattage. Et lorsqu'il n'y a plus rien eu à abattre, ils ont quitté Shongodounda pour aller à Boboni. Et quand ce dernier a connu la déforestation, ils l'ont abandonné pour ensuite retourner à Shongodunda. La plupart de ces arbres abattus étaient coupés en morceaux qu'on brûlait dans une très grande fosse creusée au sol, on déposait ensuite les calcaires pris à la mer au-dessus des morceaux d'arbres flamboyants. Tout cela consistait à produire de la chaux qui allait servir de ciment pour la construction des bâtiments de Humblot. Aujourd'hui, il n'y a rien de tout ça à ces endroits-là. Sauf les cimetières de Humblot et Charles et peut-être un seul bâtiment.

Il y a une chose que j'aimerais savoir. Puisque c'est grâce à Humblot que Shongodunda a été créée comme zone d'exploitation et qu'ensuite des maisons y ont été construites, alors qui sont les gens qui ont commencé à travailler avec Humblot à Shon-

---

1. Fils du Makua Assumani Baba, mort en 2006 à Nkomiyoni Hambu. Le témoignage qui suit, dont l'enregistrement est rongé par l'humidité, a été le premier à être réalisé en 2004 à son domicile. Il maîtrisait parfaitement le langage du Mozambique, qu'il pratiquait... Un collègue enseignant m'a rapporté son décès en ces termes : « la personne qui collectait les noix de coco pour nous est morte ce matin, elle vivait à Nkpmiyoni ». Le récit qui suit aborde plusieurs aspects concernant la vie et l'intégration des Makua.

godunda ?

Ce sont les gens capturés sur la côte est-africaine qui ont commencé à travailler avec Humblot. Ce sont eux qui ont commencé à construire ces maisons en pierre avant de commencer à exécuter les différents travaux qui leur furent réservés. Ensuite, les Comoriens qui se trouvaient aux environs se sont volontairement rendus à Shongodounda pour travailler. Ils ont même construit des maisons pour vivre près du lieu de travail. Cela dit, il n'y avait aucun Comorien dans cette zone avant l'arrivée de Humblot. Ce qui ramène à dire que cette zone n'appartenait à personne, au cas où vous entendriez quelqu'un se l'approprier. Parmi les Comoriens qui s'y sont installés, il y a un dénommé Mdoihoma de Dzahadjou, qui était un docteur de Humblot.

Il est vrai que la plupart de ces travailleurs étaient capturés à Mdrima, mais paraît-il que d'autres ont été capturés ici ?

Effectivement, la plupart étaient capturés à Mdrima. Mais les travailleurs d'origine d'ici n'ont pas du tout été capturés. Ils se sont volontairement fait inscrire en tant que travailleurs.

Et pourquoi voulaient-ils aller travailler dans ces zones d'exploitation ?

Tout simplement pour gagner de l'argent puisque, à cette époque-là, il n'y avait aucun endroit où gagner de l'argent que dans ces entreprises de Humblot. À cette époque-là, l'argent était d'abord sous forme de morceaux de papier, ensuite on a utilisé le Bwara et enfin, les pièces, c'étaient des centimes surnommés l'argent de Saïd Ali. Les billets ont été les derniers à être utilisés. Il n'y avait pas à cette époque-là les billets de 500 qu'on utilise aujourd'hui.

Quelle autre chose de Shongodunda vous vient à l'esprit ?

Je me souviens des danses traditionnelles. Chaque dimanche, soit les Comoriens, soit ceux de Msimbidji ou Mdrima offraient un spectacle de danse. À la différence des Comoriens, ceux de Msimbidji et de Mdrima avaient des danses remarquablement violentes.

Qui est-ce qui a causé l'assassinat de ces Blancs ?

Je ne sais pas grand-chose à part qu'un dénommé Kari avait organisé un complot visant à assassiner Charles une fois qu'il rendra visite à Humblot en provenance de Moroni, assis sur son âne. Tout cela à cause de l'impôt (la tête). Cet impôt-là comptait beaucoup à l'époque. Pour ces travailleurs, Humblot et Charles leur prenaient leur argent. Humblot et Charles étaient les seuls dirigeants à l'époque. Cet impôt était de 10 ou 15 FC (*riyal mbili awu ndraru*). Tous les gens étaient rassemblés pour que chacun paye cet impôt.

Savez-vous que la plupart des champs que Humblot possédait, il ne les a pas du tout achetés par l'argent ? Il les a achetés en donnant aux propriétaires du riz, du maïs. En fait, Humblot lâchait ses chiens dans les champs de ces pauvres propriétaires comoriens. Ces derniers, qui craignaient les chiens, décidaient ensuite de vendre leurs champs à Humblot à n'importe quel prix afin de s'écarter de ces chiens, considérant le chien comme animal impur. C'est ainsi qu'ils échangeaient leurs champs contre tout ce que Humblot leur proposait, n'ayant aucune autre solution.

Est-ce que ces gens capturés ramenaient leurs femmes avec eux ici ou ils se mariaient avec les femmes comoriennes ?

Ils se sont pour la plupart mariés à des femmes comoriennes une fois qu'ils ont maîtrisé la langue.

N'étaient-ils pas confrontés à des problèmes en voulant se marier avec une Comorienne ?

Non, il leur fallait juste apprendre la langue. Je me rappelle un d'entre eux qui s'est marié. Il s'appelait Mabrouk Kandraba. Il vivait à Boboni, mais je ne suis pas sûr qu'il ait eu des enfants.

Est-ce vrai que c'est l'homme blanc qui a créé Boboni ou bien Boboni existait bel et bien avant l'arrivée de l'homme blanc ?

C'est le Blanc qui l'a créé après avoir jugé la terre de Boboni meilleure pour l'exploitation agricole. C'est pareil pour Salimani. La terre est bonne pour l'agriculture. Un jour, alors que ces Blancs ramenaient des travailleurs depuis la côte est-africaine jusqu'aux Comores, ils ont fait naufrage aux environs de Salimani. Heureusement, les pêcheurs de Salimani les ont sauvés. C'est ainsi qu'arrivés jusqu'à la terre ferme de Salimani, ces Blancs ont ensuite transformé cette zone en zone d'exploitation agricole.

Y avait-il des gens à Salimani à cette époque-là ?

Bien sûr que oui. Il y avait des gens à cette époque-là.

Est-ce que ces gens capturés étaient nombreux dans le pays ?

Ils étaient trop nombreux.

Après avoir été envoyés à Boboni et à Shongodunda, étaient-ils envoyés dans d'autres endroits ?

Non. C'est vers la fin que ces gens furent envoyés à Moroni.

Entre Djoumoichongo et Nkomiyoni, lequel de ces deux villages a été le premier créé ?

Nkomiyoni fut le premier à voir le jour. Il fut créé par un certain Bwana Mwandze Wuma. Et l'accroissement de la population de Djumwashongo est dû aux gens qui venaient de Shongodunda. Par contre, Nkomiyoni fut créé d'une façon esclavagiste. On attribua aux esclaves ces terres qui forment aujourd'hui ce village pour les chasser des grandes villes. D'autres achetaient ces terres aux mains des grands de Mtsoudjé, comme Bwana Mwandze Wuma…, mais les gens achetaient. Si ce village ne se développe pas, c'est parce qu'il n'y a aucun espace pour construire. Regarde en face de moi, ce champ-là appartient à Abdoulanziz et sa famille ; regarde en bas, ce champ-là, Heri l'a acheté à Bwana-Mwandze et maintenant, son fils l'a vendu à Amina Ali et Youssouf Ali. Et c'est aux enfants de Youssouf Ali que ce champ revient aujourd'hui. Tous ces territoires là-bas, dont on vous vendait des parcelles, sont la propriété de Maélé. Ce côté-là appartient à Mze Swalihi. Ainsi, ici, personne n'a rien hérité (en parlant des champs). Tous les champs que les gens possèdent aujourd'hui, ils les ont achetés récemment. Et maintenant, si le village ne se développe pas du côté de ce champ de M'madi Soihiri, c'est parce qu'il a refusé de vendre.

J'aimerais qu'on revienne un peu en arrière pour éclaircir l'histoire d'une personne dont vous venez de me parler, Athoumani Baba.

Savez-vous que c'est mon père ? C'est lui qui initiait les gens à toutes les langues.

Et où a-t-il appris toutes ces langues ?

Il est de Mrima à Msimbidji. C'est Mwinyi Mku qui l'a amené ici. C'est après que Humblot l'a engagé. Puisqu'il n'arrivait pas à leur offrir le moindre bonheur. Imagine si un jour je voyage à travers les pays et qu'on s'adresse à moi dans la langue arabe que je ne connais pas. Est-ce que je saurai comment répondre ? C'est ainsi qu'il faudra que j'apprenne d'abord. Mwinyi Mku, après l'avoir amené ici, lui a attribué une terre pour y habiter et cultiver de quoi se nourrir. Après avoir quitté Shongodunda, il cultivait là. Humblot lui avait aussi donné un champ. Mais des gens sont venus accaparer ce champ. Un champ qui mesurait plus de 5 hectares. Il a fondé sa famille sur ce territoire. Mais des Blancs, voulant s'approprier ce champ, sont venus lui demander les dossiers prouvant que ce champ lui appartenait. Chose qui n'existait pas à l'époque. Quand un roi ou un équivalent attribuait un champ à quelqu'un, il n'y avait pas le moindre papier.

Il vous donnait simplement la permission d'aller prendre tel champ, car ça lui appartenait. C'est ensuite qu'il est venu acheter ce territoire-ci où nous avons grandi, pour s'y installer et nous élever. Ce territoire qui est aujourd'hui un quartier. Aujourd'hui, nous sommes de Nkomiyoni comme les autres. Tout ce que les gens de Nkomiyoni font, nous le faisons avec eux.

Cela est vrai puisque ce qui a facilité sa vie, c'est le fait qu'on lui ait donné un champ et aussi qu'il se soit marié. Ces deux choses-là, une fois qu'on les possédait, on était d'ici.

Je vais vous raconter une histoire importante : Mzé Mhadju a vécu à Boboni jusqu'au moment où il est venu s'installer à Nkomiyoni. Il a ramené ses enfants, dont Hassan, Abdallah, Mwanaesha, presque tous ses enfants. Il a acheté le champ d'un dénommé Ali Soilihi et s'est installé. Ce n'est pas tout. Cet endroit où l'on se trouve actuellement appartenait à un homme appelé M'madi Harithi et Mkaribou Abdallah et ils ont vendu lorsque Mkaribou est devenue vieille.

Il y a des champs tout près auxquels on a attribué des noms de personnes, comme Halabo (comment expliquez-vous cela ?)

Halabo appartenait à Humblot. C'était parmi les champs (d'exploitation de Humblot). Il y avait dans ce champ une très grande maison construite en bois. C'est dans cette maison que fut installé Mzé Labo.

Et d'où vient Mzé Labo ?

Il est de Msimbidji. Ces oiseaux sont venus (en premier) dans ses mains. On lui a confié en même temps que ces oiseaux du maïs et du riz pour qu'il se lève chaque matin et qu'il donne ces grains à ces oiseaux. Les Mitoulou aussi sont venus aux mains de Labo. Les pièges à rats aussi, il les avait… parce que les gens de Msimbidji, si on ne leur donnait pas leur ration alimentaire, ils abattaient les cocotiers et mangeaient ensuite le ndrezi. C'est pourquoi ils étaient engagés et qu'on leur donnait leur ration. Pour qu'ils soient les contrôleurs de ces arbres qui furent tous pris à Msimbidji. Le manguier, le jaquier, l'avocatier, l'arbre à pain. Les premiers arbres à pain amenés ici étaient au nombre de trois. Le premier a été planté à Salimani. Le second a été planté dans la résidence industrielle. Le dernier, un dénommé Athoumani Abdallah l'a planté dans son champ, appelé Kafuni. Ce dernier arbre existe jusqu'à nos jours. Moi qui dis ça, j'ai plus de 100 ans. Et j'ai aussi un grand frère appelé M'madi Athoumani qui est aussi en vie. Il vit à Dembeni.

Mwinyi Mku, Saïd Ali Mfaume, Msa Fumu étaient les rois de cette époque-là. Chacun avait son territoire, où il dictait ses ordres. Plus les territoires où ils allaient se marier. Là-bas, ils étaient très honorés, étant des rois. Il est vrai que ces rois étendaient leurs territoires jusqu'à l'horizon. Et que quiconque voulait s'opposer risquait de se faire décapiter. Mais ils étaient généreux. Par exemple, si quelqu'un quémandait quoi que ce soit au roi Saïd Ali Mfaume ou à Mwinyi Mku, il lui accordait aussitôt sans réserve. Et le jour où le roi voulait des gens pour aller cultiver un de ses champs, comme Shongodunda par exemple, chacun se voyait obligé d'y être présent. Certains même ramenaient du riz, d'autres du manioc ou des bananiers pour planter. Car en une seule journée, grâce à l'effectif important des gens qui se présentaient, ils arrivaient à travailler un champ entier de la culture à la plantation. Les uns cultivaient, les autres ramassaient et d'autres plantaient. Ils plantaient soit du riz, du maïs, du manioc ou des bananiers. Une fois la période de récolte venue, le cultivateur ne choisissait pas le jour ou l'aliment à apporter au roi. Mais le roi faisait la commande de tel aliment, telle quantité, tel jour et en bonne qualité. Parfois même, le roi exigeait qu'on lui apporte un cabri de bonne qualité.

Arrivait-il parfois au cultivateur de manquer aux exigences de son maître ?

Le cultivateur ne manquait pas aux ordres de son maître, car chez Humblot, il y avait un cahier dans lequel on notait tout ce qui concernait les travaux des gens pour qu'en fin de mois on puisse savoir quelle somme d'argent telle personne devait toucher.

Ce cahier était tenu par Heri, qui inscrivait ceux qui souhaitaient devenir travailleurs. Une autre personne, nommée Boina Mzé, s'occupait du service de la comptabilité pendant la période de la paye. Heri faisait l'appel et Boina Mzé distribuait l'argent. On nous payait le samedi. Ce jour-là, chacun apportait une lampe au cas où l'on serait payé tardivement. Le paiement commençait du matin jusqu'à minuit.

Quelle était l'heure de début et d'arrêt du travail pour ces travailleurs ?

Ils n'avaient d'heure limite pour arrêter le travail. Car travaillant jusqu'à 7 heures du matin, nous étions déjà épuisés. Pour ce qui concerne l'heure de début du travail, je peux vous raconter une anecdote. Un jour, après un long sommeil, j'ai entendu le chant du coq et je me suis aussitôt levé. J'ai allumé une lampe et l'ai apportée en chemin pour voir là où je marchais. À la mosquée, ils venaient de terminer la prière de l'aube. Au lieu de travail, on nous a interdit de travailler et conseillé de rebrousser chemin. Et sans nous opposer, nous avons repris notre chemin de retour. Arrivés au niveau de la mosquée, les gens ont été étonnés du fait que le temps était encore obscur. Nous leur avons dit qu'on nous a refusé de travailler parce que nous étions arrivés en retard. C'était normal qu'on nous refuse de travailler puisque, dès minuit, on faisait l'appel. C'est pourquoi, à 7 heures du matin, nous étions épuisés.

Qu'est-ce qu'ils allumaient à cette heure tardive pour qu'on puisse travailler ?

On allumait des lampes à pétrole.

Si l'on ratait l'heure de début du travail, on ne travaillait pas ce jour-là. Car il fallait être présent pendant l'heure de début jusqu'à l'heure de fin, qui était fixée à 18 heures. Comme ça, on considérait que l'on avait travaillé ce jour-là.

Qu'est-ce que vous faisiez du salaire une fois payés ?

Ce salaire-là était pour nous une très grande fortune. J'ai vu un homme qui s'appelle Soilihi acheter trois chèvres auprès d'un autre appelé Ibouroi Mlimi grâce à son salaire de 15 francs.

Qu'est-ce que cet homme qui lui avait vendu les chèvres allait faire de cet argent puisque, à cette époque-là, le plus fortuné était celui qui possédait un champ, des bœufs ou des chèvres ? Or, cet homme venait de vendre ses chèvres.

Je ne suis pas sûr. Peut-être qu'il allait acheter de quoi se vêtir, lui et sa famille !

Avec un seul (thoumouni), on peut acheter de la viande, du manioc et de la banane au marché. Ainsi, nos aïeux préféraient faire la culture vivrière. À cette époque-là, après un mariage, l'homme offrait à sa femme des sortes de bijoux en forme de cercles, que la femme portait au niveau des pieds.

Qui est-ce qui fabriquait ces bijoux ?

C'étaient des commerçants étrangers.

Nos grands-pères, qui étaient pour la plupart des pasteurs, étaient confrontés aux exigences et désirs des rois, à qui ils devaient aveuglément obéir. Par exemple, si vous possédiez un troupeau composé de très bonnes chèvres et que le roi exigeait qu'on égorge pour lui une chèvre de bonne qualité, alors les serviteurs du roi de Mitsudje allaient sillonner les environs à la recherche de la chèvre de la bonne qualité. Si ces serviteurs s'apercevaient que c'est vous qui aviez la chèvre qu'il leur fallait, ils allaient vous demander d'apporter cette chèvre vous-même au roi. Ainsi, vous deviez obéir aveuglément. Pour ne pas vous créer de problèmes. C'était pareil pour tout ce que ces pasteurs et cultivateurs possédaient. Parmi les victimes, il y avait ceux qui en avaient marre. Ils sont même allés jusqu'à plaider auprès de Dieu : « Hitima ya Maulana » qui a eu lieu à Nkomiyoni. Fait par messieurs Mwepva, Mdrumasaya et un autre, dont le prénom est Saïd.

Athoumani Mlimi, de Djumwashongo, avait un bœuf. Un jour, en allant à son champ, il a aperçu des gens en train d'égorger son bœuf. Il s'est tout de suite rendu compte que ces gens étaient au service du roi. Et ne pouvant rien faire, il s'est caché jusqu'à ce que ces gens partent, car si jamais ces gens l'avaient vu, il aurait eu des problèmes, même si c'était son bœuf qu'ils étaient en train d'égorger.

J'aimerais savoir la différence, s'il y en a une, entre *mshendzi, mdrumwa, mtrwana*.

Il n'y a pas de différence entre ces trois mots. Car *Mshendzi*, ce sont ceux qui ont été pris à Msumbidji. *Mtrwana*, ce sont ceux qui étaient ici. En général, *Mtrwana*, c'était celui d'ici, engagé au service d'une famille noble bien sûr. Le plus souvent, ce serviteur exécutait presque tous les services de la maison. Après avoir fait preuve d'obéissance, la famille qui l'avait engagé pouvait lui attribuer un champ. Toutefois, tout le monde n'était pas obéissant à ces nobles. Une femme nommée Maele a été la seule du village à qui on n'a pas attribué un champ, vu son hostilité envers eux.

2. Alhamidi Moindze de Djumwashongo[1]
Enregistré en 2006
Enquêteurs : IBOUROI ALI et YOUSSOUF

« L'histoire de notre île Ngazidja et des Européens (installés) à Shongodunda, elle est incarnée par Léon Humblot, le premier Français qui est venu, c'est lui qui a permis la colonisation française, et c'est lui également le premier Résident. »

« Humblot est arrivé, suivi de Charles. Lorsque Charles est arrivé, la route a été faite jusqu'à Mitsudje. À ce moment-là, le seul véhicule était tiré par des vaches, chargé des produits débarqués des bateaux à Moroni et il se dirigeait vers Salimani et enfin vers Shongodunda. À Shongodunda, le directeur de la Société a construit sa résidence dans son domaine et a installé son magasinier à Moroni. C'est celui-ci qui réceptionnait les marchandises importées et celles locales à exporter. Après la mort de Humblot, c'est Charles qui lui a succédé. Lui, je l'ai connu moi-même. »

« C'est Charles qui a eu beaucoup de temps pour gérer la plantation et la société. Il a travaillé avec Monsieur Foulé, Monsieur Pinot et Monsieur Tochar. Et parmi les caporaux, il y avait Monsieur Heri, le propriétaire de cette maison en face, c'est le père de Madi Heri, il y avait aussi Amri, eux, ils sont venus de Mohéli. D'autres comme Bwana Mze de Mayotte et Ali Madi, venu d'Anjouan. C'étaient eux qui conduisaient les travaux, faisant construire ces routes autour du champ de M. Humblot. Ce dernier a juste eu le temps de faire la route de Salimani jusqu'à Nyumbadju. Charles a aménagé le champ ».

« Tous les autres travailleurs sont des Makua. Il les a ramenés de « Makua »[2]. C'est eux qui ont appris aux Grand-comoriens la construction. C'est l'œuvre de Humblot et Charles. Je n'ai aucune idée du nombre, mais ils n'étaient pas très nombreux. »

« Ce sont les Makua qui travaillaient le bois ; il y avait parmi eux des gens intelligents, il y avait même des forgerons à Shongodunda, où on avait une place pour le travail du bois et une autre pour le fer, comme les barres à mine. »

« Je ne pourrais dire leur nombre, je sais seulement qu'ils étaient nombreux. Ils étaient payés six mois six mois, oui on travaillait pendant six mois pour être payé. Ils étaient quand même mal payés, c'était une roupie (bwankanga). Puis, c'était tous les 3 mois et enfin ils ont été payés par mois. »

« Le Blanc s'asseyait sur la table avec Bwana Mze et Heri, l'argent sur la table

1. Ancien employé de Nyumbadju, où il a été engagé dès son adolescence. Il avait une parfaite connaissance du milieu des makua, nombreux à être ses compagnons de travail.
2. Il s'agit du Mozambique.

également et faisant appel un par un, untel, il tendait l'argent à Heri qui, lui, remettait les sous aux ayants droit. »

« Ils commençaient le travail de 6h jusqu'à 18h. Il y avait une technique, celle du tour de rôle. Alors, il y avait la zone des ânes, partagée pour construire une petite maison et là commence le tour de rôle. »

« Là, on a suspendu un crochet et un tocsin ; et à 5h, quelqu'un venait sonner et tirant la corde, tin, din, ndin, les gens, même ceux qui étaient à Hambou entendaient, (allaient rester) jusqu'à 17. Oui, à 15h, tous les travailleurs emportaient la paille pour nourrir le bétail, bœufs et ânes. Surtout pour les ânes, qu'on ne sortait pas. »

« C'étaient les travailleurs eux-mêmes qui travaillaient jusqu'à 15h et ils coupaient la paille ; ils attendaient chacun leur tour. Il faisait l'appel le matin et, l'après-midi, là où se tenait debout M. Heri, l'appel recommençait. Alhamidi Moindze, il répondait kwezi. Il s'approchait et jetait son paquet derrière l'enclos. Ainsi, il continuait jusqu'à la fin, car le matin, il marquait une demi-journée et lorsqu'on déposait le paquet de paille, il complétait la journée. »

« L'arrivée de ces travailleurs, ce sont eux-mêmes (les Blancs) qui les ont fait venir. La compagnie elle-même s'est chargée de leur transport jusqu'ici. Ils ne sont pas venus d'eux-mêmes (leur propre volonté). J'ai entendu parler de Msa Fumu et Saïd Ali qui avaient eux aussi des sauvages, pas très nombreux, mais c'est Humblot et Charles Legros qui les ont fait venir ici. Avant Humblot, il n'y avait pas de Makua à Ngazidja. »

« Pour travailler à Shongodunda, les gens se « volontaient » eux-mêmes. Il y avait un espace appelé place des engagés. Là, tu vas chercher des sous, et donc je viens m'engager. Ce sont eux qu'on appelle des engagés. C'est leur village, là-bas. C'étaient les Grand-comoriens qui venaient s'engager, car les Makua, eux, vivaient dans leur village, là-bas, à Nyumbadju. Ils étaient installés à Shongodunda. Ils bâtissaient là où ils pouvaient.

Un jour, j'ai vu ceux qui étaient avec Legros, je les ai aussi vus à cet endroit appelé garage, coupant de la canne à sucre, s'appelant Piruzi et Himidi Telela. »

« Nombreux sont morts, les Makua, ils sont morts ici. Ceux qui ont fini leur engagement, car certains sont venus comme engagés, sont partis. »

« Certains sont venus avec leur femme, comme Mkazambo. Il a eu ses enfants avec une femme makua ; il s'est aussi marié avec une femme comorienne originaire de Mbambani. Il a eu un enfant qui s'appelle Mrwapvili. »

« Certains noms de personnes du village voisin donnent des indications sur les origines makua. Ce sont eux qui transportaient Humblot et Charles Legros. À leur mort, ils sont partis de Shongodunda et se sont installés à Henya Mrama.

À Shongodunda, lorsque les deux Français sont morts, la plantation n'a plus eu d'activité, c'est à ce moment-là qu'ils sont partis. »

Y avait-il des marques qui permettaient de les reconnaître ?

« Il faut seulement les connaître, on sait que ceux-là sont des Makua et ceux-là aussi sont leurs descendants. (Il n'y a pas d'état civil pour le prouver ou le montrer). Mmadi, que vous cherchiez, est le fils d'Assumani Baba. Ce sont les gens de Monsieur Humblot et de Charles Legros. »

« Mze Assumani avait 2 femmes ; une originaire de Dembeni, la mère de Madi, et une autre de Dzahadju. Celle de Dembeni est du clan Nya mbe alors que celle de Dzahadju est de nya mbuhu. »

À la tête de la plantation, se trouvait le directeur, qui disposait de beaucoup de travailleurs, mais de différents types : ceux qui travaillaient dans le secteur bois et ceux du secteur domestique. À tous ces travailleurs, donnait-il des terrains où habiter ou après le travail étaient-ils ailleurs pour dormir ?

« La plupart rentraient après le travail, cependant nombreux étaient ceux qui travaillaient à Shongodunda, cultivaient pour se nourrir. Moi, j'ai connu Shongodunda en tant que village. Vous savez, toute personne de Djumwashongo rentrait après l'appel. Ceux qui vivaient à Shongodunda étaient les Makua et ceux qui venaient des autres villages éloignés, de Mbadjini et de Hamahamet. Oui, ils venaient pour chercher du travail, s'inscrivaient et occupaient la place. Tous voulaient de l'argent. Il y avait un problème d'écoulement de production, donc il fallait travailler pour avoir de l'argent. »

En apparence difficile, donc on est en droit de se poser la question de savoir à quoi servait l'argent puisque chaque Comorien avait son champ, cultivait. Alors, à quoi servait l'argent ?

« Il célébrait son mariage, nous célébrions nos mariages. Il faut savoir que le grand mariage ne date pas d'aujourd'hui. Nos us ont commencé dès l'aube de Ngazidja. Tout se faisait, on se mariait, on donnait les bœufs, etc. etc. Donc, toute personne qui avait travaillé et perçu son salaire partait se marier.

Il payait aussi l'impôt (la tête), même les bœufs payaient, les champs aussi. Pour cela, personne ne se suffisait, il fallait travailler notamment pour payer l'impôt. Les nombreux colons installés offraient des possibilités d'emploi, mais personne n'était forcé à travailler, pourrait-on dire, chez Humblot.

Il semblerait que la société avait des difficultés pour trouver des travailleurs, c'est la raison pour laquelle elle importait les Makua. Parce que les travailleurs à Ngazidja dépendaient du sultan Saïd Ali. »

« Depuis la venue de Monsieur Humblot, Saïd Ali n'a régné et donc ne pouvait pas disposer de travailleurs. En effet, la population s'est concertée en vue de l'éliminer pour avoir fait venir Humblot.

De Salimani à Nyumbadju, il y avait le véhicule tiré par les bœufs. Mais pour construire les maisons, c'est nous qui transportions tout sur nos têtes, nos épaules et nos bras. Le bois de charpente venait de Boboni sur tête d'hommes. Des blocs de fer, des machines, cela dépendait ; mais c'était dur. »

« Les Makua vivaient isolés des autres, ils étaient persécutés et parfois tués. Ils étaient dispersés un peu partout et faisaient tout ce qu'ils voulaient. Ils volaient beaucoup et on les frappait. Monsieur Humblot ne s'en souciait pas. Ils ne comptaient pas pour lui. Ils n'avaient pas de famille ici. Humblot envoyait son navire là-bas et ils capturaient toute personne qu'ils rencontraient sur la plage ou dans les environs. C'est ainsi qu'ils ont pu prendre un fils de la famille régnante du lieu qui s'appelait Mnova. Et les Makua en place et ceux qui étaient débarqués à Mbashilé. Et dès qu'ils ont vu Mnova, ils se sont révoltés et ont refusé de travailler. Cela a été le seul moment de révolte. »

« Il fut difficile de retenir leurs chansons et ils chantaient beaucoup. Sûrement ceux qui pouvaient les chanter sont morts. Ils travaillaient le bois, le bâtiment et le fer. Ils s'isolaient, mais ces gens-là cultivaient et, de retour au village, ils avaient un petit jardin où ils produisaient pour se nourrir. »

« Les Makua apprenaient aux gens les travaux liés au bois, au fer et le bâtiment. Je me rappelle l'un d'eux, Mze Himidi Telela, qui fut charpentier à Shongodunda. Un autre, qui s'appelait Faradji, mais ce dernier est parti. »

« Les funérailles : en cas de mort d'un Makua, ces derniers l'enterraient, les Comoriens s'associaient, car les Makua étaient islamisés. Donc, un Makua islamisé comme Mze Assoumani Baba, qui avait deux épouses, s'est converti à l'islam. À sa mort, il fallait lui faire comme à un musulman. Les premiers n'en ont pas bénéficié, seuls, lorsqu'un mourait, les Makua faisaient un trou et le plaçaient dedans. Je ne connais pas des cimetières à eux. Ils enterraient partout où c'était possible. »

« Le mariage d'Assoumani Baba lui a permis de s'intégrer, deux femmes de deux clans importants du pays : le clan Nya mbe de Dembeni et le clan Nya mbuhu de Dzahadju. Ainsi, les enfants issus de ces alliances n'ont pas été rejetés, c'étaient des Comoriens. Regardez celui qui, à Magudju, à Moroni est devenu important par sa richesse, Mbeshezi. Comment s'appelait son père ? Il avait une sœur, comment en fait s'appelait-il ? Ah oui, Sururu. Mbeshezi Sururu, dont la sœur Swafi wa Sururu n'a pas eu d'enfants. Elle était très sociable et gentille. Je l'ai connue. »

« Mariamou waKilimali vivait à Moroni. Kilimali[1], je ne connaissais pas, mais sa fille Mariamou, je l'ai vue, elle vendait des galettes (mkatra siniya). Elle vivait chez le prince Saïd Ibrahim, époux de Bwara. Mariamou résidait dans la première maison à gauche et Bwara dans l'autre maison. Elle était influente et personne ne pouvait la repousser ou la contredire. Je l'ai dit, je lui ai acheté des gâteaux et des galettes. »

« La première est née là, dans leur champ ; car Labo a quitté la plantation et a acheté un champ. Eux, ils étaient riches, les Makua. Grâce à ses champs, il a épousé la mère de Fatima Labo. »

« Watsambaliya iho harumwa engazidja », notamment du côté de Madjuwani ; il existe un village appelé hinya mdrama dans le Mbunde, mais il a pris le nom de Mdjwaezi ya Mbude. Ils sont tous Makua, aussi Hadawa dans le nord. »

« Sûrement, vous avez entendu le nom de Mlimi Wamsa. Mze Mlimi est de Moroni à Milembeni. Celui-là a eu beaucoup d'enfants. Parmi eux, Mlaraha Mlimi et Mwandze Mlimi sont des Makua. Mwendza Muignyi est de Shuani. »

« La société actuelle montre cette évolution. De nombreux Makua ont eu beaucoup d'enfants qui sont dans la société, à telle enseigne qu'on ne se rend pas compte des origines. »

Ces bribes d'informations, recoupées, permettent une lecture de cette histoire des Makua dans l'île de la Grande-Comore. Malgré les distances séparant les narrateurs, les mêmes noms et les mêmes anecdotes reviennent dans toutes les bouches. Par exemple, des noms évocateurs pour tout Comorien : Fatima Labo et Assoumani Baba. Ils sont connus pour être des descendants makua à Nkomiyoni.

De fil en aiguille, nous cherchons des traces, leurs marques, car ils se sont éparpillés en Grande-Comore, ont répondu tous nos informateurs.

3. BA ARTAJI, Bambao, Anjouan (enregistrement réalisé à Moroni, extraits)

Quels sont les villages qui ont reçu des Makua à Anjouan ? Peut-on faire le bilan, car si j'ai bien compris, Bambao la Mtsanga n'a pas commencé avec les Makua et les wa-shambara ? Le site était peuplé avant.

1. Aussi influente fut-elle, Mariamou fut cette femme que Mouigni Sidi acheta sur le vieux port de Moroni. Kilimali n'est rien d'autre que la ville mozambicaine de Quélimane, ville d'origine de la jeune fille de l'époque. Selon toute vraisemblance, cette vente eut lieu dans les années 1900-1910. Nous avons recueilli cette version du regretté Si Naçr edine, frère cadet du prince Kemal Saïd Ibrahim. Mouigni Sidi disposait d'un nombre important d'esclaves d'origine makua. Il a lui-même épousé une femme makua, qui a donné de nombreux enfants et petits-enfants qui ont marqué l'histoire moderne de la ville de Moroni. Ils ont œuvré dans de nombreux secteurs (l'enseignement, la justice, l'administration...). Ce sont aujourd'hui de hauts cadres qui ont travaillé dans tous les secteurs, administrations et autres.
Mariamou, elle, n'a pas eu d'enfants, mais a hérité d'un domaine assez grand au nord de Moroni. Après sa mort, son frère Mdrwakondo l'a véritablement liquidé. Elle n'a pas eu de descendance (Naçr edine).

Alors, il faut, dans cette histoire, tenir compte de la hiérarchie, car pour lui, il y a ceux de Mrima et des washambara, qui regroupent aussi des Makua, venant en 3e position. Pour eux, Mrima ne pose aucun problème, considérant que presque tout le monde vient de là.

Ba Lopa et consorts : ils se sont révoltés pour la liberté étant eux-mêmes esclaves. Ba Lopa est souvent présenté comme un notable, un représentant des dirigeants. C'est beaucoup plus un chef qui entend conserver ce statut plutôt que quelqu'un qui se met dans la peau d'un esclave. Pourtant, il a été suivi par les Makua, les Shambara, bref les esclaves présentés comme ses soldats. La confusion est bien nette, comme s'il n'y avait pas de séparation entre esclaves et hommes libres. Tumpa est, lui, présenté comme un notable. La plupart des historiens, notamment Martin, voient des contingents d'esclaves dans les plantations et peu ou pas d'hommes libres dans ces zones parmi les travailleurs.

Après la 2e guerre, toute personne ne travaillant pas était poursuivie jusqu'à sa maison, elle devait aller travailler. Oui, un travail fixé et défini à la tâche, il n'y avait pas d'heure pour arrêter, il fallait terminer la tâche assignée. Ce qu'on attendait, c'était le quota fixé. Par exemple, il fallait ramener tant de paquets de sisal ; dès qu'on les réunissait, on pouvait s'en aller.

Lorsqu'il s'agissait de cultiver, c'était la même chose, on avait tant de mètres de terre à faire, voilà ce qu'on attendait de l'employé. Tu imagines, lorsqu'il n'arrivait pas à le faire ?

Il n'y avait pas de salaire. Moi, j'ai travaillé pour couper le sisal. Nous étions jeunes et formions des groupes. Une semaine de travail et on était payé 3 f., d'autres touchaient 4 f. Moi, j'ai fait 8 semaines et j'ai touché 32 f.

On pouvait, comme métayer, cultiver au champ de la société et au moment de la récolte, on pouvait donner une part ; on produisait de la vanille, par exemple, on était obligé de lui vendre la part qui lui revenait. Il était formellement interdit de vendre à un autre acheteur. La vanille que l'on produisait était marquée de l'empreinte de la société ou d'un autre employeur. Par conséquent, on n'était pas autorisé à remettre à un autre les gousses de vanille produites dans le champ d'un autre.

Il n'était pas permis à un engagé de quitter une île pour une autre, à moins de changer de nom. Cela veut dire qu'il quittait son engagement. Il devait emprunter un nom et un village pour pouvoir se déplacer.

4. Enregistré à Mdjwayezi Hambou, 2011
Enquêteurs : IBOUROÏ ALI et Youssouf

… voyez-vous le village de Boboni ? Il s'est marié ici. Dans une famille appelée Higna Massihi. Lui, il est entré dans une famille appelée Hignambamdro. Cet homme qui est à vos côtés est leur petit-fils. Ainsi, eux, la famille de Ntsohole et la famille de Maburuku forment une même famille. C'est une même famille venant de Boboni. Ils ont quitté Boboni et se sont installés dans ce village (Mdjwayezi). En arrivant ici, les hommes se sont mariés dans des familles d'ici et ont eu des enfants. Les femmes furent mariées à des hommes d'ici et ont eu des enfants. Ils n'y sont pas retournés. Après avoir quitté là où ils étaient, ils sont directement venus s'installer ici. Puisque ici, c'est trop proche de Shongodunda. Ainsi, ils se sont mariés et ont eu beaucoup d'enfants, à tel point que je m'épuiserais si je voulais les dénombrer. C'est aujourd'hui la famille d'Abou Mdrwankodo qui a donné naissance à Ahamada Mdrwankodo de Henyambamdro, qui s'est marié et a eu des enfants.

Est-ce que dans ce village ce sont seulement ces deux ou trois personnes qui sont arrivées ou il y en avait d'autres ?

Une autre personne que vous connaissez est arrivée. Il était chef et se nommait Mgom'mwa. Après avoir quitté là-bas, il est venu dans ce village. Arrivé ici, il s'est marié à une sœur de mon père et a eu un fils nommé Saïd Mgom'mwa. Il l'avait nommé Lipvapvo. Après s'être marié et avoir fait le grand mariage, ce Lipvapvo s'est nommé Saïd Mgom'mwa, mais il s'appelle Lipvapvo Mgom'mwa. La famille de son père vient de Mdrima. Ils furent ramenés par Humblot pour venir commencer à travailler à Shongodunda. Ce village-là s'appelle Wungoni (et existe là). Shongodunda était le lieu où ils travaillaient. Boboni était le village où ils habitaient. Celui qui était le chef là-bas s'appelait Halik. Il était le responsable de la confrérie (twarikat) shadhuliya, ainsi instruit d'ailleurs, nous allions là-bas pour les Dayira. Il était originaire de Pemba à Mdrima. Il enseignait, il était chah et même après sa mort, nous avons continué à aller à sa tombe pour faire des dhikr de shadhuliya. Il y avait une autre personne qui s'appelait Madomela. Il était du même village que Halik. Il est mort aussi et enterré à Boboni.

Madomela est allé à Moroni, nous l'avions rencontré.

D'accord. Donc, ce Madomela, Maburuku et Halik furent ramenés de Pemba. En fait, j'aimerais que nous reparlions du sort des travailleurs qui étaient à Shongodunda après la mort de Humblot.

Ces travailleurs de Shongodunda, après la mort de Humblot, sont restés à Boboni. Ils ont quitté ce lieu un à un pour s'installer dans les villages, se marier. Comme ceux qui sont venus ici. Il y a ceux qui sont allés à Nvuni, d'autres à Moroni, d'autres à Mkazi. Ils se sont éparpillés. Il y a ceux qui sont restés à Boboni.

Sauf qu'aujourd'hui, il n'y a personne à Boboni. Par contre, vous venez de nous parler d'une date : 1909, que signifie cette date ?

C'est l'année où Humblot est allé récupérer ces gens appelés Gnamwezi. Ces gens-là étaient venus combattre. Le sultan Saïd Ali a fourni pour que ces gens-là fussent engagés pour venir combattre. Ensuite, le colon s'est installé, a pris les terres et ces combattants sont restés. C'est cette année-là que Masimu et Mtsala ont combattu contre eux. (C'est en 1915)

Est-ce que cette année 1909 ne marque pas le temps de l'engagisme ?

Si, c'est le moment de l'engagisme. Des gens étaient capturés et ramenés vers ici.

N'y avait-il pas des engagés de ce pays qui étaient engagés à l'extérieur ?

Si, il y avait des gens qui étaient engagés à Madagascar.

Et ils y allaient sous quel statut ?

Ils allaient travailler en tant qu'ouvriers des diverses entreprises et chantiers, mais pas sous forme d'exploitation humaine.

Est-ce que les gens ramenés ici sous forme d'engagés n'ont pas été engagés à l'extérieur après la mort de Humblot ?

Non, parce que personne n'était capable de prendre en main les conditions qu'il fallait pour les engager à l'extérieur. Après la mort de Humblot, Saïd Ali a pris les charges. Il les a engagés pour combattre les sultans de Ngazidja afin de devenir le sultan Ntibé. À ce temps-là, seul le colon, Humblot et ses sociétés anonymes avaient le contrôle du pays.

La mère de Masimu, après la mort de son fils, chantait une chanson qui disait que Masimu n'avait pas dit que les colons ne s'installeraient pas dans le pays et si cela devait se produire, ce ne serait pas de son vivant. C'est la raison du combat de Masimu. Il luttait contre cette installation des colons dans le pays. Ainsi, Masimu, Mtsala etc. moururent dans ce combat.

En revenant sur le sort des engagés qui étaient à Shongodunda, après la mort de Humblot et Charles, ces engagés se sont dispersés un peu partout dans les villages environnants cette zone industrielle. Il y a même des engagés qui sont allés jusqu'à la région de Mbude pour s'installer. Est-ce que les villageois les accueillaient toujours ou ils étaient rejetés ?

Non, les villageois leur ont ouvert les portes et même ils les ont mariés à leurs filles. Mgom'mwa, dont je viens de vous parler, qui fait partie de ces gens accueillis par les villageois, se sentait chez lui. Il a affirmé à un homme que son fils se marierait chez cet homme. Malheureusement, il mourut avant ce mariage. Mais cela était possible, vu la notoriété dont jouissait Mgom'mwa dans ce village. Après avoir fait le grand mariage, il effectua un rituel culturel qui consistait à donner aux villageois des bœufs qui seraient aussitôt égorgés et il en donna 12 (c'est beaucoup). Il s'est marié à une femme d'ici, de grande famille, dite Nyasabwabuni. C'est la famille du conseiller Ahamada Soilihi. La femme avec qui il s'est marié est une sœur de mon père. Quoi que fut Mgom'mwa, nous ne l'avons pas rejeté. Ainsi, il s'est bien marié, il a trouvé une famille, a eu sa place dans le village et est devenu Comorien de Mdjoiézi. Mais il n'est pas natif d'ici.

Alors son fils, appelé Lipvapvo, a changé de nom pour devenir Saïd Mgom'mwa. Parfois, il arrive à Saïd d'aller là d'où vient son père. Aujourd'hui, il est assez grand. Il s'est marié ici, a eu beaucoup d'enfants et a fait le grand mariage. Aujourd'hui, il vit dans ce village.

Après que ces étrangers se soient installés, se soient mariés et aient eu des enfants, est-ce que leurs enfants ont reçu la même éducation que les autres enfants du village ?

Oui, il n'y a pas de différence, ils reçoivent la même éducation et mènent la même vie au village. Comme les enfants d'ici, ils vont à l'école coranique et française ensemble. Ils sont dans les différentes classes culturelles du village. Ils partagent les mêmes repas coutumiers avec ceux d'ici, ils font les grands mariages comme ceux d'ici. Ils bénéficient des mêmes avantages que ceux d'ici, à tel point que vous ne pouvez jamais les reconnaître ou les distinguer de ceux d'ici. Leurs familles d'accueil les soutiennent énormément.

N'y a-t-il pas parmi ces gens-là certains qui restent isolés, qui ne se mêlent pas aux activités du village ?

Non, ils se sont tous mêlés aux activités villageoises. Ils vont à l'école, jouent ensemble et après, chacun rentre chez lui. Chacun a un champ.

Vous nous avez parlé d'un dénommé Halik qui était un grand enseignant des enseignements religieux, y a-t-il d'autres enseignants comme lui parmi tous ces engagés ?

Oui, il y en a à Mbude ya Bambao et à Dzahani. Ils sont nombreux, parfois, ils arrivent ici dans des activités religieuses (*dhikri*).

Cela veut dire que la confrérie *shadhuli* ne faisait pas de distinction entre les gens, qu'il suffisait d'être un bon croyant, d'adhérer au *twarika* et on le chargeait de grandes responsabilités religieuses ?

Exactement ! En plus, c'est le grand chef de la confrérie, Abdoulhalik, qui a nommé Halik à ce titre de grand enseignant et qui a exigé qu'il aille enseigner à Boboni. D'ailleurs, à chaque fois qu'une activité religieuse se déroule ici, les petits-fils de Halik sont présents.

Nous avons appris que les enfants nés à Boboni n'allaient pas à l'école, mais travaillaient le bois.

Oui, ils ne faisaient que des travaux qui consistaient à travailler le bois. Une fois qu'ils ont quitté Boboni seuls, les petits-fils de ces engagés ont connu le système scolaire. Parmi eux, il y en a un qui s'appelle Ahamada Halik, qui suit des études d'agronomie à l'université des Comores. Ses enfants seront automatiquement des intellectuels puisque lui, il est instruit. Après la mort de son père, il a arrêté de travailler le bois et est allé s'installer dans un village, s'est marié. Il a imité les villageois et a commencé à aller à l'école. Et va aussi initier ses enfants à aller à l'école, comme le font ceux des autres villageois. C'est un petit-fils de Halik et il fait des études d'agronomie.

Des exemples pareils, nous en avons besoin, car l'on sait que la présence de ces gens ici était due à Humblot, qui voulait les faire travailler. Maintenant, cette époque-là est révolue, que sont-ils devenus ? Des Comoriens ou pas ? Se sentent-ils vraiment des Comoriens ? Aujourd'hui, ces gens-là n'existent presque pas, mais comment se sentent les enfants qu'ils ont laissés ?

Partout où vous les croiserez, ils se déclareront Comoriens. Mais seuls nous qui savons leurs origines, qui avons connu leurs ancêtres, nous saurons identifier que celui-ci est un petit-fils de tel. Ainsi, les petits-fils de ces gens-là vont être aujourd'hui comme vos enfants. Celui qui fait les études d'agronomie, en le voyant aujourd'hui, vous ne croiriez jamais qu'il descend de ces engagés. Par sa manière de se comporter. Parce qu'il est étudiant et se mêle à la société. Et il n'acceptera pas qu'on lui rappelle ses origines.

Et pourquoi il n'acceptera pas qu'on lui rappelle ses origines ?

Tout simplement parce que là, vous les prenez pour des esclaves. Ce qu'ils ne sont plus puisque aujourd'hui, ils se sentent Comoriens.

Est-ce qu'ils furent bien accueillis partout dans les villages ? N'y a-t-il pas un village où ils furent mal accueillis, où on leur a reproché d'être esclaves ?

Si, à Moroni, ils furent mal accueillis. On leur reproche d'être des esclaves. Ce qui leur fait mal. Par contre, ici, ces reproches-là n'existent pas. Puisqu'ils ont fait le grand mariage, comme mon père l'a fait. Ils se sont mariés dans des familles nobles comme mon père, ils ne parlent pas une autre langue, mais ils parlent le shikomori comme moi. Alors là, ils ont raison de ne pas se laisser battre. À vrai dire, Mshendzi, ce n'est pas un nom propre à une classe [catégorie] de personnes, mais plutôt un nom attribué à une personne d'un mauvais comportement ou de mauvais caractère.

Vous venez de mentionner qu'ils parlent la même langue que nous. Est-ce que vous ne les avez jamais entendu parler leur propre langue ?

Si, ils parlent parfois leur langue, mais seulement quand ils sont entre eux.

Avaient-ils leurs propres danses culturelles ?

Oui, d'ailleurs, ils enseignaient ces danses-là. Comme le Shigoma, Sambé. Mais une fois à la place publique, ils parlaient notre langue, jamais la leur. Ils faisaient leurs mariages de notre manière. Leur seule famille était là où ils se mariaient. Sa femme devenait sa famille. Ainsi, ils laissaient de côté leurs origines et se prenaient pour des Comoriens. Et se disputaient avec nos parents.

Ils travaillaient puisque, à leur sortie de Shongodunda, ils travaillaient le bois ?

Oui, ils travaillaient le bois. Il y en avait un qui fabriquait des sortes de cuillères en métal ou à partir de la noix de coco. Il s'appelait Ali Madi. C'est le père de Hafidhou. Ce dernier était chef de canton ici. Mais personne ne savait d'où venait Ali Madi. Il s'est marié dans la plus grande famille de ce village.

Le fait d'être chef de canton dans cette région, c'est-à-dire représenter l'Etat dans cette région est un grand honneur. Est-ce qu'au moins ce Hafidhou était instruit ?

Oui, quoi qu'il ait arrêté ses études en classe de troisième, ce n'était déjà pas mal à l'époque.

Son père l'avait-il envoyé à l'école ?

Oui, il était même proche de l'administrateur Baumer grâce à ces études-là et non pas parce qu'il était descendant d'engagés.

Ainsi, leurs travaux consistaient à produire des cuillères, des lits, des pirogues et des couteaux.

Exactement ça. Par contre, les marmites en argile, ce ne sont pas eux qui les produisaient. Ces marmites-là étaient l'œuvre des Grand-comoriens. C'est surtout les habitants de la région de Mbadjini, principalement ceux de Malé, Foumbouni et Ouropveni, qui produisaient ces marmites puisque c'était dans cette zone-là qu'on trouvait de l'argile. De ce fait, personne n'était rejeté ou mal accueilli dans les villages, à part ceux qui sont allés à Moroni. Ils étaient tous bien accueillis dans les villages. Il fallait tout simplement qu'ils s'entendent avec les villageois. Sinon, saviez-vous que je suis originaire de Chouani ? Je suis l'oncle de la femme de Hassani Eric de Chouani. Ma mère et la mère de Mohamed Soihiri de Chouani sont de mêmes parents.

À part ceux que vous venez de nous citer, qui habitent ici, en connaissez-vous d'autres qui habitent dans d'autres villages ?

Il y en a un à Chouani. Il était à Mbulihano chez M'madi Msoili. Son grand-père était parmi les travailleurs à Boboni. Son grand-père est d'ici, il s'appelle M'madi Bin Hamadi.

On m'a parlé d'une autre personne s'appelant Manihila. Est-ce qu'il fait partie de ces engagés ?

Oui. Il y a une autre personne qui s'appelle Manihila. Il vivait à Mdroroni à Chouani. C'est le frère de Simpeko.

Je me suis rendu à Trumbeni pour me renseigner sur ces deux personnes-là, mais on m'a répondu que ces noms-là leur sont inconnus et je me suis dit que peut-être ils ont changé leur nom.

Ils ne pouvaient pas se rendre à Trumbeni puisque ce dernier était un itreya de Mitsudjé et de Shuwani. Certains disent que ça appartient à Shuwani, d'autres disent que ça appartient à Mitsudjé. Trumbeni n'était pas vraiment un village. Par contre, Simpeku et Manihila de Mdroroni venaient de là en direction de Shuwani. Arrivés à Shuwani, ils se sont rendus à Mbulihano, arrivés là-bas, ils se sont rendus au Djumbé de Shuwani. Ils n'ont pas été rejetés. Les hommes se sont mariés, les femmes ont été mariées puisque Manihila est une fille et Simpeku un homme. Ils n'allaient pas aller à Trumbeni puisque ce dernier était un itreya. La preuve est que la grand-mère de Zaïnaba Moirabou et Mahamoud au Djumbe est de Simpeko. Manihila est un homme fort qui a combattu auprès de la France et aussi auprès de Saïd Ali. Le lieu où il habitait existe aujourd'hui et a pris son nom.

Donc, Manihila et Simpekou ne sont pas de Shuwani, mais ils sont arrivés là-bas.

Exactement et Simpekou est son oncle.

Des détails comme ça sont difficiles, pour nous, à trouver. Mais ce dont nous avons la certitude, c'est que dans la région de Bambao, ces gens existent, à Moroni, à Nvouni et à Mkazi aussi, ces gens y sont. Cependant, nous aimerions savoir si, par exemple, parmi les enseignants des écoles d'ici, Mdjoiézi, il y en a certains qui descendent de ces engagés ?

Oui, il y en a et ils viennent de Dzahani, tout près de Mbude ya Bambao. Ils sont venus ici se marier et ont ramené leur femme vers Dzahani. Parfois, nous allons là-bas dans des activités religieuses (Dayira). Koko Echa du cheh Mohamed, ce cheh Mohamed s'appelait Mohamed Msa Mlambewo avant de devenir cheh. Si vous allez à Dzahani, vous feriez bien de chercher Ahamada Islam à Mboudé, Bambao ou Daweni. Dans ces trois villages-là, il y a des partisans de la confrérie descendant de ces engagés.

Nous savons bien que dans ce village, ils ne sont pas venus nombreux, est-ce qu'il y a des descendants de ces gens-là aujourd'hui ?

Oui, ils y sont et leurs petits-enfants sont aujourd'hui à l'extérieur. Ils sont tous à l'extérieur. Non pas pour fuir leur histoire, mais à la recherche d'une vie meilleure.

Mais, ce n'est pas une honte d'avoir des origines pareilles. Résumons-nous à la seule idée que ce sont juste des gens venant de l'extérieur. Est-ce que nous ne les écartons pas de nous ?

Je vous conseille d'aller à Shuwani pour rencontrer Mohamed Soihiri et de lui dire que vous étiez avec son grand frère à Mdjwayezi, que vous étiez avec le grand frère d'Ali Toihir et de lui demander de compléter. Si vous allez à Djumwashongo, vous irez voir Abdou Mzé, il vivait autrefois à Marseille.

Nous l'avons déjà rencontré, mais il refuse de parler.

S'il refuse de parler, c'est parce qu'il a peur, il croit que là, il va s'insulter.

J'ai la certitude que dans sa famille, il y a eu ces gens-là.

Oui, sa grand-mère maternelle fait partie de ces gens-là. Chez Mshé Halima Mbaé, il y en a aussi.

Alors, Abdou Mzé est descendant de ces gens-là, et aujourd'hui, il fait partie des grands notables de Djumwashongo.

Cela dit, ces gens-là ne furent pas rejetés et aujourd'hui, ils sont des grands notables.

À Baladjumbe, Abdou Mzé fait partie des grands (fomamdji). Tout ce qu'ils décident, c'est la loi. À une personne qui est institutrice, il n'y a pas d'homme instruit dans cette famille-là. Mais le reste travaille dans les champs. La plupart de ces gens-là n'étaient pas initiés à l'éducation.

Abdou Mzé a beaucoup d'enfants à Dembeni. Cet Abdou Mzé a même un fils appelé Mounaoir qui est en France et travaille après avoir quitté l'école.

Est-ce qu'au moins ce Abdou Mzé a envoyé ses enfants à l'école ?

Oui, tous ses enfants, filles et garçons.

Il a même un fils qui vivait en France, mais qui est rentré à Dembeni après s'être drogué. Surnommé Ada, peut-être son vrai nom est Ahamada. Il y a la famille de Ndudju tout près de chez moi (à Djumwashongo), sauf que si l'on voulait leur poser des questions sur ce thème-là, ils vous tueraient. Chez moi (à Djumwashongo), ces gens-là y sont. Ce qui manque, c'est la manière de s'adresser à eux jusqu'à les amener à aborder ce sujet. Parce qu'une fois qu'ils constateront que vous jugez leurs origines, ils ne parleront pas. Il y a un homme qui s'appelle Soilihi, père d'Abdoussalam, il vit à Djoumwashongo, où il s'est marié et a eu beaucoup d'enfants, dont la plupart sont en France. Il m'a dit qu'il est né à Boboni et qu'il portait comme vêtement le sac avec lequel on emballe le riz. Un sac qui lui donnait le succès d'être à la mode. S'il a pu porter ce sac, c'est parce que son père l'a récupéré chez Humblot, où il était chef. Suite à ce vêtement, il a été considéré comme un Blanc. Il travaillait chez Humblot. Il m'a raconté cette histoire. Toutes les plus grandes pierres que je rencontrerai dans cette zone-là, sur la voie, c'est lui qui les a placées. Car c'était lui le technicien des grandes pierres. « Placer ces grandes pierres ne demandait pas de la force, mais plutôt du savoir-faire. Un savoir-faire que j'ai appris de mon père. »

J'aimerais savoir si ce sont ces engagés-là qui ont commencé à construire les barrières en pierre ou ce sont les Comoriens ?

La construction des barrières en pierre est l'œuvre d'un Comorien qui habitait tel village, dans tel pays. C'est ensuite qu'il fut ramené jusqu'ici.

Il y a un certain Heri qui a un fils nommé M'madi Heri à Djoumoichongo et qui fait partie des grands du village.

Qui est ce Heri, est-ce celui qui vient d'Anjouan ou de Mohéli ?

Il vient de Mohéli. Il a été récupéré là-bas pour venir travailler chez Humblot. Un homme comme lui a beaucoup à nous apprendre, mais il refusera de parler.

Car aujourd'hui, il jouit d'une grande richesse, il est même allé en France. Parmi ses enfants qui sont instruits, il y en a un dans la famille qui vous a accueilli. Il s'appelle Youssouf M'madi Heri, il a fait des études à E.M.T.I. et enseigne l'anglais. Il a aussi quelques enfants qui sont en terminale, mais les autres travaillent la terre.

M'madi Heri et la maman de Jean Emil ont les mêmes origines. Jean Emil et Raoul ne font que la culture de l'ylang-ylang, l'élevage. Pourtant, leur père, Delapeyre, était un homme instruit qui voulait que ses enfants le soient aussi, mais le côté de leur mère était le plus dominant. Leur père s'est marié à Singani avec une femme appelée Fatima Mlazitimbi et il a eu des enfants qui sont à Marseille.

Est-ce que Fatima Mlazitimbi fait partie des engagés ou elle est Comorienne ?

Elle est de la Grande-Comore, mais fut mariée par un Blanc.

Et Jean Emil, quelle est son origine ?

Leur mère fait partie de ces engagés. Leur mère s'appelle Halouwa et elle fait partie de ces gens-là. Par contre, ils sont Blancs grâce à Marcel. La mère est de Djumwashongo, c'est-à-dire que chez elle, c'est la famille qui l'ont accueillie, chez M'madi Heri. Le nom de cette famille d'accueil est Wegna Mbé.

Athoumani Baba s'est marié dans cette famille-là, n'est-ce pas ?

Si, il y en a un aussi qui se nomme Gaya, qui est de la famille de M'madi Heri.

Ce nom de Gaya figure dans une liste d'engagés à La Réunion, n'est-ce pas cet homme-ci ?

Peut-être puisque des gens à La Réunion portent le prénom de Gaya et ils ont même des contacts avec ceux d'ici. Ils se connaissent bien puisqu'il y a un certain M'madi Saïd Gaya qui vit à La Réunion avec eux.

Donc, l'on peut conclure en disant que Gaya fut engagé aussi à La Réunion. Au moment où l'on demandait des engagés pour aller à La Réunion, les Grand-comoriens refusaient puisqu'ils étaient peu nombreux. Ainsi, ils poussaient ceux qui étaient engagés ici à s'engager aussi pour La Réunion. Arrivé à un moment où ils n'avaient personne pour leur défendre, Humblot s'est mis à les défendre.

Qui est Labo ?

Il fait partie de ces gens-là, mais il vient de La Réunion. Il fut ramené ici en tant que chef. D'ailleurs, l'endroit où il vivait avec sa famille a pris son nom.

Est-ce que ce Labo ne s'est pas marié ici puisqu'il y a une fille de Nkomiyoni qui s'appelle Fatima Labo ?

Je ne sais pas trop, mais il se pourrait que cette fille soit une fille de Labo. Cette fille est de la famille d'Abdourassoul. Ces gens-là sont nombreux ici, mais ils refusent de parler, de peur qu'on les prenne pour des Washendzi.

C'est ce qu'un érudit de la famille de wenya mahatubu à Moroni m'a raconté. Que ces gens-là fuiront toujours là où ils ne sont pas les bienvenus.

Ca tombe bien parce que certaines personnes parmi elles font partie de ces gens-là. En fait, ou la mère fait partie de ces gens-là, ou la grand-mère, ou l'oncle aussi. Mais personne ne l'avouera jamais. Ce n'est pas un défaut si l'on vient de ces gens-là. Ce sont tout simplement des origines.

C'est le nom du clan wenya mahatubu qui a couvert leur origine. Parce que comme vous l'avez mentionné, sa mère est parmi ces gens-là, mais puisque l'un des chefs du clan est allé se marier dans cette famille, ses enfants font aujourd'hui partie des Wegna Mahatubu. Par contre, les mères n'ont rien à voir avec cette famille de Wegna Mahatubu.

C'est pareil avec ce qui se passait ici. Parce qu'ici, c'est la famille d'accueil qui donnait de la valeur à ces gens-là. Et là-bas, c'étaient les maris, issus d'une famille noble, qui donnaient de la valeur à ces gens-là.

Si, aujourd'hui, c'est devenu difficile de les retrouver, c'est parce que le village où ils habitaient n'existe plus.

Je vais vous dire pourquoi ce village se nomme Mdjwayezi alors qu'il y a des grandes villes comme Ikoni… et pourtant, dans la région de Hambou, il y a Mdjwayezi. Pourquoi ce nom ? L'Hinya Fwambaya, l'Hinya matswapirusa et l'Hinya mahatubou s'étaient réunis ici au temps de la guerre de Humblot. Ici, c'était la campagne à l'époque, il n'y avait d'autre village au-dessus de ce village. Ils s'étaient réunis ici pour trouver une solution puisque, à ce temps-là, le sultan Saïd Ali voulait tuer les sultans de Ngazidja pour devenir le sultan Ntibé. Saïd Ali voulait tuer Msafumu, Hachim…

Ainsi, tous les rois de l'île s'étaient réunis ici. Il y a un lieu ici nommé Bwedjou ha toché : toutes les discussions qui ont eu lieu à cet endroit-là se réalisent. Il y a un autre lieu appelé Ndo pvwa nkudrwe : c'est là où ont lieu les exécutions. Il y a un autre lieu nommé Ziraruni : là, se rencontrent plusieurs chemins qui mènent partout : Bambao, Mbadjini, Hambou… Personne ne savait que c'étaient les rois qui se réunissaient. Ainsi, après la victoire, naquit le nom de Mdjwaezi puisque c'était ici qu'on étudiait les plans de la guerre. Par contre, avant cela, il n'y avait pas de village ici, c'était une forêt où ces rois venaient se cacher et tracer leur plan.

La reine qui était ici était Mwana mkumadari, elle vient de Fumbuni. C'est la petite sœur de Wamounga, mère de Saïd Houssein. Elle a ensuite quitté ici pour aller s'installer à Shuwani à la recherche d'enfants et elle a eu Saïd Abdallah.

Qui est Boina Mzé ?

C'était un engagé. Il vient de Mutsamudu à Anjouan. Il fait partie des civilisés que Humblot a recrutés pour leur donner la responsabilité des sociétés.

Qu'est-ce qui a rendu ces gens-là nobles aujourd'hui, est-ce leur richesse ?

À leur arrivée, ils étaient misérables. Mais suite aux nombreux mariages qu'ils ont effectués dans les différentes grandes familles, ils ont fait les grands mariages et ont eu beaucoup d'enfants, ainsi ils nous ont égalés, voire sont devenus nobles. Je vais maintenant répondre à une question que vous m'avez posée à propos de kabila. Il y a deux kabila dans ce village : Wenyarumi et Wenyambamdro, ce sont les plus grandes familles de ce village. Toutefois, Wenyarumi est la plus grande. Pourtant, une de la famille de Wenyarumi était tombée amoureuse d'un homme de Wenyambamdro. Or, la famille de la fille est la plus grande. C'est ainsi que la fille a pris sa royauté et l'a donnée à l'homme de Wegnambamdro comme dot pour qu'il la marie.

5. ALI MABWEYA, Conseiller pédagogique pôle n° 7 CIPR DE SIMA

Je suis conseiller pédagogique depuis juillet 2009. Avant, j'étais simplement instituteur après une formation à l'école normale pendant trois ans et je suis sorti avec un DFN. Nous avons passé le CAP et l'avons réussi en 1997. Un an après, je suis devenu le directeur de l'école de Pomoni. En 2002, j'étais toujours instituteur, mais en même temps secrétaire régional du SNAC (Syndicat National des Agriculteurs Comoriens). En 2006, j'ai quitté mes fonctions de secrétaire régional du SNAC et je suis resté instituteur à l'école primaire de Pomoni. En 2009, j'ai été nommé conseiller pédagogique.

En tant que directeur de l'école, le premier problème concernait le taux de scolarisation. Il était faible. Le deuxième problème était celui des locaux, qui posaient celui de la capacité d'accueil (nombre de salles, tables-bancs insuffisantes et en mauvais état). Le projet éducation III a réhabilité les locaux et fourni quelques tables-bancs. À partir de là, nous avons multiplié la capacité d'accueil et engagé la campagne de scolarisation et nous avons dû, par la suite, faire face à la déscolarisation.

La scolarisation était faible, car les parents montraient leurs faibles moyens de les scolariser. À l'époque, il fallait payer des frais d'inscription. En tant que directeur, je prenais parfois certains élèves après appréciation des conditions de vie de leurs parents. Puis, venait la capacité d'accueil à cause du nombre insuffisant de salles de classe.

L'école de Pomoni a été construite en 1967. Nous avons obtenu la troisième salle de classe en 1971. Et depuis, nous avons utilisé ces 3 salles, puis avons construit un hangar. Nous abritions les classes depuis le CP1 jusqu'au CM2. Nous avions une classe par division.

Avant cette date, les enfants de Pomoni allaient à l'école de Vuani, à 7 km de Pomoni. Oui, après Moya, c'est Vuani qui a eu une école. Surtout qu'il n'y avait pas de route pour aller à Moya.

As-tu une image ou un souvenir des premiers élèves de la ville de Pomoni, de cette école ?

Oui, j'ai un souvenir, car j'en connais certains. C'est le cas d'un enseignant qui travaille ici à Pomoni qui s'appelle Mohamad Dina, un maître chevronné qui tient la classe de CM2. Il fait partie de ceux qui ont commencé l'école de Pomoni. Il a fait le CP jusqu'au CE1 à Vuani et après, ça a été l'ouverture de l'école de Pomoni. Nous avons passé le concours d'entrée en 6e à Sima. Les premiers élèves inscrits à l'école de Pomoni ont passé le concours au lycée de Mutsamudu. Ces élèves connaissaient des problèmes de déplacement très graves à telle enseigne que les élèves se comptaient sur les doigts de la main, peut-être 3 à 4 élèves qui pouvaient poursuivre jusqu'au CM.

À Pomoni, à cette époque, les jeunes ne faisaient rien. Dans cet environnement, les déscolarisés et les non-scolarisés ne constituaient pas une charge contraignante pour les familles, car ils jouaient et s'adonnaient à d'autres activités dans les champs. Mais soulignons que la délinquance avait trouvé là un terrain de prédilection. Pendant longtemps, et c'est encore le cas, aucun projet de société n'a existé avec l'objectif de proposer à cette main-d'œuvre disponible des perspectives d'emploi autres que la débrouillardise qui caractérise en effet la jeunesse de l'île d'Anjouan.

En 1967, la première école a été construite, historiquement, on peut le vérifier. Avant cette date, Pomoni a connu des enfants qui ont fréquenté l'école. C'est véritablement M. Abou, actuellement âgé de plus de 70 ans, qui a été parmi les premiers natifs de Pomoni à fréquenter l'école. Il a fait l'école à Wani jusqu'à la classe de CE2. Avant 1967, l'école n'était pas une préoccupation pour les parents. Parce qu'elle n'existait pas dans cette ville, pas même dans la région, excepté à Moya.

Pomoni est aussi un village colonial fondé par la société du domaine. Donc, les parents et leurs enfants étaient embauchés par la société du domaine et travaillaient du matin au soir. Selon nos parents, la société date de très longtemps, parce qu'elle a débuté par les Anglais. Parmi les fondateurs, il y en a un qui est enterré ici à Pomoni, appelé William Stanley. Avant, les gens appelaient cette ville Pomoni-Stanley. C'est resté jusqu'à l'arrivée des Français, qui se sont appropriés le pays, ils ont fusionné pour former la Société Bambao. Ils se sont donc installés ici. Les premiers employés étaient des Africains, ils étaient purement Africains. Ce sont eux qui ont fondé Pomoni.

Ce sont des esclaves ramenés de l'Afrique de l'Est et directement employés par la société. Les habitants de Pomoni, de Bambao Mtsanga et même de Patsy ont tous la même origine. Mais nous sommes tous des Africains. Grâce à l'école, le brassage social inhérent à la scolarisation amène quelques lentes mutations. En effet, malgré le retard accusé par la colonisation pour faire de l'école une réalité fréquentée par tous, elle a tout de même été un vecteur qui a permis de changer beaucoup de choses, de faire évoluer la société elle-même. Ceux qui, en effet, l'ont fréquentée, certains natifs de Pomoni, sont aujourd'hui conseillers pédagogiques, instituteurs ou employés. Avant d'aller à l'école, les gens ne connaissaient pas ces fonctions et encore moins ils ne les exerçaient.

L'école a été un moyen important qui a permis la mutation. Aujourd'hui, vous êtes conseiller pédagogique parce que vous avez fréquenté l'école. Quels étaient alors les métiers qui étaient exercés à Mpomoni ?

Avant l'avènement de l'école, les métiers les plus exercés à Pomoni, premièrement les gens travaillaient dans la société du domaine. Des parents étaient gardiens, d'autres servaient dans la distillerie d'ylang, donc des distillateurs comme mon père, ils étaient également des agriculteurs et des éleveurs ; les travaux d'artisanat étaient rares comme des maçons originaires de Pomoni, un plombier aussi. On ne trouvait que les emplois de la société du domaine.

Je suis né en 1964 et après, l'école était déjà créée. Mon père a perdu ses parents à l'âge de 7 ans et il a été adopté par un Français qui travaillait à la société du domaine en qualité de travailleur de la ligne téléphonique de la société et c'est après qu'il a été envoyé à la distillerie. Vu son parcours, il a été obligé d'envoyer ses enfants à l'école. Fréquentant les décideurs, il a compris que ses enfants devaient aller à l'école. Cela est vrai, car il voyait les avantages que lui procurait la position de chef du distillateur et envers ses subordonnés, il a été alors obligé de nous envoyer à l'école. C'est vrai qu'il a vécu une situation difficile, mais comme il fréquentait les décideurs…

Y avait-il d'autres personnes qui travaillaient dans d'autres secteurs que l'enseignement ?

Maintenant, il y a des jeunes qui sont dans l'administration, à la poste, d'autres qui ont fait droit, et certains ont embrassé des études d'agronomie. Il y a une volonté de diversification des branches d'activité.

Pourquoi ces enfants de Pomoni n'ont pas tout de suite vu l'agronomie alors que c'est là qu'ils sont nés ?

C'est parce que les enfants de Pomoni ont tardé à fréquenter l'école. Accéder au niveau baccalauréat était encore difficile pour les enfants de Pomoni. Et même si un enfant de Pomoni était titulaire du bac, il lui fallait une bourse de formation pour pouvoir envisager des carrières d'agronomie. Là encore, c'était difficile. Ceux qui dépassent ce niveau d'études, c'est grâce aux efforts des parents puisque, aujourd'hui, le monde est ouvert, chacun sait comment sortir de l'ancienne situation. Personne ne méprisait l'agriculture.

Dans de nombreux villages, les enfants n'embrassaient pas les carrières de l'agriculture par mépris, ils se disaient que l'agriculture était une activité sale. Or, ici à Pomoni, des enfants ont concouru et ont été admis à l'école d'agriculture de Wanani, d'autres se sont engagés dans les actions avec Care en qualité de vulgarisateurs.

Certains comme moi sont enseignants le matin et agriculteurs pour arrondir les fins de mois. Aussi, chacun essaie de collecter un pécule, condition sine qua non pour améliorer les conditions d'existence. Nombreux sont ceux qui, même exerçant un métier dans l'administration ou ailleurs, mettent en valeur des lopins de terre familiaux et c'est rentable.

Les premiers travailleurs de Sunley étaient des esclaves. Mais l'esclavage a été aboli et puis a commencé la période des engagés. Il y avait obligation pour les anciens esclaves affranchis de travailler comme engagés chez l'ancien employeur. Mais cette période s'est achevée aussi à un moment donné. Les entreprises des Français ont fermé. Certains se sont demandés ce qu'ils devaient faire et hop, les gens sont partis pour Madagascar. Est-ce que Pomoni a proposé beaucoup de candidats pour Madagascar ?

À Pomoni, au temps de la société du domaine, les gens pouvaient partir pour Madagascar. Il y avait le départ par la voie du contrat. Probablement 65 % des parents de Pomoni sont partis sur Madagascar. Mon propre père a été engagé pour aller travailler dans le sucre. Après un an d'engagement, il est rentré. En réalité, certains sont rentrés, mais nombreux sont ceux qui y sont restés. D'ailleurs, nous n'avons pas enregistré des enfants de Pomoni qui ont fait leurs études à Madagascar et qui sont rentrés.

Y a-t-il parmi les enfants de Pomoni des gens qui travaillent dans l'administration publique ?

Pendant la période du séparatisme, Pomoni avait un député, un chef de district, il y en a encore un qui est chef de bureau. Le secrétaire général de la préfecture est de Pomoni. Nous enregistrons de bonnes évolutions, les habitants de Pomoni sont acceptés par tous à Anjouan. Auparavant, il existait des brouilleries dans nos relations avec le village voisin de Moya. Parce qu'ils ont été les premiers instruits de la région. En politique, ils s'emparaient de tous les postes, c'est une contrainte que l'on rencontre dans tous les villages.

Les habitants de Pomoni se mariaient à Vuani et jusqu'à maintenant, pas de mouvement avec Moya. Les habitants de Pomoni sont des habitants ouverts aux autres. Tout le monde l'affirme devant nos assises de village que nous sommes une ville de démocratie.

Nous n'avons pas de problème avec Mutsamudu. Au contraire, il y a des liens, car au temps de la société, comme nous savons que les premiers instruits sont les premiers servis, beaucoup de gens de Mutsamudu ont servi la ville de Pomoni. L'infirmier qui officiait dans la société du domaine était originaire de Mutsamudu. Le chef de la société en qualité de caporal était de Mutsamudu. Donc, de nombreux mutsamudiens ont épousé des femmes de Pomoni. Ils ont beaucoup d'enfants et Pomoni récolte les avantages qu'ils procurent. D'ailleurs, l'ex-président de l'île de Ndzuani, Saïd Abeid Abderemane, a une femme dont le père est de Mutsamudu et la mère de Pomoni.

Peut-on parler un peu de l'organisation sociale ?

« Le village fonctionnait et avait à sa tête un chef. Puis, un autre personnage, un notable intimement lié à Ahmed Abdallah, appelé Mshe Ngure. Il coiffait tout. Il était originaire de Mutsamudu, mais s'était marié à Pomoni. Le premier chef que j'ai connu a quitté l'école en classe de CE2, en même temps responsabilisé par la société du domaine. Il contrôlait les parcelles de Sima. Parmi les chefs, il y avait Baco Chaha et Hamza Attoumani. » La société du domaine avait besoin de bras et non d'écoliers. C'est ainsi qu'un des chefs originaires de MPOMONI a quitté l'école au CE2 pour être responsabilisé par la société, car à ce niveau, il pouvait marquer et compter les livraisons.

Les quartiers réputés serviles, les villes et les villages ont le droit d'avoir une histoire étudiée. Je me dis : tiens, je mène des enquêtes parce que je suis formé, instruit, pourtant on m'a toujours dit que, chez moi, mon quartier le igwadu, c'est là-bas. Cela passait pour une insulte. Parce que c'est une danse d'esclaves. Mais je me dis après tout, mes parents ont dansé l'igwadu, alors où est le mal ? Nous devons aussi travailler pour faire comprendre aux gens que nous avons aussi contribué dans le patrimoine intangible de notre pays, dans la formation de la population actuelle, nous avons contribué culturellement et dans la civilisation des Comores. Alors, que dire pour Pomoni ?

Au niveau de la culture :

« Dans la culture, j'ai trouvé une danse qui semble être un héritage pour ce village, on l'appelait mdjomle. C'est une danse d'origine africaine. Les gens mettaient autour des jambes des coquilles de sagou. L'instrument qu'ils utilisaient s'appelait mseke. »

Il semblerait qu'à Ngazidja, cette danse-là s'appelle Gandja. C'est peut-être la même danse.

On peut donc valablement conclure que ce sont les mêmes gens puisque ayant gardé des liens et des contacts entre les îles. Les personnes installées avaient sûrement des liens. Si on observe les mêmes instruments, qu'ils étaient habillés de la même façon, ce sont les mêmes. Ils venaient sûrement de la même zone.

Te souviens-tu de quelques paroles de leurs chansons ?

Un peu difficile de se souvenir, mais :

« Ndjo mle simba mala wandru, ndjo mle

Ame tchoka simba mala wandrwe simba ndjo mle »

À la Grande-Comore, on a une chanson, mais le chanteur a traduit et les paroles sont données en shi ngazidja. Très certainement, il n'a pas voulu la donner dans la langue dialectale.

Concernant le mariage, on a le mdandra, qui est une danse de djinns, mtsandzo wa mwana ou ladha ya mwana.

Même si les communautés, qui vivent maintenant en commensalité, avaient des origines diverses, on s'aperçoit que les gens s'acceptent sans trop de difficulté. Il y a eu un temps difficile avec sûrement des préjugés parfois graves et de mépris. Mais le nombre a fait que les élus politiques issus des grandes villes ont très vite compris que ces gens-là portaient en eux l'avenir politique. Feu Ahmed Abdallah est de ceux-là. C'est ce qui a fait la force des wa-matsaha d'Ahmed Abdallah, concept utilisé pour marginaliser Mohamed Ahmed de Mutsamudu, par exemple.

L'agriculture a permis la constitution d'un pécule pour chacun d'entre nous. La personne se considère libre et autonome. Lorsqu'il a envie de quitter l'île, disait un vieux de Lingoni, pour Dubaï ou la Chine, il ne dépend plus de Mutsamudu. Alors, est-ce partout pareil et pour tout le monde ?

La réalité, aujourd'hui, nous sommes tous obligés de composer ensemble. D'abord pour des raisons politiques qui permettent de conjuguer ensemble contre la division entre wa-matsaha et wungwana (ville et campagne, voire libres et esclaves), situation qui a créé d'énormes problèmes de cohabitation. Pourtant, nous avons tous besoin d'être ensemble pour vivre. Les écoles ont beaucoup contribué, car nous nous sommes tous trouvés sur les mêmes tables et avons appris ensemble. Nous avons partagé les mêmes souffrances et les mêmes joies, nous avons célébré ensemble les mariages, tout cela a contribué à effacer les différences qui sont souvent subjectives.

N'oublions pas non plus la religion. Tous les Comoriens, notamment les cheh, dans notre région, font des prêches et il n'y a pas de discrimination des ulemas et des imams. Un barzandji à Pomoni et on invite un orateur comme Asnade de Moya. Un barzanji à Vuani avec comme orateur Ustadh Madjid de Pomoni. Et un autre à Lingoni et comme orateur Asnadi de Vuani. Donc, la religion rassemble les gens.

Aujourd'hui, j'ai eu une chance de vous trouver, vous comme interlocuteur. Dans certains endroits, il est difficile de poser des questions, car les gens te soupçonnent et doutent du bien-fondé de ton travail. Je voudrais que cela soit clair entre nous, j'ai choisi ce thème, car je suis concerné, c'est ma propre histoire. Je refuse de vivre dans mon quartier et d'être considéré comme un rien alors que j'ai réussi comme tout le monde des autres villes et des autres quartiers. Je travaille pour l'obtention du doctorat comme certains d'entre eux, nous avons des médecins comme eux ils en ont, voilà pourquoi je te demande si à Pomoni nous avons les mêmes gradés. S'il y a des médecins à Mutsamudu, il y aura aussi des médecins à Patsy, à Bambao Mtsanga. Nous sommes tous des êtres humains dotés des mêmes facultés pour embrasser des études supérieures et ce n'est pas l'apanage des nobles et des enfants des clans régnants. Le plus important est d'écrire l'histoire de notre pays. Nous tous avons contribué à la mise en place de ce peuple, de son histoire, de sa culture, de sa civilisation et pratiquons la même religion. L'histoire des Comores, c'est nous tous, ce n'est pas l'histoire des sultans tout court. De nombreux anonymes ont fait eux aussi l'histoire des Comores, ceux que nous appelons les oubliés de l'histoire. Il serait judicieux de construire ici bientôt des stèles sur les sites qui ont été les hauts lieux de l'esclavage, un mausolée si vous préférez pour tous ceux qui ne sont pas connus, qui n'ont pas de noms et qui ont fait l'histoire des Comores. Sans les travailleurs de Sunley, Pomoni n'aurait pas existé. C'est le sens de notre travail. Si on parle de vanille aujourd'hui, de coprah, d'ylang, de sisal, c'est grâce à ces travailleurs.

6. Ali Saïd, né en 1964 à Boboni, où j'ai vécu jusqu'en 1984

Je m'appelle Ali Saïd, né en 1964 à Boboni, où j'ai vécu jusqu'en 1984. Donc, faute de route, puis sans aucune perspective d'avoir une école à un moment où nous étions moins nombreux pour nos enfants, j'ai quitté le village avec ma femme et mes enfants.

J'ai appris à faire des travaux agricoles, je travaille à mon compte en plantant des arbres, je suis également guide touristique et pendant des années, j'ai sillonné la Grande-Comore et les autres îles aussi pour apprendre tout ce qui concerne l'histoire de ce pays.

De Boboni, je vois encore les machines, dont les vestiges sont encore là, je me rappelle aussi les gens qui coupaient le bois... les jardins qu'on entretenait, un lieu appelé convalescence sur la voie qui mène au Karthala, où les gens marquaient une pause ; c'est un lieu aménagé par les Blancs, ce sont les gens qui travaillaient avec Humblot et Charles. Moi, j'ai suivi cette voie-là et il est arrivé un expert de Moroni appelé Mohamed Nourdine, c'est lui qui m'a appris à utiliser les ciseaux pour couper et tailler les plantes. Nous avons passé un temps relativement long et maintenant, j'ai validé le métier et je suis certifié pour ce travail. C'est le travail que j'exerce depuis.

C'est vrai, il y a des routes qui partent par exemple de Boboni jusqu'à Nkurani ya Sima. Je connais effectivement tous les sentiers et routes ; également je connais tous les accès pour aller au Karthala ; je fais ce travail de guide et cela sans problème.

À Boboni, les gens vivaient d'agriculture, notamment de culture de tout produit d'alimentation. Je me rappelle, en 1989, on a ouvert un jardin scolaire, un expert était venu et nous avait organisés pour développer ce jardin scolaire. Nous avons été pris en charge par le Programme Alimentaire Mondial (PAM), qui a pris fin lorsque M. Ali Mroudjae a été ministre. Et c'est à ce moment-là que chacun d'entre nous a choisi un endroit pour se fixer et réaliser des petits travaux personnels générateurs de revenus.

Nous avions de bonnes relations et une entente avec les villages environnants ; une bonne entente avec Mkazi, et puis nous étions dans la région de Bambao, avec Mde, Budadju ya Bambao, Bweni, Vuvuni, Mwandzaza djumbé, Selea, Nyumadzaha, Dzahani na Daweni, ensemble nous formions la même région.

Il n'y a jamais eu d'école à Boboni. Tout simplement parce qu'il y avait beaucoup de gens au moment où les Français faisaient travailler les gens. Chacun cherchait à survivre. Lorsque le chantier a été fermé et installé à Shongodunda, les gens sont retournés dans leur village respectif ; les autres, travailleurs comme mon père, qui travaillaient pour la Société à Salimani et dans les jardins des Français de la SAGC, eux, ils ont été gardés, ils étaient là. C'est nous en fait qui avons quitté Boboni.

Au moment des élections, nous avions un bureau de vote à Boboni. Je ne peux pas savoir à quel moment nous avons eu le premier bureau de vote, peut-être en 1973. Mais auparavant, les gens de Boboni votaient à Mkazi. C'était le chef-lieu de Bambao ya dju. C'est aussi à Mkazi qu'il y avait une école. Nous allions à Mkazi pour voter. Nous étions moins nombreux pour avoir un bureau de vote. [C'est un alibi, mais on devait prendre en compte la pénibilité liée au déplacement. Parce qu'ils ne comptaient pas ?]

Le bureau de vote était ouvert en fonction du nombre, même l'école. Pour les autres villages dotés d'un budget pour construire des écoles qu'on disait alors insuffisant ; c'était difficile pour ces villages et n'en parlons pas pour Boboni, où il n'y avait pas de route, donc d'un accès difficile. Cela veut dire que le nombre d'habitants à Boboni n'avait pas atteint le minimum qu'il fallait pour ouvrir une école.

Il fallait soit 8 mètres soit 6 mètres, peut-être le plus petit nombre fut 4 mètres. C'est pourquoi ils ont vu que ce n'était pas nécessaire de construire une école. Ils ne voyaient pas l'intérêt de voter un budget pour ça, même si, ici, il y a des produits, car les gens aiment les fruits, mais pas l'arbre fruitier.

Comme tu le demandes, j'ai quand même été impliqué dans les élections, il y avait cent quatre-vingt-quinze inscrits.

À Boboni, on produisait beaucoup de légumes, du lemon gras, du girofle, du bois, des planches et des pots de fleurs. Nous continuons à faire les pots de fleurs et nous les écoulons doucement. L'état des routes ne permet pas l'accès des véhicules pour les récupérer, car quel que soit le nombre qu'on peut fabriquer, on ne peut en transporter qu'1 ou 2 vers la ville.

Quelle que soit la volonté, les habitants de Boboni devaient surmonter un autre obstacle majeur, ils vivaient dans une zone d'accès difficile. Les autorités n'ont pas daigné lui trouver une solution. Abandonnés à leur triste sort, il fallait une solution.

Nous avons réfléchi par nous-mêmes, ayant compris que la solution ne viendrait que par nous-mêmes, nous qui sommes nés là-bas, avons grandi et ayant eu des enfants, laisser 2 à 4 enfants comme ça, alors que nos pères là-bas n'étaient pas des esclaves, mais étaient engagés pour travailler, donc tous avaient appris un travail.

Les travaux manuels consistaient à la production de légumes. Puis, nous disposions de petits ateliers pour confectionner les pots de fleurs, les mortiers, les travaux en bois, les tam-tams de toutes sortes, les ustensiles de cuisine en bois, des lits, pressoirs de canne. Certains produisaient du riz. Le pressoir de canne a été conçu par un vieux qui s'appelait Mzé Mmadi, celui-ci a initié un autre qui est encore vivant, Mze Issa Mmadi, c'est lui qui fabriquait les ustensiles. Il est originaire de Trelezini à Bwa Nku. Il est arrivé là-bas (à Boboni) pour vivre avec nous. Comme il est vieux, ses enfants sont venus le chercher et il est retourné à Trelezini.

Cette partie de l'histoire, je l'ai vécue, jeune, et dans le cadre du mouvement associatif, je venais souvent à Boboni, raison pour laquelle le village m'est familier. C'est moi qui venais acheter les tam-tams auprès de Mze Issa Mmadi, mais aussi nous avions décidé de réunir le congrès à Boboni.

Oui, je me souviens de beaucoup de personnes, il y en a qui sont mortes, comme Isamael Abdallah de Moroni, certaines comme Moinour Chihabiddine. Moi, je faisais partie de ceux qui s'occupaient de l'accueil des gens qui s'y rendaient. Nous jouions ensemble. Je me rappelle comme maintenant où nous avions installé les tentes, car après, cet espace a été utilisé pour faire le jardin scolaire. Nous avions dansé ndandaru, biyaya, shigoma, je n'ai rien oublié.

À Boboni, nous dansions le sambé, le shigoma, les twarabu aussi. Mais il y avait une danse qui s'exécutait exclusivement là-bas, qu'on appelle mgandja.

La chanson :
Waye na pepeya
Haye pepeya
Uzuri watru wa fedha
Trangala lake ladhahabu
Ripashiye masikini haya
Haye na pepeya
Haye napepeya
Uzuri watru wa fedha
Tranga lake ladhahabu
Ripashiye masikini haya

C'est comme ça que nous le dansions (il exécuta quelques mouvements). J'ai dit à mes enfants que je vais leur apprendre ça, mais j'attends la saison de la canne. J'avais gardé les instruments, comme le mkiamba, puis le miseke (fait avec des sagous) pour produire un bruit et rythmer la danse. Les gens s'habillaient d'Ikoyi et de tricots pour danser. Je danse bien cette danse-là, pour certaines occasions, je pourrais chercher des gens pour nous produire, comme les Africains qui le font pour les danses traditionnelles. C'est une belle danse.

Il y a eu un moment où on a célébré des grands événements dans le pays au stade Baumer à Moroni. On nous a sollicités pour venir nous produire pour l'occasion. Nous le dansions parfois. Mon oncle était le chef de troupe. Il a été soldat et il vivait à La Réunion. C'était lui qui formait la troupe pour danser, il connaissait toute personne capable de la danser et là où elle vivait dans l'île. [Tous les Makua se connaissaient] Alors jeunes, nous les imitions.

Certes, il y a ceux qui vivent à Daweni, d'autres sont à Budadju. Il y a un des nôtres, le vieux Bacari Mmadi, puis notre sœur Mzimba, une mère qui s'appelle Mari shabou, Ali wabudu et ceux de ma famille qui pourraient le faire avec nous. L'important est de trouver les instruments et après, tout serait facile. Ce sont des danses pratiquées pour se faire plaisir ou s'il y a une cérémonie. S'il y a des festivités, on pourrait se produire.

Concernant tes parents, on le sait, ils ne connaissaient pas l'école publique, mais seulement l'école coranique. Qui assurait la formation ?

Il y avait un maître coranique, c'était en réalité un charpentier. Parmi ses élèves, certains sont encore là.

Il semblerait que certains villageois aient quitté Boboni avant que le village ne disparaisse.

Oui, certains d'entre eux sont à Nkurani ya Sima (inaudible), puis à Daweni, Mkazi, Mvuni, puis à Dzahani ya Bambao.

Que font vos enfants maintenant, vont-ils à l'école ?

Oui, ils vont à l'école, certains sont au lycée. On pourrait trouver certains natifs de Boboni dans l'administration, mais la plupart sont partis à l'étranger. Certains ont exercé comme instituteurs, mais ont par la suite émigré.

Dans la communauté de Boboni, certaines personnes ont été célèbres par les activités.

Oui, on peut citer le cas de Hamadi, qui a été mécanicien et qui assurait l'entretien des alambics chez Aubert et chez Grimaldi, chez Kalfane aussi. Mais ces derniers temps, on l'a amené à Mitsamiouli Mdjini. Il y a eu aussi Soilihi Boina, un grand mécanicien qui travaillait chez Mondo à Mababani. Il était capable de créer des pièces, il fabriquait des marmites et des bidons en tôle. Ils ont appris à faire tout ça au temps de

Humblot et Charles Legros. Il y avait beaucoup de gens qui étaient sollicités comme mon père, ils allaient travailler à Moroni. Mais nous, les enfants, et puis il y avait quelqu'un comme Ibrahima Soilihi, fils de Soilihi Boina, qui a été envoyé à l'école pour s'instruire en premier, il est certain que s'il était encore ici à la Grande-Comore, il serait député ou gouverneur. Il s'est installé à Mayotte, il vient de temps en temps ici. Il y avait Saïd Djambae, qui travaillait comme jardinier, chasseur de papillons, il collaborait avec le CNDRS, où il est très connu. Il y a aussi des jeunes, mais lui, il est mort. Nous avons aussi notre père, Saïd Imani, qui travaillait avec nous comme jardinier.

Saïd Boina est mort à l'âge de 48 ans. Il a été tué... Nous avons connu la division du village en deux, il y avait ceux qui se servaient de tous les gains qu'on accumulait dans les groupements. Il a été soupçonné de futilité, arguant le fait qu'il y avait eu des voleurs de bœufs. Donc, il a été accusé de faire partie de ces gens-là. C'est tout. Lui-même, il a vu le danger, car à chaque fois qu'il y avait vol, c'est eux qui étaient accusés. Seulement, il disait qu'il ne pouvait pas quitter le village et qu'il devait vivre avec les gens. Il disait que ce serait difficile de se réfugier là où il n'y avait pas de gens. Il savait qu'il était poursuivi pour de fausses accusations.

Mais comment se fait-il qu'en quittant Boboni, les gens ne soient pas partis à Mkazi et Mvuni, mais se soient rendus à Daweni ?

C'est la proximité. En plus, il y avait nos sœurs qui étaient mariées et s'étaient déjà installées là-bas, elles ont eu des enfants et puis, ils ont réservé des places, des endroits pour vivre. La proximité aidant, nous nous sommes rendus à Daweni.

Nous nous entendions bien avec Mkazi et Mvuni. La ville de Mvuni voulait mettre à notre disposition un espace pour construire le village. Mais nous avons estimé que Daweni répondait à notre préoccupation. C'est le président Ali Soilihi qui a envisagé de déplacer le village. Considérant que le site était mal placé. Il avait même suggéré de garder le nom du village.

Les traces des habitations sont encore visibles. Mais qu'a-t-on fait des champs ?

Chacun sait l'endroit où il cultivait, chacun connaît ses frontières. En tout cas, il n'y a jamais eu une personne qui est venue revendiquer cet espace, personne n'aurait osé, car il fallait avoir des titres de propriété. Nos enfants connaissent les réalités, chacun a montré à ses enfants le domaine qui lui appartenait. Il y a des gens parmi nous qui vont là-bas pour travailler.

Nos enfants pourraient éventuellement y retourner si la route devenait praticable. Il n'y aurait pas de problème. Nous avons des moyens maintenant. Nous pourrons nous réveiller pour nous organiser. D'ailleurs, tous les gens qui sont éparpillés dans tous les villages que j'ai cités, lorsqu'ils veulent faire quelque chose, il faut qu'ils montent (à Boboni) pour travailler.

L'Etat n'a rien fait pour nous retenir à Boboni. Aucun geste allant dans ce sens n'a été fait. Mais nous voyons à travers les époques, car il semblerait qu'il y avait un projet d'hôtel et d'hôpital là-bas. On parlait également d'un champ.

Nous ne croyons pas que l'Etat voulait nous chasser de là. Ce serait connu, car nous avons tous des gens bien placés autour de l'Etat. Ils nous auraient informés. Le préfet devrait le savoir. Il y avait des gens honorables qui travaillaient et d'autres qui travaillent encore à la préfecture qui ne pourraient pas nous cacher de telles informations. Il y a eu Rachad, puis le secrétaire général Saïd Ahmed, des gens auprès de qui j'ai travaillé depuis très jeune. Ils auraient dû nous en informer et nous sensibiliser. Parce que nous devrions à ce moment garder nos terrains. Surtout, nous devrions donc demander les services de la topographie pour immatriculer nos terrains. Nous ne les avons pas achetés. Mais ce sont nos mères, comme c'est là où nous sommes nés. Même nos enfants, ils savent que les parents sont nés là et ont été élevés là. Chacun connaissait ses voisins et ainsi de suite.

À Boboni, ce n'est pas l'anarchie et toute personne ne peut venir exploiter la terre. Il faut être guidé pour ne pas empiéter le domaine des autres. Par exemple, si toi tu veux un terrain pour cultiver, je dois t'accompagner pour te montrer là où tu peux cultiver.

Ils sont nombreux, là je devrais les citer tous : il y a par exemple mon oncle Issa Mabrouk. C'est un grand ami de Saïd Mohamed Cheikh. Moi, j'ai vécu ma jeunesse avec Mahamoud Saïd Mohamed Cheikh.

Tout cela est pour montrer que nous ne vivons pas isolés à Boboni. Mais personne ne nous utilisait comme des esclaves. Nous n'étions les esclaves de quelqu'un. Voyant les changements qui s'annonçaient, chacun s'est débrouillé pour vivre. Il n'y avait pas de problème particulier.

Aujourd'hui, nos enfants vont à l'école. Certaines se sont mariées et ont eu des enfants. Nous avons maintenant des bacheliers, d'autres sont à l'étranger pour faire des études ou autre chose. D'ailleurs, c'est la principale cause de notre départ de Boboni. Village encadré par deux rivières difficiles à franchir, comment nos enfants pourraient-ils aller à l'école ? Entre décembre, janvier et février, pendant la saison pluvieuse, le déplacement est périlleux. Nous, nous avons résisté, mais nos enfants, non. Nous ne pouvions pas continuer à élever nos enfants comme avant, il faut de l'argent, car ils doivent payer la scolarité en maternelle et ils doivent continuer jusqu'au baccalauréat.

Certains aujourd'hui étudient à l'université des Comores. Il y a des enfants nés à Boboni qui sont partis avec leurs parents pour s'installer à Budadju. Maintenant, ils sont à l'université.

Maintenant, le rappel est nécessaire. La vie est trop dure. Les moyens d'existence ne permettent pas de construire un avenir. Alors, si les routes existaient pour accéder à Boboni, il est certain que nous reviendrions construire des maisons. Il y a des ONG comme Care Comores qui appellent les anciens habitants de Boboni à se rassembler pour engager un mouvement retour vers le site. On ne peut pas abandonner le village. On doit savoir que c'est grâce à notre pays que la France a trouvé une place sur le marché européen grâce aux produits de parfumerie, aux planches, à la cannelle et au girofle…

Le mode alimentaire, tu sais, moi-même, je sais faire certains repas comme le ugari.

J'ai eu 7 enfants et 3 petits-enfants de mes deux femmes. Une d'elles est de Boboni. Celle avec qui je partage ma vie maintenant est de Daweni, de la famille Dorel. Cette famille est venue de La Réunion. Ce monsieur est venu comme ingénieur pour tracer les routes. Il a pris épouse à Boboni où il vivait. C'est Halima Chioni. Chioni fait partie des premiers habitants de Boboni. Vous savez, c'est une des personnalités du village.

Moi, je ne serais pas gêné d'entendre mshendzi si ce mot renvoie ou désigne tout Africain. Nous sommes tous des Africains.

Tous mes enfants fréquentent l'école et puis l'école coranique. Il y a ceux qui y vont toujours. Celui qui ne va pas, ce n'est pas un choix, il a tout simplement désobéi.

Mes enfants doivent exercer le même métier que moi, sinon le métier va disparaître.

Oui, mais si cela paraît réaliste, en tout cas, on ne peut pas envoyer les enfants à l'école, puis les prédestiner à des travaux soi-disant par héritage. L'école doit assurer la formation des enfants, y compris l'acquisition d'un métier. Personne ne doit empêcher son enfant d'aller à l'école.

7. Causerie avec Soilihi Djibaba, le 9 octobre 2010

« Certaines familles ont eu des relations, parce que ce n'est pas trop ancien, avec des éléments serviles. Mais l'évolution de la société comorienne, le comportement de cette société à partir des us et coutumes, les embourgeoisements de toutes sortes auxquels nous assistons font que ces gens appartiennent aujourd'hui à des familles de la haute bourgeoisie comorienne. »

Je prends l'exemple d'un parent, celle dont le grand-père appartient à cette histoire. Ce n'est pas si vieux ; est-ce que, elle, aujourd'hui, quand on lui pose un problème comme celui-ci, ne va pas comprendre devoir avoir des relations avec ces gens-là ? Or, ce n'est pas si vieux. Alors que c'est très direct et très récent ; moi, je pense aussi qu'il y a étouffement de cette histoire. Le comportement de la société comorienne, les traditions, c'est une autre difficulté. Imagine qu'aujourd'hui, une telle famille est classée parmi les plus « nobles » à Moroni. Elle s'est fixée encore d'autres relations, de jumelage, par le mariage avec des familles d'ahl bayiti (charif), finalement, on a tendance à l'oublier ou bien il y a effacement.

Au départ, j'ai pensé au dépérissement, mais je me suis interrogé s'il y a eu dépérissement ou simple effacement du phénomène qui peut nous rattraper facilement.

Si je prends simplement mon cas, nous, nous avons des relations avec ce type de société. Ce n'est pas ancien, nous avons commencé une histoire nouvelle avec un des éléments de la bourgeoisie de Moroni. Finalement, il a été entretenu, ça aussi, c'est entretenu.

Donc, l'élément clé qui a favorisé l'intégration de cette communauté nouvellement arrivée, c'est le mariage. Mais on peut voir l'autre question, pourquoi ont-ils été acceptés en mariage par ces familles-là ?

Non, ce n'est pas une acceptation. Cela dépend de l'endroit. Cela dépend de la famille avec qui on se lie par le mariage. À certains endroits, ce fut difficile et à d'autres non. Moi, personnellement, on a fait des décennies et des décennies, on a été comme bannis par nos familles. Et c'est une réalité. Nous, on n'a jamais été acceptés par nos familles. L'acceptation dépendait du milieu.

Tu prends un exemple concret et c'est toi qui en parles. J'en parle aussi. Je ne voyais pas ce lien direct de cet aspect. Certes, j'ai été bloqué pour mener des enquêtes à Moroni. « Parce que Moroni, c'est eux ». Le cas de ton père, parce qu'il était lettré, a-t-il été accepté ou pas ?

C'était un grand fonctionnaire de l'administration française, c'était un grand fonctionnaire, pour moi, c'est évident, moi, il n'y a pas longtemps, je suis allé à l'ambassade de France pour demander un visa pour mon fils, demande qui avait été rejetée, je suis allé avec un mot de la France qui avait été adressé à mon père. C'est stipulé clairement que c'est un élément exemplaire, l'honorabilité qui doit être perpétuée au sein de sa famille. Tout ça pour l'honneur et sa grandeur et les services importants qu'il a rendus à la République française, et c'est signé par Mouté, c'était en 1946. Mon père avait bien commencé à travailler avant Saïd Mohamed Cheikh.

Lorsque je discutais avec l'ambassadeur, il a eu un sentiment de regret pendant un long moment. La place qu'occupait mon père dans l'administration, l'évolution et le service qu'il rendait parce qu'il était le seul…

Tu détiens là un document essentiel, matériel qui existe, ce n'est pas une interprétation. Peut-on dire que la France a aidé ceux qui ont reçu une instruction pour occuper une haute place dans la société. Mais pourquoi, lui, il n'a pas pu jouer un rôle politique comme les autres ?

Ah ! Si ! Si ! Rôle politique, si ! Si ! Moi, je pense que c'est le contraire, car lui, des gens comme lui, il avait le comportement extra, hyper révolutionnaire. C'est-à-dire c'étaient des gens qui bannissaient la société aristocratique, car à chaque fois qu'il avait une relation avec la société, il se trouvait à un endroit où il y avait une transformation (modification ou changement).

Au moment de la création du MOLINACO, il était parmi les fondateurs. Il avait une contribution matérielle. Aussi, à la création du RDPC, il était aussi parmi les fondateurs. C'était sa contribution. Il a toujours été un type révolutionnaire et de progrès.

Lorsque Ali Soilihi a pris le pouvoir, il faisait partie des grandes personnes qui servaient ce régime. Comme il combattait les traditions, mon père était encore à côté de lui. Au temps d'Ali Soilihi, il a aidé aux tracés des routes dans notre zone. Il a volontiers cédé du terrain en guise de reconnaissance.

Il serait peut-être bon de valoriser ces actions, ces attitudes dans la société. Car c'est effectivement contre une aristocratie conservatrice des mœurs…

Il le contrariait, même à l'hôpital, il me disait aussi, il y était au moment où la génération Saïd Mohamed Cheikh arrivait. Son grand conflit, ça a été contre Saïd Mohamed Cheikh. Lorsqu'il y avait conflit entre eux, c'était le Blanc qui le réglait. Et chaque fois, le Blanc disait que Djibaba avait raison. Alors que lui, il était médecin, il me disait à l'hôpital, moi j'étais toujours en conflit avec Saïd Mohamed Cheikh et c'était le médecin-chef qui réglait ça en ma faveur. Lui, il sait plus que vous.

Ton père a commencé à travailler avant 1926 ?

Bien sûr que oui. Certes, il n'a pas fait une formation académique, il a été formé sur le tas, lui, c'était un infirmier hors pair.

Mais il était quand même lettré.

Oui, il a été à l'école, il savait lire et écrire. Il a suivi sa formation à Moroni.

Je cherchais par la piste de l'école, le site lui-même, où l'école a été implantée, qui était à l'école ? Comment se fait-il que lui, il a été à l'école très tôt comme ça ? Qui l'a envoyé à l'école ? Les parents ou une société comme ça ?

Je n'ai pas ces données-là.

Il faut surtout voir que ces gens-là sont arrivés et se sont mariés, ont pris des épouses comoriennes. Cela a atténué le clivage, notamment pour les générations suivantes. Comme, par exemple, le cas précis, notre ancêtre est un Makua, il s'est marié avec des femmes libres (*wa-ungwana*), cela veut dire qu'en effet le mariage…

Et pourquoi on les a facilement acceptés ?

Je pense que les gens refusent de répondre à cette question. On aurait pu poser l'autre question, pourquoi les aurait-on refusés ? Puisque, de toute façon, ceux qui étaient là, même s'ils étaient libres, ils étaient tous Africains.

Eux, ils étaient des guerriers.

Oui, il y a eu des groupements multiples, mais ceux qui vivaient aux Comores avant eux étaient tous d'origine africaine. Comment pouvaient-ils refuser des Africains comme eux ? C'était peut-être l'africanité elle-même qui faisait peur ; mais ils étaient aussi musulmans. C'est le problème.

Et même s'ils ne l'étaient pas, il fallait voir comment étaient les Comoriens au XIXe siècle, je dis que je n'ai pas encore la bonne réponse, mais les gens n'arrivent pas à répondre. Pourquoi ils allaient les refuser ? Une fois, je discutais avec quelqu'un à Gobadju, il était très provocateur, mais il a pu déclencher de belles réactions, qui finalement ont été d'une grande importance.

8. Athoumani Houmadi, connu sous le nom d'Ali Bwere

C'est le nom de mon grand-père que l'on m'a attribué. Il fut esclave en ce temps-là, originaire de Bazimine. Mon grand-père s'appelait Madi Oili. J'ai 33 ans.

Owandru waka urumishiha harumwa zesosote zahale enamnarapara na ma ba-koko watru ema bakoko watru wawo waka ndo wandru wahanda warumishiha pvapvo hata wadja wa pvolwa pulasi wakentsi wakati hama nde unu ngapvo walona mo ngapvo wahafa.

« Selon nos grands-pères, les gens qui travaillaient dans les sociétés ont été les premiers qu'on a fait venir ici pour travailler. Après un laps de temps, on leur a attribué des espaces pour habiter. Parmi ces gens-là, certains sont encore vivants et d'autres sont morts. »

« Après la disparition de la société de Wilson, a suivi la période des engagements à destination de Madagascar. Subodorant un avenir incertain, les anciens travailleurs (esclaves) se sont engagés. Parmi eux, certains sont partis à Madagascar comme il a été dit, d'autres se sont dirigés vers Mayotte, cherchant des conditions meilleures et des moyens qui leur permettraient de vivre. »

Evidemment, rien ne les retenait à Patsy, l'activité ayant cessé, ils se sont dirigés vers des endroits où le travail paraissait être source de vie. « En fait, ils étaient pris comme esclaves, l'esclavage aboli, ils ont préféré partir plutôt que de rester dans ce pays. » Cette réalité-là, nous la trouvons encore vivace chez certaines personnes des grandes villes, qui regardent toujours les habitants de ces localités comme des descendants d'esclaves. Au début du siècle, nombreux étaient ceux qui se méfiaient et qui avaient bien compris qu'ils n'étaient pas considérés comme Comoriens et ont opté pour le départ. D'ailleurs, le choix de partir comme engagés à Mayotte ou à Madagascar a été la suite logique pour des gens qui n'avaient pas d'attache particulière. Ils étaient venus, forcés, mais n'avaient pas choisi le statut. Ce départ a-t-il marqué la mémoire ? « Oui, en effet, j'ai entendu parler des départs vers Mayotte et Madagascar. Moi-même, j'ai un arrière-grand-parent qui est parti vers Madagascar, mais il est mort là-bas en tant qu'engagé. Cela a poussé mon père à partir pour s'informer de sa succession. Il s'était lui aussi engagé pendant des années avant de retourner ici. »

Les gens ont gardé en mémoire des faits ou des anecdotes qui décrivent la vie sociale à Patsy, qui lui est spécifique. « À mon avis, ce sont les danses comme le shigoma, considéré ici à Patsy comme un élément culturel indissociable, et nous, nouvelle généra-tion cherchant à conserver ce que faisaient nos grands-pères, ils allaient travailler jusqu'à tard l'après-midi dans des conditions d'asservissement telles que c'est avec cette danse-là qu'ils se détendaient en temps de repos. » Il y avait aussi ce qu'on appelait « gara sese », mais nous n'avons pas trouvé d'initiateurs. Nous en avons seulement entendu parler. Aussi, le mshogoro. Mais les anciens sont morts, après eux, il n'y a pas eu d'initiateurs.

Au niveau socio-économique, « les champs se trouvant dans le cirque appar-tenaient à ces gens-là. Après l'affranchissement, il leur a été attribué ces champs-là pour garantir leur vie. Mais pour d'autres considérations, notamment les conditions de dénuement, ils ont préféré vendre à ceux de Mutsamudu et Ouani. Mais la plupart ont gardé leur domaine jusqu'à maintenant. »

Qu'est-ce qu'on peut noter au sujet des relations entre les habitants de Patsy et ceux de Mutsamudu et Ouani ?

« En fait, il n'y avait pas de problème dans les relations entre nous et eux ; ceux qui habitaient à Patsy, qui était un chef-lieu, les gens se rassemblaient et échangeaient leurs idées, on observait l'attitude de ceux de Mutsamudu, de Ouani et de Domoni. On ne s'entendait pas beaucoup avec les gens de Domoni, c'était une exception. Eux, se considérant plutôt Chiraziens avec des traditions particulières, ne pouvaient pas s'accommoder avec les habitudes et traditions de Patsy, où c'étaient surtout des Africains qui vivaient, des bantous. Mais par rapport à Mutsamudu, les relations étaient assez bonnes. »

Au sujet des mariages, y a-t-il eu des cas entre des gens de Patsy et les autres ou il existait un système à part, fermé et de type endogamique ?

« Pour les mariages, ce fut difficile ; l'étranger ne se mariait pas à Patsy. Mais c'était entre les familles en présence pour lier les mariages. »

« Fort heureusement, ce phénomène disparaît tout doucement, les gens se mélangent, on voit des gens de Mutsamudu qui se marient ici, ceux de Ouani également. Des hommes de Patsy partent et se marient à Ouani, par exemple…….. »

« C'est en 1976 que l'école fut construite ici à Patsy. Avant cette date, les enfants allaient à l'école à Bazimine, à Ouani. Ceux qui le pouvaient envoyaient leurs enfants à l'école dans ces localités. »

« Parmi eux, certains ont réussi et ont reçu une formation. Mais arrivé au CM2 avec un bon niveau, on l'envoyait pour enseigner, pour devenir instituteur. Parfois, jusqu'en 3e, on les envoyait au primaire pour aider les plus jeunes. Maintenant, on va jusqu'au baccalauréat, on entre à l'université ici à Anjouan, à la Grande-Comore, à Madagascar ou à l'étranger ; partout où on peut aller. »

« Des jeunes de Patsy ont commencé à prendre des responsabilités dans l'administration publique à partir de 1990. Les enfants sont recrutés dans la fonction publique et ceux qui sont instruits commencent à parler aux autres. Parmi les premiers, nous avons eu un instituteur qui s'appelle Youssouf Malidé, devenu secrétaire général du budget, mais maintenant, il est revenu dans l'enseignement. Puis, monsieur Abacar Salim, connu sous le nom de Taki, instituteur, mais qui a été conseiller à la présidence. Il y a eu aussi Mohamed, secrétaire à la mairie de Ouani. Nous en avons un autre qui s'appelle Saidina Anly, qui est adjoint au DAF du gouvernorat d'Anjouan. Sinon, nous avons beaucoup de personnes qui enseignent à l'école primaire, au collège et au lycée. Dans toute la région, il n'y a pas encore eu de ministres, mais l'un des nôtres est directeur de cabinet. »

On constate le chemin parcouru et, aujourd'hui, il n'y a aucune barrière ou plutôt rien ne freine ceux de Patsy de briguer des mandats politiques ou une carrière administrative. « Ce ne fut pas le cas au cours des périodes passées. Si tu étais instruit, tu pouvais travailler dans l'enseignement. Nous vivons de grands changements. Toute personne qui mérite tel poste dans une administration, on l'envoie. Et il mérite comme les autres. »

« En ces temps présents, il n'est pas possible de garder le pouvoir pour ceux de Mutsamudu seulement, ou Domoni ou Ouani. Nous voyons maintenant que les diplômes qui sont à Mutsamudu sont aussi à Patsy, à Koky, dans la Cuvette. Partout, il y a des gens instruits. » Désormais, il n'y a pas de distinction fondée sur les origines ou la race, mais par rapport à un diplôme. « Alors, ils intègrent un par un pour aller travailler. Maintenant, cela est généralisé, en étant instruit, on peut occuper telle ou telle fonction. C'est pourquoi les gens font tout pour avoir des diplômes. »

« Nous ne voyons pas comment un habitant de Mutsamudu oserait dire que les habitants de Patsy ne doivent pas remplir des missions de l'état, ce serait contraire à la démocratie. Tout ce qu'il y a à Mutsamudu se trouve également à Bazimine, à Patsy et ailleurs. »

« En nombre, les villages en dehors des grandes villes sont les plus peuplés. À

Mutsamudu, ils sont moins nombreux et se sont mélangés. Ils viennent de Patsy, de Bazimini, de Bambao, ils vaquent à leurs occupations et puis décident de s'y installer. Ils se sont mariés ».

Dans la configuration actuelle, peut-on imaginer qu'un habitant de Patsy qui va aux élections va les perdre ? Ils sont les plus nombreux. Mais personne ne peut non plus leur nier la citoyenneté, ils sont aujourd'hui des Comoriens. « Plus récemment encore, aux élections législatives, nous avons eu un ressortissant de Patsy qui se mesurait à un autre de Ouani. Ce dernier les a remportées. Il était du côté du gouvernement alors que le nôtre était de l'opposition. Celui du gouvernement les a gagnées. D'ailleurs, ceux de Ouani sont venus nous voir pour qu'on ne présente pas de candidat, mais nous n'avons pas accepté. Tout simplement pour montrer que la région a aussi des gens aptes à nous représenter. Nous devons ajouter que la corruption a beaucoup joué. Les gens ont accepté des biens matériels et financiers pour accorder leur confiance au député présenté par le pouvoir. Ici, à Patsy, il donnait des chaises, des sacs de riz, des tuyaux pour l'adduction d'eau, etc. ». Fils ou descendants d'anciens esclaves, ils ont aujourd'hui le titre de citoyens comme tout le monde et sont Comoriens. Les origines n'ont pas joué, mais la force du pouvoir et la corruption si, comme dans toutes les régions. À n'en pas douter, les jeunes surtout n'ont que faire des origines et surtout que personne ne leur en parle. Ils n'ont pas voté parce que ceux de Ouani sont des nobles. En 2010, quelle conscience a le jeune de Patsy ? Se considère-t-il Anjouanais, Comorien ? Nous le voyons sur le terrain se mesurant à tout le monde pour un siège à l'assemblée, pour une direction, il a de la notoriété parce qu'il fait l'école comme les autres. Il a les mêmes diplômes et les mêmes compétences. Faire prévaloir ses origines ouaniennes ne suffit pas.

« La manière dont les mariages se conçoivent ici à Patsy ou à Anjouan tout court, il y a d'abord ce qu'on appelle les fiançailles, ce sont les deux familles qui discutent de tous les aspects avant d'accepter le principe du mariage. Dans tous les cas, la décision de la fille est nécessaire avant de publier la décision et de faire quoi que ce soit. »

Parmi les festivités en cas de mariage, il y a ce qu'on appelle « mdandra », c'est-à-dire le deuxième jour, les gens viennent danser pour marquer le début des festivités. Le mdandra est une danse exécutée par des dames âgées avec des coutumes et un cérémonial ; elles appliquent toutes sortes de plantes à la mariée.

« Il existait à Anjouan des mariages endogamiques. Mais si nous devions continuer ainsi, les filles n'auraient plus d'époux et seraient nombreuses dans les foyers sans mari. Maintenant, nous avons décidé d'abandonner ces pratiques, car les nasaba, c'est-à-dire les mariages entre des familles de nasaba, ne peuvent plus continuer. Cela n'existe plus. Le fils de Bega la rovu est instruit alors que celui de Saïd untel, non. Les gens préfèrent prendre comme mari celui qui est instruit, même s'il est d'origine très, très modeste, voire même servile. Certes, ces pratiques sont encore en usage à Mutsamudu et à Domoni. Et comme conséquence, les filles restent à la maison pendant longtemps et ne trouvent pas de maris qui leur correspondent. Là, ils vont aller chercher ailleurs, en dehors de la ville. »

« À Hamumbu, tous ceux qui venaient de la région de Nyumakele ou de Koni ne pouvaient pas s'asseoir à cet endroit-là. C'était une place réservée aux habitants de Mutsamudu exclusivement. Ceux des paharoni ne pouvaient pas se mélanger avec eux. Lorsque ces gens arrivaient, on leur disait : ici, vous n'avez pas de place, allez ailleurs. Cela se fait encore à Mutsamudu. Il existe quand même des quartiers où les gens se mélangent. Maintenant que tout le monde va à l'école, les gens ont les mêmes qualifications, se retrouvent dans les universités, les écoles, ils échangent et projettent ensemble. En vérité, ce sont les anciens, les vieux, qui ont gardé ces habitudes. »

« Pendant mon enfance, il n'y avait pas d'école comme maintenant. L'école primaire, le collège et même l'université sont maintenant implantés à Patsy. Le gouvernorat se trouve à Patsy. Cet emplacement fut la maison du Dr Wilson. L'usine de fabrication de la boisson coca-cola s'y trouve. Le poste de santé militaire a été transféré de Mutsamudu à Patsy. De nos jours, ce sont les maisons qui sont encore intactes. Il utilisait des gens comme esclaves ; les ruines sont encore là. L'ylang non plus maintenant. Nous avons planté des bananiers. »

9. Ahmed Masound, Hambu ya washili

Comment les gens étaient-ils exploités ?

Je ne sais pas comment exactement. Mais je sais que les gens n'étaient pas exploités comme au temps de l'islam, où l'on était pris avec sa fortune et exploité. Seulement, on soumettait les gens à des travaux pénibles. Par exemple lors des créations de routes ou au temps de Baumer quand il exploitait les gens dans l'île gratuitement ou même au temps des filanzanes où l'on transportait le Blanc ou les Bedja, les Wafaume, à l'exemple de Saïd Ali.

Comment s'effectuait le transport ?

Il était transporté depuis Bahani jusqu'à Hambu (par exemple) ; les gens qui l'ont transporté jusque-là s'en vont et des personnes de Hambu prennent la relève jusqu'à Itsinkudi ; ceux d'Itsinkudi le transportent ensuite jusqu'à Herumbili ; ceux de Herumbili prennent la relève jusqu'à Mnungu, et ainsi de suite. Toute personne ayant de la puissance comme lui, Saïd Ali, Msa Foumou. Il y avait différentes manières de régner. Par exemple, la manière dont régnait Msa Fumu. Parmi ses grands rituels, il y avait le dépucelage. Toute fille de cette île qui voulait faire le mariage devait passer d'abord chez Msa Fumu pour que ce dernier la dépucelle. Sinon, le mariage n'avait pas lieu. L'homme qui a fait disparaître ces rituels ici se nommait Mwadiliwa Madi, il est de ce village.

Qu'est-ce qui s'était passé ?

Un jour, la sœur de Mwadiliwa, nommée Mzuhali wa Shonamayi, voulait faire son mariage. Le père a annoncé la nouvelle à tous les gens de la famille. Et ils se sont mis d'accord et ont résolu d'aller alerter le Mfaume (roi). Quant à ce dernier, il a consenti et affirmé qu'il enverrait ses gardes pour transporter Mzuhali jusqu'à lui. Le père est venu réunir encore une fois la famille pour leur annoncer l'affirmation du Mfaume, que le mariage aurait lieu, mais que Mzuhali devait passer chez le Mfaume. Il annonça la nouvelle aux villageois. Les gardes venus d'Itsandra pour prendre Mzuhali furent interdits par Mwadiliwa. Ce dernier affirma que « seul le mari de ma sœur lui fera son masque de beauté ». Le père, ayant entendu ces propos de Mwadiliwa, fut pris par la crainte que sa région soit bannie, le village ainsi que la famille. Les villageois, ayant entendu ces propos, tentèrent de négocier avec Mwadiliwa, mais il refusait toujours ce fait que sa sœur soit amenée au roi. Ainsi, les villageois dirent aux gardes qui étaient venus la transporter de s'en aller. Enfin, le père intervint en ordonnant à Mwadiliwa : « Tu dois laisser ta sœur aller chez le roi, car tu es toi-même un bâtard ». Depuis ce jour-là, ces rituels ont cessé.

En analysant cela, on constate qu'il s'agit là d'une exploitation humaine. Les gens étaient exploités dans ce pays gratuitement. Il y avait ceux qui cultivaient les champs, ceux qui construisaient les routes. À cette époque, ces routes étaient trop étroites. Par exemple, la route de Kwambani jusqu'à Hambu et de Hambu à Itsinkudi est trop étroite. Ces routes-là étaient faites par les villageois de Saadani, de Hambu et de Kwambani sans aucune rémunération. Il y avait ensuite les fortifications qui étaient construites un peu partout dans le pays. Les conditions de construction étaient difficiles, à tel point que ceux qui construisaient, une fois fatigués, lâchaient les pierres sur ceux qui se trouvaient en dessous et ces derniers mouraient aussitôt. Parmi ces fortifications, il y a celles d'It-sandra, de Ntsudjini, de Fumbuni et même de Dzahani. Mais celle-là a été construite seulement à base de pierres, sans utilisation de ciment ou de sable. La largeur du mur est égale à 12 mètres et la longueur à 10 mètres. Chaque pierre pesait environ 30 kg. Ceux qui mouraient durant ces travaux étaient parfois enterrés ou abandonnés quelque part. Personne ne disait rien, craignant le roi. Enfin, une solution fut trouvée. Chaque rangée était constituée par des personnes de la même famille, du même clan, afin que personne ne puisse plus lâcher une pierre, à moins de vouloir tuer son frère. Ces fortifi-cations étaient construites par exploitation, sans le moindre intérêt. Tantôt ils tombaient et mouraient ou… heureusement, Allah leur a donné le courage d'effectuer ces travaux.

À propos de ces gens de la même lignée qui effectuaient ce travail, y avait-il des lignées qui ne participaient pas à ces travaux ?

Oui, les gens appartenant à la famille de ces rois-là ne travaillaient pas. Par exemple, la famille de Saïd Ali ou de Mbaé Trambwé. Parce que toute personne éma-nant d'une de ces deux familles devenait obligatoirement roi. Ainsi, les gens venant de ces familles-là étaient défendus de travailler.

Combien de familles pouvait-on rencontrer dans un village ?

Ca dépendait de la taille du village. Si c'était un petit village, souvent, on pouvait rencontrer une seule lignée. Ces lignées tirent leur origine des partages de la viande des bœufs lors des grands mariages. Chaque partie du bœuf était attribuée à la famille digne de cette partie. Par exemple, telle famille prenait le « chwambaya », une seconde prenait le « wuswa mshiya », une autre prenait le « pumbe ne nyandzi », et ainsi de suite…

Pouvait-il y avoir une lignée qui ne prenait rien ?

Non. Ne rien prendre signifiait qu'on était la dernière lignée à prendre sa part. Cette dernière lignée devait ensuite balayer l'endroit où le bœuf avait été égorgé, c'est-à-dire balayer les feuilles de sagoutier qui couvraient le sol afin que la chair de l'animal n'entre pas en contact avec lui. Cela voulait dire que cette dernière lignée n'était pas originaire du village, mais elle était plutôt d'origine étrangère. Elle était venue s'installer. Et en signe de bienvenue, les villageois préféraient que cette dernière lignée prenne part à leur cérémonie en leur attribuant la dernière place au lieu de la laisser tomber.

Historiquement, une lignée pareille est-elle originaire du pays ou étrangère ?

Une telle lignée venait souvent de l'étranger. Comme c'était le cas pour les Wachendzi, capturés par les Français et ramenés ici pour travailler. Il arrivait souvent à un capturé de se marier à une femme du pays. Dans ce cas-là, la famille de cette femme intégrait cet homme dans leur lignée. Et les enfants qui naissaient appartenaient à la lignée de cet homme. C'étaient eux qui balayaient le lieu et donc prenaient la petite et dernière part. Car de tels étrangers ne pouvaient pas être servis avant un originaire du village. Souvent, ces gens-là ne participaient pas lors du partage des « Mbé za Harussi ».

Est-ce que ces gens-là faisaient le grand mariage comme nous ?

À cette époque-là, ils ne le faisaient pas comme nous, mais aujourd'hui, ils le font comme nous, car on ne peut pas distinguer qui est Mchendzi ou qui est Mdrumwa.

Vous avez mentionné que ces étrangers venaient d'Afrique, venaient-ils ici de leur propre gré ou étaient-ils emmenés par des gens ?

Ils étaient emmenés par des gens. Par exemple, par le colon, lorsque Saïd Ali lui a fait connaître le pays. Il allait ramener les Washendzi. Par exemple, Boboni fait partie des territoires que Saïd Ali a donnés au colon. Ce dernier a fait installer ces Washendzi à Boboni et leur donné des scies pour qu'ils coupent le bois et l'envoient ensuite à l'étranger. Le colon expédiait ce bois pour avoir en échange... c'est de cette manière que ces gens-là arrivaient ici. Quant à ces Washendzi, leur esprit devient de plus en plus ouvert, car certains d'entre eux étaient des chefs et commandaient les autres.

À cette époque-là, ces Washendzi étaient ramenés ici pour être emprisonnés. L'éloignement de l'archipel à la côte est-africaine ainsi que la différence qu'avait notre pays par rapport aux autres pays africains ont poussé ces hommes à considérer notre pays comme une forêt où devaient être emprisonnés ces Washendzi. Ainsi, celui qui avait commis une grave erreur était ramené ici, plus précisément à la forêt de Boboni. Ils vivaient dans deux endroits que je connais bien. L'un est la forêt de Boboni, l'autre Pidjani, dans le Mbadjini, au bas de Nyambeni. Sauf que toute trace de ces activités-là ou de maisons n'existe plus à ce second endroit.

On entend souvent ces noms : Mdrumwa, Mdjahazi, Mshendzi, Mtrwana, est-ce que ces noms-là sont liés aux histoires de gens ? On aimerait bien comprendre quelque chose sur ces mots.

Le mot *mshendzi* est un mot dévalorisant. Car tout homme qui se fait insulter ou humilier est appelé par ce mot de *Mshendzi*. Cela signifie que cette personne-là n'a pas de religion spécifique ni un travail spécifique ni même une conduite spécifique à elle-même, mais elle a été vaincue par les rois étrangers qui l'ont réduite à néant suite à sa pauvreté. Je ne sais pas comment cet homme-là est appelé à l'étranger, mais ici, on l'appelle *Mshendzi*. Ce qui signifie une chose dépourvue de valeur.

Le mot *Mdrumwa* se rapporte à des gens vaincus par la force dans notre pays. Mais ici, il n'y a pas de *Mdrumwa*. C'étaient des hommes forts qui vivaient ici. Celui qui était fort était le plus riche, donc le roi. Selon ce que nous avons entendu, il y avait d'abord les *maBedja*, ensuite les *maFerembwe*, et enfin les *waFaume*. C'est le *Mfaume* qui a changé les choses pour donner naissance au Raisi. Le premier *Mfaume* à s'être établi se nommait Ngoma Mdrahafu, il était de Shuani. Il s'est marié à Mtsudje, où il est mort. Mais il a été enterré à Shuani.

Vous avez dit au début que les multiples travaux faits étaient réalisés par des gens vaincus par la force et non par des *Warumwa*. J'ai entendu une histoire concernant la fortification de Fumbuni. Au moment des travaux de construction, un homme s'est échappé. Avez-vous déjà entendu parler de ce récit-là ?

Non, je n'ai jamais entendu cela.

Parce que j'ai entendu l'histoire de Youssoufi Mdidjoni et je me suis demandé si ce n'était pas le cas.

Si, c'est le cas, mais j'étais trop petit quand j'ai entendu cette histoire à Nkura-ni-ya-mkanga. Du coup, je n'ai pas pu retenir grand-chose. De toute façon, il fait partie des hommes intelligents.

Ils construisaient la fortification et il a pris la fuite pour aller se cacher à cet endroit. En ce qui concerne les Warumwa, j'ai déjà entendu dans d'autres régions qu'ici, il n'y a pas de Mdrumwa, mais plutôt des gens vaincus par la force. Cependant, il se pourrait qu'il y ait des Itréya, quelle est leur origine ?

Si je comprends bien, Itréya est né à partir de deux manières. Il est pris par uswayezi. Il naît à partir du premier homme à s'installer dans un endroit quelconque. Celui-ci prend tous les territoires aux alentours de son domicile jusqu'à là où il décide de se limiter. C'est à partir de là que vient le nom de uswayezi.

Comment se fait-il que les gens qui y habitent sont attribués à une telle personne ?

Les gens qui habitent à cet endroit sont attribués à une telle personne soit parce que ce sont les petits-fils soit parce qu'ils appartiennent à la lignée de cette personne qui fut la première à s'être installée sur cet endroit-là. C'est pour cela que tous les enfants qui vont naître à cet endroit-là seront attribués à cette personne-là. Parce que cet homme-là, après s'être installé le premier, il fait des enfants, il prend sa sœur et son beau-frère pour venir s'installer là. Et si cet homme meurt, le fils de sa sœur reste ou le petit-fils, ainsi tous ceux qui vont naître vont hériter cet Itreya (fief).

Parmi les Warumwa, il y a ceux qui sont exploités au pays, il y a ceux qui sont vendus. Qui est-ce qui est vendu ?

Celui qui est vendu est un homme ya rengwa mavuhuwo, il ne sait même pas où l'on va. D'ailleurs, dans ce village, deux hommes furent vendus. Cette vente a commencé au temps du colon. Au moment où il venait prendre les gens pour les envoyer à Mayotte. Tantôt ces gens-là étaient envoyés pour être emprisonnés, tantôt pour travailler. Parfois, le roi, responsable de cette vente, pouvait demander au colon une somme d'argent pour qu'une telle personne ne retourne jamais au pays. Cette personne-là restait à jamais là-bas pour travailler jusqu'à sa mort. Ainsi, cet homme devenait Mdrumwa sans qu'il le sache. Comme je l'ai dit, il y avait deux hommes de ce village. L'un d'eux a été vendu. Il était plus âgé. Vers la fin, au moment où les gens ont commencé à comprendre le système, il a pris la fuite et est retourné au pays. Il a trouvé l'homme qui l'avait vendu, en vie. Il a 45 ou 46 ans et a été vendu par cet homme au moment où l'on construisait les routes. Cet homme l'a vendu et l'a envoyé à Trumbeni. Il a travaillé sans cesse jusqu'au moment où il a voulu retourner au pays, le colon lui a défendu de retourner, car il lui a été vendu. Arrivé aux temps modernes, il a pris la fuite pour rentrer au pays. C'est comme ça que ça se passait, ils étaient vendus sans être au courant. S'ils avaient été au courant, ils n'auraient pas accepté cela. Car ils n'étaient pas des esclaves, mais plutôt des hommes libres. Et si des hommes libres comme eux étaient vendus, c'était inconsciemment et aussi à cause de leur pauvreté.

Je comprends le fait que la vente de l'homme est venue avec le colon, qu'avant, on ne vendait pas l'homme. Cependant, vous avez mentionné que, parfois, des gens étaient envoyés ici pour être emprisonnés, est-ce que cela date d'une époque lointaine ou récente ?

Cela date d'une époque lointaine, car ça date d'environ 180 ans. Ce n'est pas une histoire récente. L'histoire de l'arrivée du colon dans les îles qui ramenait des gens pour couper le bois et l'envoyer à l'étranger, c'est une histoire ancienne.

Pouvez-vous nous dire comment ces Warumwa vivaient dans le pays ?

Ces gens-là ne vivaient pas dans les villages, mais plutôt dans la forêt. Ils cultivaient pour les grands du village et aussi pour les colons. Parfois, un roi du pays allait en demander un pour lui faire faire sa culture. Ces gens-là étaient robustes comme des animaux. D'ailleurs, je vais vous raconter l'histoire d'un Mshendzi qui, un jour, voulut se marier. Un jour, son maître lui dit qu'il doit se marier. Et le Mchendzi lui demanda ce que c'était qu'un mariage. Et son maître lui expliqua tout et lui dit qu'il doit l'accompagner en ville. Le maître part avec son esclave vers le village, mais en apercevant les maisons du village, l'esclave rebroussa chemin, car il n'avait jamais vu pareilles habitations, il était habitué à vivre dans des grottes et sous de gros troncs d'arbres. Le maître le ramena de force et lui dit que c'est là où tu vas passer le reste de ta vie. Mais l'esclave était comme un animal au début. Dès qu'il s'habitua aux gens, son maître organisa le mariage et dit à l'esclave qu'il doit s'accoupler (monter) avec sa femme le soir. Le soir arrivé, l'esclave prit une corde (hamba) et la mit entre ses pieds et dit à sa femme de se lever. Sa femme lui demanda : « mais que fais-tu ? ». Et l'esclave lui répondit : « je veux m'accoupler (monter) avec toi ». Et la femme lui dit : « couche-toi, je vais te montrer comment ça se fait ». Cela prouve que ces gens-là ne vivaient pas dans les villages, mais plutôt dans la forêt.

Si ces esclaves étaient nombreux dans un village, arrivaient-ils à former leur propre lignée ?

Non, car ils n'étaient pas des hommes libres. En plus, peu étaient les villages où l'on pouvait les rencontrer. Par exemple, il y en avait un ici, mais je ne peux pas dire son nom, car aujourd'hui, il fait partie des grands de ce village. Il est arrivé ici au moment de la construction de la route de Hahaya. Il faisait partie de ceux qui étaient envoyés pour cette construction. Il avait un neveu nommé Heri. Ce dernier était le responsable de cette construction. Et quand il a fait l'appel sur la liste, il est tombé sur le nom de son oncle (ce monsieur) et a demandé tout de suite où il habitait. On lui a répondu qu'il habitait à Hambu dans le Wachili. Heri a dit que c'était son oncle, qu'il avait été pris par le colon il y a longtemps, qu'il était à sa recherche. Heri, après avoir appris tout cela, a fait le voyage jusqu'à Hambu, a rencontré son oncle et l'a nommé ensuite à un poste trop élevé. Ainsi, son oncle a été payé en tant que professionnel. Son oncle a fondé une famille qui comprend beaucoup d'enfants.

Est-ce qu'il arrivait à ces esclaves de se marier entre eux sans se mélanger avec d'autres personnes ?

Non, ils se mariaient avec des gens libres et devenaient eux aussi des hommes libres (d'où ils se mélangeaient à la société).

Est-ce qu'ils étaient enterrés dans les mêmes cimetières que les autres ?

Oui, car ils étaient de la même religion que les autres.

La plupart d'entre eux n'étaient pas musulmans.

Oui, ils n'étaient pas musulmans. D'ailleurs, même le langage, ils l'apprenaient ici. Par exemple, il y avait une personne appelée Makua Mnyimba. Il venait de Mdrima. Makua Mnyimba était le chef de Mdrima à cette époque-là. Il avait été envoyé ici par le colon pour y être emprisonné. Un couple makua avait aussi été envoyé ici. Car parfois, ils étaient envoyés en famille tout entière ici. Alors l'homme, en revenant du champ, a demandé à sa femme des nouvelles. Et sa femme lui a répondu qu'il y avait des grandes nouvelles, car Makua Mnyimba était arrivé ici. L'homme a demandé si Makua Mnyimba était venu pour régner ou pour travailler. Sa femme lui a affirmé que Makua Mnyimba était venu pour travailler. La femme avait préparé de quoi manger pour son mari après son retour du champ. L'homme ayant appris cette capture de Makua Mnyimba a mangé son repas en concluant : « gobo la ba Mdrima ko ndrogo ». Ces dernières paroles faisaient partie de leur langage ; alors, les Comoriens ont essayé de leur apprendre le leur.

Est-ce que les maîtres de ces esclaves les traitaient comme des humains, les vêtaient ?

Oui, ils les vêtaient selon le mode vestimentaire de l'époque. Si l'Ikoyi et l'Itambi étaient ce que portait le roi, alors ces esclaves se vêtaient de la peau d'animal. Si c'était la peau d'animal, alors les esclaves portaient des vêtements faits à base de feuilles de cocotier (uhandza). Et si c'était ces feuilles de cocotier le mode vestimentaire…, c'est qu'ils faisaient en sorte que ces esclaves ne soient pas nus. À une époque récente d'environ 100 à 80 ans, ils leur donnaient des Ikoyi pour se vêtir. À ce temps-là, le boubou était le mode vestimentaire.

Oui, ils parlaient avec eux. Si ces esclaves étaient traités comme tels, c'est parce qu'ils étaient dans un pays musulman. Contrairement à ceux qui étaient exploités à l'étranger, cela n'était pas possible. Le nègre était vu comme quelque chose d'étrange. Parfois, il était l'objet d'une exposition. Assis sur une table, les gens allaient le toucher pour voir si cette couleur n'allait pas leur coller dessus. Dans les pays musulmans, on les nourrissait et on les vêtait.

N'y avait-il pas parmi ces esclaves venus de l'étranger certains qui voulaient se convertir à la religion ?

Cela ne posait aucun problème. Il y avait ceux qui se convertissaient et on leur apprenait.

Si l'un des esclaves mourait, laissant derrière lui un enfant, quel était le sort de cet enfant ?

Cet enfant était pris en charge par le roi et restait esclave. Mais la culture musulmane faisait que cet enfant était élevé par tout le monde. Cet enfant était pris en charge sous la voie musulmane. Celui qui pouvait lui subvenir en quoi que ce soit lui subvenait. Par contre, dans un autre pays, cet enfant était élevé en esclave par l'Etat et était au service de cet Etat. Ici, c'était le roi qui s'en chargeait (en premier) ainsi que l'ensemble de la communauté. Une situation pareille s'est déjà produite. Un esclave est mort, laissant son enfant et sa femme. La femme s'est mise à pleurer. Le troisième jour, elle est morte, laissant l'enfant. Cet enfant a été élevé par… et il a été élevé dans la voie de l'islam. Il est allé jusqu'à hériter d'un peu de tout de tout le monde.

Comment distinguait-on à cette époque-là l'esclave de l'homme libre ?

J'ai expliqué qu'un Mdrumwa est une personne vaincue par la force. Ainsi, celui qui était pauvre était le Mdrumwa.

J'ai déjà un peu entendu que dans la ville d'Itsandra, ils étaient nombreux, ils allaient même jusqu'à former leur propre quartier, leurs activités, spectacles et danses. Est-ce que cela existait dans d'autres lieux ou c'était seulement là-bas que ça se passait ?

Cela existait seulement là-bas. Itsandra est une ville qui jouit de la dignité depuis longtemps. Car elle fait partie des trois villes historiquement réputées pour leur savoir-faire. Moroni, Itsandra et Ntsudjini étaient réputés pour leur savoir-faire. Itsandra est née dès l'aube avec des actes généreux, car la plupart des navigateurs venus de la côte est-africaine arrivaient à Itsandra. Ces navigateurs se mariaient, ramenaient leurs femmes à Zanzibar et envoyaient les enfants à Itsandra. Ainsi, ils ont effectué ce mélange-là. Et les gens d'Itsandra ont grandi avec le comportement d'orgueil. De ce fait, s'ils aperçoivent quelqu'un qui n'est ni charif ni blanc, ils le dédaignent, le considérant comme ne faisant pas partie de ce monde. Ils viennent de Nassahun. Nassahun, c'est peut-être une ville qui se trouve à Zanzibar.

Cela est vrai, Itsandra était le plus grand port où les bateaux mouillaient. Est-ce que Mtrwana, Mdjahazi et Mdrumwa ont le même sens ou pas ?

Mdjahazi, c'est un vocabulaire arabe qui existait au temps du prophète Muhammad, lors des combats. Mdjahazi, c'est l'esclave femme ; Mdroumoi, c'est l'homme. Quant à Mtrwana, c'est le même que Mdrumwa. Au lieu de dire une femme Mtrwana, on dit Mdjahazi, et pour un homme Mtrwana, on dit Mdrumwa. Par exemple, Sarah, la femme d'Ibrahim, est une Mdjahazi offerte à Ibrahim par son maître. Mtrwana, ce sont les personnes vaincues lors des guerres au temps du prophète Muhammad. Ils étaient pris, eux, leurs femmes ainsi que leur richesse, pour être réduits à l'esclavage. On donnait à chaque homme du camp des vainqueurs une de ces femmes-là. Et les hommes devenaient aussi des esclaves. On pouvait avoir des rapports sexuels avec une de ces femmes-là sans le moindre problème. Et l'enfant qui naissait suite à ces rapports était aussi esclave jusqu'à ce que son maître le libère de cet esclavagisme. Par contre, si le maître se mariait avec cette esclave ou avait un enfant avec elle, cet enfant était un homme libre grâce à son père. Pour conclure, ces mots-là n'ont pas d'histoire dans notre pays, car ces gens n'existaient pas ici. Ceux qui existaient ici étaient des gens vaincus de force.

Cela signifie-t-il que les guerres qui étaient menées ici ne prenaient pas de gens pour les réduire en esclaves ?

Effectivement ; les guerres menées ici ne prenaient pas de gens pour les réduire en esclaves, mais elles employaient plutôt des gens gratuitement.

Parmi les esclaves ramenés ici, n'y avait-il pas certains d'entre eux qui s'échappaient ?

Non, il n'y en avait pas. Personne n'a jamais pris la fuite. C'est un mystère. Ils obéissaient aveuglément aux ordres de leurs maîtres.

Avaient-ils des travaux spécifiques à exécuter ?

Non, ils n'en avaient pas. Sauf qu'Allah a dit qu'il fallait les soumettre aux travaux qu'ils étaient capables de faire. Si aujourd'hui vous les faites travailler péniblement, demain ils ne seront pas capables de travailler.

Cela est très clair que l'esclavage musulman n'est pas égal à l'esclavage occidental. Car en islam, ce n'est pas interdit d'avoir un esclave, mais il est dit qu'en lui donnant sa liberté, une grande récompense vous attend dans l'au-delà. De ce fait, celui qui était esclave chez le musulman vivait mieux que celui qui était chez le colon.

Vous nous avez parlé d'aide qu'apportaient les villages lors des travaux publics qui se réalisaient un peu partout dans l'île, est-ce que chaque personne avait l'obligation de participer à ces travaux ou bien il y avait des personnes spéciales qui devaient y participer ?

Il y avait des gens spéciaux. C'étaient les personnes majeures.

De quel genre de travaux s'agissait-il ?

C'était par exemple une fortification, une construction au palais royal ou un travail à Kwambani. Par exemple, les gens y sont appelés pour mettre de la propreté quand le roi est attendu ce jour-là à la capitale. Donc, on était obligé d'aller nettoyer la ville.

Lorsqu'on transportait le roi ; par exemple, les gens de Kwambani l'ont transporté de Kwambani à Hambu et ceux de Hambu de là jusqu'à Itsinkudi, arrivés à Itsinkudi, est-ce qu'ils l'emmenaient jusqu'au domicile du chef de village ou est-ce que toute personne se trouvant dans la rue prenait la relève ?

Ils n'allaient pas chez le chef. Il y a deux choses. Puisqu'il y avait ceux qui arrivaient à remarquer que le roi était en route. Aussitôt, ils prenaient la fuite. Il y avait le fait qu'on annonce au chef du village que le roi allait passer dans son village. À ce moment-là, le chef allait sélectionner les gens, majeurs, qui allaient assurer le transport du roi une fois arrivé. Celui qui prenait la fuite devait disparaître à jamais, à moins de vouloir mourir. Si vous croisiez par hasard les gens transportant le roi, vous deviez changer votre destination et, par respect, les suivre, même si vous n'étiez pas capable de transporter.

Vous nous avez parlé de Boboni et de Pidjani, y avait-il seulement ces deux villages ou il y en avait d'autres ?

Si, il y a d'autres villages, mais ce sont ceux que je connais.

Et ces esclaves venus à Boboni, étaient-ils habillés de vêtements spécifiques ou est-ce qu'ils étaient habillés comme on s'habillait ici ?

Non, ils n'étaient pas habillés comme ceux d'ici. À leur arrivée, ils étaient enchaînés comme des bœufs afin qu'il leur soit impossible de s'échapper. Parce que même s'il s'agissait de sauter dans la mer pour s'échapper, ça aurait été une chose facile pour eux. D'ailleurs, la plupart d'entre eux arrivaient nus, c'étaient ceux qui les accueillaient ici qui leur donnaient de quoi se vêtir puisque notre pays est un pays de protection. Les esclaves qui sont restés là-bas sont nus, mais ils ne se sentent pas nus. Ils ne réalisent pas que c'est leur valeur. Ainsi, la moitié de ces esclaves arrivait nue et était aussitôt envoyée à la forêt pour y rester.

N'ont-ils pas amené leurs danses traditionnelles jusqu'ici ?

Ils n'ont pas amené leurs danses traditionnelles, ils apprenaient plutôt à danser les danses traditionnelles d'ici. En plus, ils n'étaient pas répartis en troupes puisqu'ils existaient seulement à Boboni. Et Boboni avant n'était qu'une forêt où ces esclaves étaient envoyés.

Au moment où Saïd Ali a donné au Blanc cette zone de Boboni, a-t-il consulté les autres rois de l'île avant ou non ?

Il n'a pas du tout demandé leur avis. Il a fait ce qu'il a voulu faire de Boboni ainsi que d'autres zones. Il allait même jusqu'à les assassiner. Parfois, un homme était placé devant lui et il crachait sur lui jusqu'à ce que les vêtements blancs de cet homme rougissent.

S'agissait-il d'un simple homme ou d'un roi ?

Il s'agissait d'un roi qui avait eu l'audace de réunir tout le pays pour critiquer ses décisions. Donc, il fallait qu'il soit tué. Comme Mwiny Mku, Saïd Mdwahoma, frère de Mdwahoma Mfaume, ou mon grand-père Mfwahaya wa Sayidu, tous ces gens-là ont été déposés devant lui. Il mangeait son betec et crachait sur eux jusqu'à ce que les vêtements de ses victimes rougissent pour les laisser ensuite s'en aller. C'est ce qui a précipité l'arrivée du Français sur ce sol. Pour tuer ces rebelles et prendre le contrôle du pays afin que personne ne puisse se révolter.

Ce thème de l'esclavage est un thème très large, ainsi pour être précis, on aimerait savoir si l'esclave bénéficiait de quelques avantages ou si c'était un mauvais coup qui lui arrivait ?

Sans aucun doute, partout dans le monde, l'esclavage ne profite pas aux esclaves. Sauf pour Bilal qui, après des années de soumission, est devenu un homme de référence dans le continent africain. Mais c'était une seule et unique chance qui lui était destinée. L'esclavage est sans intérêt ici-bas ainsi que là-haut. Car la force, l'intelligence, la famille et l'homme lui-même sont tous exploités pour rien. C'est ce qui fait que l'on ne fait que travailler gratuitement. Même si on est nourri gratuitement, cela ne compte pas pour un salaire, car c'est évident que celui qui t'exploite te nourrisse, te vête et te chausse. En plus, tout cela ne serait pas pareil si c'était toi-même qui te nourrissais, te vêtais et te chaussais. Bref, l'esclavagisme n'apporte aucun intérêt.

Comment l'esclavagisme a pu disparaître de ce pays ?

La civilisation arrivait.

Il y avait dans le pays de l'esclavagisme bien avant l'arrivée des colons ainsi qu'à leur arrivée ? Lequel de ces deux esclavagismes était supportable ?

C'était celui des colons, car eux, ils avaient des règles qu'ils appliquaient aux esclaves, contrairement à l'esclavagisme d'avant. Ainsi, celui qui était exploité suivant des règles n'était pas comparable à celui qui l'était sans aucune règle. Ce dernier pouvait être tué. Avec les colons, cela n'était pas possible, ils exploitaient durement leurs esclaves et ne leur donnaient pas à manger, ils allaient même jusqu'à les emprisonner. Par contre, avant l'arrivée des colons, l'esclave qui avait commis une erreur était tué.

Cela signifie qu'à l'arrivée du colon, les esclaves étaient heureux ?

On peut dire ça, car à ce moment-là, ils ont échappé à l'exploitation sans loi des Comoriens.

Vous avez mentionné que la civilisation apportée par les colons, le kanun et l'islam ont favorisé la mise à l'écart de l'esclavagisme. Pourtant, dans nos esprits, l'esclavagisme existe encore et le cas de Séléa illustre bien cette existence. Comment Séléa en est arrivé là ?

Durant la période du roi de Bambao, ce dernier transformait les petits villages incapables de se défendre en fermes. C'étaient des villages qui se trouvaient en plein chemin. Ainsi, un homme venant de Bambao se retrouvant à la tombée de la nuit à Séléa et qui décidait d'y passer la nuit devait inévitablement s'occuper du bétail. Car à ce moment-là, il n'y avait pas d'hommes libres à Séléa. Peut-être qu'à cette époque-là, Séléa n'était qu'une forêt où on allait faire paître son bétail. C'est à partir de là que le roi de Bambao, Msa Fumu et d'autres ont considéré Séléa comme une ferme. Tout cela n'est que paroles, mais les actions n'existent plus aujourd'hui.

La plus grande part des gens qui peuplent ce pays vient de Mdrima, d'où viennent les autres ?

Il est dit que les gens qui habitaient ici étaient des Arabes, mais je ne sais pas comment ils sont arrivés ici. D'ailleurs, historiquement, il paraît que le nom de Komor est venu à partir... De Madagascar, ils venaient prendre ces gens-là et ils sont restés pour grandir jusqu'à former des villages. Alors, le nom de Komor vient du nom Kamroun et ce sont les Arabes qui ont donné ce nom grâce à ces oiseaux-là.

Pour terminer, nous aimerions que vous nous disiez votre nom et que vous nous conseilliez une autre personne qu'on pourrait aller interviewer sur ces questions, si nécessaire.

D'accord. Mon nom est Ahmed Masound et ici, c'est mon village. Je suis un fils de Baraka Soilihi. Elle, elle est de Samba Madi. Cette dernière est de Djambamba Mfoihaya, qui est de Mka wa msini et celle-ci est de... et Djambamba Mfoihaya est de Mfoihaya wa sayidou... Soudjanawou, qui est le grand-père de Mdoihoma Mfaoumé, qui est de Mfaume wa madjuwani... Ils font partie des gens qui sont venus en premier sur ces îles. C'était le premier roi de ce pays. Si vous voulez d'autres commentaires, allez voir Abderemane de Bandamadji la Domba, il travaille aussi à la radio de ce village.

10. Damir Ben Ali

Damir : Il faut pour cela voir des personnes comme Chamanga, et puis, il y a les organisations, mais les ouvrages qui décrivent ces aspects sur les Makua, même si on va en France, sont en portugais. On peut en trouver qui ont étudié ces aspects.

Les archives ont évoqué certains aspects et certaines situations, mais peu d'écrits leur sont consacrés pour décrire leur situation aux Comores.

J'ai démarré mes investigations à Irungudjani et dans les environs. Je commence déjà à dater le début du quartier, approximativement vers la fin du XIXe siècle. Peut-être un peu avant. Maintenant, la question est de savoir d'où viennent ces gens-là ? Un premier élément de réponse, une partie est constituée par les travailleurs de Humblot.

Damir : Non, il y en a un très petit nombre. Moi, j'ai des éléments de réponse à ce sujet. Autour des années 1900, il y avait un hameau appelé Bilad. Ses habitants disaient qu'il y avait des démons qui les tracassaient, ils ont quitté leur site et se sont installés à Irungudjani.

Et puis, certaines personnes qui vivaient au centre de la ville, comme le père de Hassane Mzé et d'autres qui avaient leur habitation près de chez Koudra, à Badjanani, vers les magasins Fidali, sont allées les rejoindre. Il est possible que certains parmi ceux qui sont nés là-bas soient encore vivants ; c'est-à-dire, il y a beaucoup de gens qui, parce que ceux de Bilad sont venus s'y établir, comme ce sont leurs jardins (mahura), ils sont partis y résider eux aussi. À leur arrivée, c'est à ce moment-là qu'on a commencé à construire le bangwé en 1934 (?). Ce sont eux qui ont créé un système d'anda à eux, différent du centre. Avant, il y avait Badjanani, Mtsangani, Djumwamdji et Madjenini. Ces quartiers se trouvaient à l'intérieur de l'enceinte. Quand ils ont construit ce quartier là où il est, ils ont pris leur jardin et ont construit leur maison. Ces gens-là vivaient, auparavant, au centre-ville, avec le statut d'esclave.

Seulement, il y en avait, à Moroni, de deux types : le statut des esclaves issus de la traite et un autre statut pour les autres, qui étaient des Grand-comoriens, mais suite à une faute commise, ils avaient été déchus de leur citoyenneté, c'était une déchéance civique. Ils avaient perdu leur lignage, leurs droits, ils avaient été installés sur des terrains appartenant à ceux qui avaient le pouvoir en ces temps-là.

Mais, entre-temps, au temps de Humblot, il y a eu des engagés que les Comoriens achetaient en Afrique pour les vendre à Humblot ou les lui sous-louer. Ils les envoyaient chez Humblot et à la fin du mois, le salaire était divisé en deux : une part revenant au propriétaire de l'esclave et l'esclave recevant la deuxième partie. Après une période de dix ans, et c'est là où il y a confusion entraînant un conflit entre Pobéguin et Humblot. Ce dernier voulait un engagement de dix ans de travail effectif alors que Pobéguin soutenait l'idée selon laquelle l'engagé passait dix ans avec l'engagiste, donc dix ans de vie.

Il existait aussi un deuxième problème. Humblot a inventé une autre histoire : lorsqu'il a été nommé Résident, ceux qui avaient fini l'engagement et qui étaient donc libérés, s'ils n'étaient plus employés quelque part, ils étaient considérés comme vaga-bonds. Et suite à cela, les gens de Moroni se sont mis d'accord pour les placer dans les familles comme engagés pour réaliser des travaux domestiques, mais à une condition : de les convertir à l'islam. Et à ce propos, il y en avait un qui vivait à Mtsangani (Galawani), on lui a expliqué comment faire la prière, de toute façon, tu vas à la mosquée et tu suis les autres ; en regardant les gens, tu feras comme eux. Et au moment des faits, il a dit : « *nawa yitu Kobeyani* (port où il a débarqué), awali kitambuni (parce qu'il travaillait à Itsambuni chez Humblot,), ma maîtresse, c'est Moinarafa (c'était sa propriétaire) qui a fait que je suis là, ce que tu dis, c'est ce que je dis ».

Donc, certains parmi ceux qui avaient pris les Makua possédaient des jardins là-bas (à Irungudjani), les y ont installés et se sont mélangés avec ceux qui étaient là depuis longtemps. C'est en 1934 qu'on a mis en place le anda coutumier, qu'on a construit la place publique (bangwe), et tout ça s'est fait alors que l'esclavage était aboli depuis longtemps, en 1904. C'est à ce moment-là qu'ils ont formé le fondement du quartier. Il y avait un faible pourcentage de Makua parmi les habitants du quartier, la majorité était formée de Comoriens au départ, provenant de Bilad et ceux de Moroni centre. Ceux-ci étaient des Comoriens, mais ils se sont retrouvés esclaves de certaines familles pour avoir commis une faute ou après des guerres anciennes. Comme par exemple à Hambu, lors-qu'on avait un certain nombre d'enfants, le roi prenait le cadet comme esclave. C'était un passage facile.

À Itsandra justement, j'ai recueilli cette version selon laquelle les cadets étaient utilisés comme esclaves. Mais justement, j'ai classé 3 catégories en ce qui concerne les origines des gens de ce quartier : ceux de Bilad en me demandant leur origine réelle. On les connaît à Irungudjani. Il y a un deuxième groupe, ceux que foundi Bin Cheih a ramenés et installés à Irungudjani.

Damir : Bin Cheih, lui, est venu après la guerre de 1914-1918, dans les années 1920. Il était auparavant fonctionnaire en Tanzanie, au temps des Allemands. L'Alle-magne a été battue et l'Angleterre a récupéré la Tanzanie. Bin Cheih a alors fui la Tan-zanie et est retourné aux Comores. Il est de Mitsamihuli. Mais là encore, il a connu quelques problèmes parce qu'il n'avait pas fait le grand mariage. Même s'il était instruit, les gens refusaient de répondre à ses appels et on lui a refusé le droit de conduire les prières. Lorsqu'on lui a signifié cela, il est parti vers Moroni. Aussi, il a créé un internat où les élèves…

Moi, je ne croyais que c'était chez Saïd Hachim à cause de la confrérie chadhuli, qui a eu sûrement ses clients et la proximité du lieu. Probablement la famille de Saïd Ka-dhwa et Nahau, dont les descendants sont là, héritiers et propriétaires du domaine ; les maisons sont en pisé ou en tôle, ce n'est pas encore construit en dur. Peut-être qu'Abdallah Himid disait quelque chose dont il a seulement gardé un vague souvenir, sans date.

Damir : Il pourrait être possible que Bin Cheih, en arrivant, ait emmené des esclaves. Il y a un ressortissant d'Irungudjani, que j'ai rencontré à Fassi, où il a élu domicile. Il se rappelait beaucoup de choses d'Irungudjani, c'est Saïd Ahmed Ibrahima Halifa qui me l'a présenté. Il s'est marié là-bas et est mort là-bas. Il se rappelait de Saïd Mohamed Bin Cheih, il aurait pu donner des renseignements.

C'est en me renseignant au sujet d'une vieille dame d'Irungudjani que j'ai pu par la suite dater la création du quartier. Elle est morte en 1996. C'est la mère de la femme d'Omar Ibrahim Badi. Elle est morte semble-t-il à 120 ans, sinon plus.

Damir : Je me rappelle, Biladi était un itreya du djumbe. Parce que je me souviens lorsque Ibrahim Abdillah a voulu vendre ces terrains au gouvernement, qui voulait faire construire le terrain d'aviation, un itreya du Djumbe.

Sophie m'avait dit qu'ils furent des esclaves du palais.

Damir : En effet, ce fut un *itreya* du *djumbe*, Mbashile aussi.

C'est peut-être autour du lycée, car certaines familles d'Irungudjani avaient des champs dans les environs. Ils ont vendu ces terrains. Et ce sont eux, semble-t-il, qui sont venus de là ; le père de fundi Mabruku était de ceux-là. J'ai demandé au petit-fils de la dame en question d'où elle venait et il a indiqué Salimani ya Hambu. Là, j'ai compris qu'ils sont venus à ce moment-là.

Damir : Peut-être qu'elle est venue une fois mariée avec une personne déjà installée ou bien elle s'est retrouvée là avec ses pairs, car il y a ceux qui sont descendus de Boboni. Parce que wa Selea, wa Salimani, ce sont des Africains emmenés par Mwinyi Mku au moment où il mettait en place ses pépinières et ses plantations.

Il m'a été dit que c'est Humblot qui a créé Salimani.

Damir : C'est dans ce village, Salimani, qu'a commencé le conflit de 1890, car c'était un domaine de Saïd Bacar Mouigni Mku, et c'est là qu'a été planté en premier le girofle. Mais quand Humblot a été nommé Résident, il s'est approprié le domaine et y a fait un port. Il y avait un domaine de Saïd Bacar wa Mouigni Mku et une partie appartenant à la mère de Saïd Ali. On voit d'ailleurs que les Comoriens sont légalistes. Sultan Saïd Ali a fait venir Humblot à la Grande-Comore, la propriété de sa mère a été prise. Cela ne les a pas empêchés de provoquer une guerre, de se regrouper aussi à Koimbani Washili, faire un hitma ; tous les rois de Ngazidja ont pris la résolution de renvoyer Humblot et ont isolé Saïd Ali. Arrivés à Dhoihira à Moroni, à la recherche de Saïd Ali, qui avait un espion parmi eux, qui devant la maison de Saïd Ali, a commencé à l'insulter. Saïd Ali a alors compris que quelque chose était en train de se passer. Il s'est habillé comme une femme, a pris un boutre et s'est rendu à Mohéli. Humblot a été encerclé à Shongodunda pendant trois mois, protégé par sa garde africaine. Effectivement, quand Humblot a accaparé Salimani, il a fait venir des Africains.

J'ai rencontré un vieux à Mvuni dont la mère est de Séléa, Mze Mhoudine Ibrahim, mort en 2007. Il m'a donné une version selon laquelle les premiers habitants d'Irungudjani étaient des miliciens de Msa Fumu vaincus au terme de la guerre contre Saïd Ali.

Damir : C'est une confusion de l'histoire ; c'est en 1864, c'est la guerre de Msafumu et de Mwinyi Mku contre Mohamed Ben Sultan, père de Saïd Ali. Car la guerre se déroulait à Irungudjani. C'est là que les habitants d'Itsandra ont fait un ziara, ils ont inscrit les noms des guerriers d'Iconi sur chaque quartier d'un bœuf, ce sont des faux musulmans, et les découpaient. Mais à ce moment-là, le quartier n'existait pas.

J'ai fait aussi des recoupements avec ce que disait un vieux de Bweni ya Bambao, il est mort, il prenait la parole dans les meetings de campagne de Jean Mradabi. Lui, il m'a dit que nous sommes de là-bas, nos pères furent ramenés de Zanzibar. Il m'a indiqué chez lui, que j'ai facilement reconnu. Alors, il me disait là-bas, c'est chez moi, mon père vient de là, il a lui-même utilisé le mot « wawo ndo washendzi wawo ».

Damir : J'ai entendu une anecdote du père de Mouzaoir, Abdallah Cheih Mohamed, et Mze Oussoufi, père de Mdahoma Oussoufi. Ce dernier lui avait fait un travail et ils se disputaient ; Abdallah Cheih Mhamadi a dit : « e mshendzi woyi » et au second de répondre : « tu as raison, car mon père et le vôtre sont venus par le même boutre ; mon père a enroulé son turban autour de la hanche et a dit qu'il est Mshendzi et le vôtre l'a mis autour de la tête et a finalement dit qu'il est Arabe ».

La version donnée par Mze Mhoudine se recoupe avec celle recueillie à Bweni concernant Irungudjani, où parmi les habitants, certaines personnes font allusion à des relations avec des gens de Ntsudjini qui se sont installés à Irungudjani.

Ce sont sûrement des watrwana de Msa Fumu qui ont été capturés après la défaite de Msa Fumu, cela est exact. Ils ont été pris par Saïd Ali et il les a installés à Irungudjani.

Ce sont ces anecdotes qui permettront de retrouver les origines des habitants qui y sont actuellement. J'aurais sûrement des difficultés dans mon quartier, mais ce sera mieux que ce soit moi qui le dise plutôt qu'un autre. Il n'y a pas longtemps, des jeunes ont voulu s'attaquer au journal Al balad pour avoir écrit qu'à Irungudjani, vivaient des esclaves et que c'est eux qui assuraient les travaux de cordonnerie. Effectivement, les fils et petits-fils de ces gens ont voulu se soulever, mais sont venus me voir d'abord pour que je puisse donner la réplique. J'ai été très gêné. Je leur ai dit : prenons le problème autrement, car cela est une vérité, nous avons par ces activités participé et contribué à la constitution du patrimoine intangible du pays ; par l'exercice exclusif de ces métiers, par les danses que les autres ne connaissaient, l'artisanat aussi. Vous-mêmes, vous le dites que vous êtes les champions de ces danses qu'on ne trouve nulle part ailleurs. C'est une fierté. Il existait des sultans, des familles régnantes qui avaient leurs serviteurs. Vous savez, il n'est pas rare d'entendre ici des gens dire que telle ou telle famille habite sur des terrains qu'elle a reçus du Djumbe. Nous devons donc apprendre l'histoire. Il semblerait aussi que lors de l'arrivée de Mitterrand aux Comores, en 1950, c'est à Irungudjani que fut organisée la danse sambé. D'ailleurs, il y a quelqu'un maintenant qui se souvient de la chanson qui a été chantée à l'époque. Il y avait un passage où on parlait de l'Angleterre. Ce qui paraissait indécent devant une autorité française. Parmi les officiels comoriens, Saïd Salim criait aux chanteurs : « ne dites pas Angleterre, dites plutôt France ». Cette référence à l'Angleterre traduit les rapports très étroits entre les habitants de ce quartier et Zanzibar.

Je me rappelle le conflit entre Saïd Mohamed et Saïd Ibrahim, lorsque Saïd Ibrahim revenait de France, effectivement, c'est à Irungudjani qu'on dansait le sambé. C'était un « fief de Saïd Ibrahim ».

En fait, Saïd Ibrahim avait des liens de clientélisme avec le quartier ; ils parlent de famille. Ces rapports existent toujours, mais après la mort de Saïd Ibrahim, ces rapports se sont éteints. Je souhaite faire un bilan en concluant que, même s'il y avait des esclaves d'origine comorienne, d'autres étaient d'origine makua.

Damir : Absolument, il y avait des Makua et d'autres qui appartenaient à d'autres ethnies non makua, achetés à Zanzibar. Certes, certains se rendaient au Mozambique pour acheter. Certains Comoriens vivaient au Mozambique, comme le grand-père d'Ali Mze Hamadi, qui a eu un enfant là-bas, dont les petits-fils sont encore là ; puis, il l'a ramené ici avec une dame qu'on appelait Salama Mdjufumuo. Mais son enfant et ses petits-enfants vivent à Mtsangani encore jusqu'à maintenant.

Je pensais travailler un peu à Djumwamdji, pensant qu'il y a là le mur d'enceinte qui limitait la ville.

Damir : Oui, Djumwamdji et Madjenini sont des Comoriens, le mur entourait la ville et ces deux quartiers étaient à l'intérieur. Près de la préfecture, passait le mur qui entourait jusque-là où on a construit le foyer de Grimaldi. Tu vois, au moment où ils bâtissaient la mosquée du côté de la vice-présidence, Issihaka était alors gouverneur, c'est ce dernier qui a fait les démarches pour casser le mur d'enceinte et permettre la construction de la mosquée. On appelait cet endroit kurani ha Vincent, il n'y avait pas la préfecture, c'était à l'extérieur de la ville. Le phare a été construit à l'extérieur du mur.

Je pense m'inspirer de votre ouvrage « Visite guidée de Moroni » pour revoir les frontières de la ville.

Damir : Demande à Moinour, car Chamanga l'avait pris dans l'espoir de le reproduire. La saisie de l'ouvrage a été assurée par elle pour la réédition. Parce que sur la hauteur (à Djumwamdji), se trouvent effectivement les premières maisons de la ville. Le hinya mahatwibu y vivait sous la place publique…

N'y a-t-il pas eu de nouvelles personnes qui sont venues s'établir ? À Irungudjani, il y a un ancien salarié de Mabahoni, à Ajao.

Damir : À Djumwamdji, il y avait une femme qui était mariée par un de ces Africains. Il résidait à l'endroit où il y avait les locaux de la police de l'île. Il y avait des maisons de la société, et là vivait cet homme du nom de Mterela, son fils s'appelle Msaidié, mais ne porte pas le nom de son père Mterela. Donc, il y en a plusieurs qui se sont mariés à Djumwamdji, mais le fond de ses habitants sont des serviles Comoriens.

J'ai fait cette confusion, car je pensais qu'au temps de Humblot, car me semble-t-il, Humblot avait un foyer à Madjenini.

Damir : Humblot avait acheté dans les environs de l'emplacement du CASM, chez Saïd Hassane. Cette maison fut rachetée après. C'étaient des gens qui hypothéquaient leur maison et ne pouvaient pas rembourser. Par exemple, tout près de chez Bafakih, chez Chalma Mhindi, c'est Mzé Ali Habdallah qui démarchait pour le rachat. À l'intérieur de la ville, beaucoup de maisons ont été achetées. Ces maisons sont reconnaissables, car les cadres des portes sont doublés. C'étaient les Français et les Malgaches qui avaient acheté ces maisons, surtout les Malgaches et les Créoles.

À Mabahoni, où il y avait l'atelier, l'ancien salarié me disait qu'il était jeune à ce moment-là, il travaillait le bois, le colportage.

Damir : Il y avait une huilerie, la menuiserie, à la SAGC, on fabriquait de l'huile d'olive, des cordes et beaucoup d'autres choses. Il y a eu, comme le soutient Maurice dans son livre « Un mzungu aux Comores », exportation de beaucoup de produits.

Je crois qu'ici, à Moroni, il y a plus d'anecdotes pour retracer l'histoire des Makua, mais j'approuve votre démarche qui consiste à voir leur contribution dans le patrimoine national intangible, les danses. Je me rappelle que le 14 juillet, ils descendaient de Boboni pour défiler et danser, avec ce qu'ils appellent « magandja ».

En fait, un de leurs descendants qui vit à Bundadju m'en a parlé et a dit que s'il y a une bonne organisation, il peut se produire. Vous avez travaillé avec lui au CNDRS et il prétend qu'il peut regrouper quelles personnes peuvent s'organiser pour danser.

Damir : On peut trouver une littérature les concernant, mais il faut avoir une connaissance linguistique ; j'ai participé à un colloque à Paris, invité par Françoise Coppens. Dans une bibliothèque du laboratoire du CNRS sur l'Afrique, j'ai vu beaucoup d'ouvrages sur les Makua, sur le Portugal, sur le Mozambique, il y a certains textes en français. Ça aurait pu donner un descriptif des éléments qui te permettraient de pouvoir trouver des informations sur place.

Cette personne m'a parlé de cette danse. Même à Anjouan, j'ai trouvé la même chose. C'est la même danse, à Anjouan, j'ai trouvé une autre danse, notamment à Patsy, Bazimini et Koki. Lorsqu'il y a un mariage, les trois communautés viennent danser le mdandra, cette danse est la leur.

Damir : Ah oui, il y a le trimba aussi, il y a aussi une danse à Wani, Hébert en a parlé. Lorsque je travaillais à rue Oudinot, il y avait des choses intéressantes, mais sur lesquelles je ne travaillais pas, donc je laissais. Il y avait beaucoup de documents qui auraient pu servir.

Il y a beaucoup d'anecdotes, notamment à Nkomiyoni et Djumwashongo. Cette année, à Djumwa shongo, il y a eu renversement de la hiérarchie ; la famille Labo a pris le pouvoir.

Damir : Si tu t'étais cultivé sur l'ethnologie des Makua, tu aurais pu retrouver facilement tous les éléments, c'est-à-dire si tu interviewes une personne, elle te donne un mot, mais tu en trouves dix. C'est l'intérêt des choses. Lui, il dit ce dont il se souvient, mais à travers ça, tu trouves ce que toi tu comprends. En étudiant la société, même sur internet, tu trouveras certainement des éléments tangibles sur les Makua.

Chamanga m'a envoyé un texte de Gueunier sur les Makua et sur la langue. Cela m'a aidé, car il y a beaucoup de mots makua dans notre langage.

Damir : Puis le fonctionnement de la société, cela pourrait te faciliter le travail. Peut-être qu'avec les éléments dont tu disposes, en les interprétant, tu pourras les augmenter.

Il est dit qu'à Anjouan, beaucoup de villages ont été créés au XIXᵉ siècle.

Damir : C'est exact ! Parce que là-bas, les Français avaient tout pris ; donc ils ont cultivé, ils ont exploité, et chaque colon avait ses employés à lui, et eux, ils allaient les chercher en Afrique, c'étaient les Anjouanais qui allaient les chercher pour les leur vendre. C'est seulement Sunley qui est parti personnellement les chercher, ce qui lui a coûté son poste. Mais sultan Abdallah en avait des milliers, de ces ouvriers agricoles. C'étaient des trafiquants d'esclaves.

Dans tout l'archipel, qui sont les propriétaires des boutres ?

Damir : C'est eux.

J'ai collecté une anecdote concernant Mariamou wa Kili mali.

Damir : Elle a été cueillie par Saïd Bakar Mouigni Mkou.

Je l'ai confondu avec Mouigni Sidi.

Damir : Oui, il en avait aussi. Il les a trouvés ici. Mouigni Sidi travaillait à Salimani. C'est la société qui l'a fait venir ici. Il s'est marié à Selea. Tu vois, la mère de Saïd Omar Mohamed Sidi est de Selea. Il a acheté des Makua qui servaient ses enfants. Mariamou wa Kilimali avait des cousins, il y avait la femme d'Ali Mbae qui était une descendante ; il y avait aussi Sururu, puis le grand-père de M. S., le père de sa mère. Il a été se marier à Panda, village natal de sa grand-mère ; lui, il a été acheté par la famille de Mtsangani, ils étaient pris comme ça pour être convertis à l'islam ; mais après, ils ont travaillé comme policiers, comme baleiniers, ils ont gagné beaucoup d'argent et ont acheté la place.

On m'avait indiqué ces noms à Nkomiyoni, Sururu, etc.

Damir : Oui, parce que c'est eux qui étaient avec eux là-bas, à Boboni. La mère de Saïd Ali Kemal est de Mutsamudu alors que celle de Saïd Ali Sidi est de Selea.

Les confréries et l'esclavage.

Damir : Nadhoim ne pourrait refuser que la chadhouli ait eu des esclaves.

Abdallah Mohamed Ben Ali, lui, a reconnu le fait et a dit que le jour où son oncle a présenté la prêche pour la première fois, il a libéré un esclave (affranchi) à Irungudjani.

Damir : Celui qui faisait monter l'imam au minbar était originaire d'Irungudjani, Mbaba Ngedjo. D'ailleurs, il y avait des gens qui comptaient, comme le père de Hassane Mze. Rien ne pouvait se décider à Moroni sans eux. Il y avait koko Néema à Magudju, c'est Charif Abdallah qui a fait venir Uledi ici. Il y avait ceux qui changeaient de nom. Ceux qui les accueillaient, s'ils trouvaient le nom compliqué, il le changeait ; par exemple, Djumwa Mnyamwezi[1], ce n'est pas le nom qu'il portait là-bas...

Il y a les enfants de Dora qui ont retrouvé leur famille à La Réunion : cas d'Ibrahim Abdoulkarim. C'est peut-être pour cette raison que Fuma s'est accroché, mais il y a très peu de renseignements dans les écrits à La Réunion, ils ne nous ont pas retenus, ils nous ont marginalisés. Certaines personnes invectivaient les Comoriens en disant qu'ils n'ont pas laissé de traces à La Réunion. Le problème, c'est que les Comoriens qui se rendaient à La Réunion ne l'étaient que pour quelque temps. Parce que l'esclavage a été aboli, on est allé prendre des Makua au Mozambique, ils leur donnaient des noms comoriens[2], les enrôlaient dans l'engagement (ils les francisaient). En plus, il était très difficile de voir des femmes. Or, la société comorienne ne peut se tenir sans femmes. Ils donnaient des prix spéciaux pour les femmes. On peut en trouver une ou deux sur une soixantaine. On évoque ces villages d'origine de ces engagés à La Réunion, mais lorsqu'on demande après eux dans ces villages, personne ne les connaît. Ils ne sont pas de là-bas. Le même nom revenait sur plusieurs listes.

11. Bourhane Abderemane
La révolte servile de 1891

La Société Bambao a récupéré Pomoni, Patsy, Bambao et l'utilisation des esclaves, étant donné que cela a coûté cher à Sunley, puis la révolte des esclaves qui a suivi de 1891, due au dayir de Saïd Athoumani qui accordait la liberté aux esclaves, ils en ont profité pour se venger. Saïd Salim pensait que comme « ce sont des esclaves de son père, en les libérant, sûrement ils vont le défendre ». Au contraire, quand les esclaves ont récupéré les armes, ils l'ont attaché et ramené à Domoni. Ce qui leur a permis de pénétrer dans la ville. Les premières manifestations dans la cité, ils ont brûlé des maisons. Pendant que les secours s'organisaient pour éteindre l'incendie, de l'autre côté de la ville, les esclaves ont pu casser le mur et pénétrer à l'intérieur. Ils sont passés par l'endroit appelé Pengwaju[3]. Après avoir attaqué Domoni, ils sont partis et se sont dirigés vers Wani et à Mutsamudu. L'aristocratie mutsamudienne a pris la fuite. Certains sont partis se réfugier à Patsy chez Wilson, d'autres à Pomoni. Tout simplement parce que du temps du Sultan Abdallah III et Salim, Sunley était très puissant et, sans son accord, les sultans ne pouvaient rien faire. Pomoni était considéré comme la première capitale, donc après la reddition des esclaves, certains se sont réfugiés à Mohéli, et d'autres à la Grande-Comore, voire aussi à Mayotte.

Viennent ensuite des engagés volontaires, arme à double tranchant. Parce qu'il y a eu des gens qui ont témoigné.

Effectivement, il y a eu la reddition des esclaves, dont la majorité est partie sur Mayotte. Ils se sont installés à Pamandzi et à Labattoir. Les descendants ont en mémoire les souffrances que leurs parents ont endurées à Domoni à l'époque des sultanats et de l'esclavage. Il semblerait que la haine qui existe aujourd'hui là-bas contre les Anjouanais

1. Nyamwezi est le nom de sa tribu.
2. La fabuleuse histoire de Sitarane à La Réunion, nom de consonance comorienne (sobriquet), mais de son vrai nom Simicouza Simicourba, ne montre pas une origine comorienne. Tout laisse croire que le nom Sitarane lui fut donné lors de son passage en Grande-Comore.
3. Là où il y a la brèche.

à Mayotte prend son origine là, dans cette souffrance subie à Domoni depuis cette époque. Car les esclaves « difficiles » étaient envoyés à Domoni pour être corrigés et revenaient un mois après très dociles.

L'engagement cachait aussi cette autre réalité, car parmi les engagés, il y avait des esclaves venus du Mozambique. Ils passaient un séjour d'une semaine à Anjouan et obtenaient après le titre d'engagés libres. Avec la complicité des négriers européens, qui les achetaient pour les vendre à Mayotte comme engagés volontaires. Or, c'était faux. On les mélangeait. Raison pour laquelle un vieux nous disait : Non ! Non ! À l'intérieur de ceux qui voulaient prendre la fuite, qui ne voulaient pas rester à Anjouan parce qu'ils avaient en tête le contrat des Français qui promettait la liberté après 5 ans d'engagement à travailler dans les plantations de leur maître. Donc, après la reddition, personne n'avait confiance. Pour eux, mieux valait se cacher, sinon on allait les attraper à nouveau pour retourner dans cet engagement de 5, 10 ans ! Les 2/3 des esclaves ont donc pris la fuite. Et les hommes libres, les wa-matsaha, imaginant l'ampleur du soulèvement contre la France, se sont cachés eux aussi. Mayotte restait pour beaucoup le refuge pour échapper à la répression. Ils se sont établis à Sada, à Pamandzi, à Labattoir. Tous ces gens-là sont partis d'Anjouan. On les trouve également à Combani, où il y a l'usine de sucrerie.

C'étaient les Comoriens qui allaient chercher les Mozambicains, notamment le sultan Salim et le sultan Abdallah. Il y avait aussi le fils du sultan Ahmed de Domoni, des fois appelé Achmed, quelquefois, on l'appelait Mawana Madi ! En fait, tous les sultans faisaient du commerce avec le Mozambique.

D'ailleurs, c'est la cause du transfert de la capitale vers Mutsamudu, la cause de l'affrontement entre le fani Abdallah Ben Massela, gouverneur, avec Achmed, dont le fils a été assassiné. Salim faisait non seulement le commerce des esclaves au Mozambique, mais il allait dans les régions de l'intérieur pour capturer les wa-matsaha et les vendre. Il vendait des gens libres. Fils de sultan, il se permettait de violer les filles des esclaves. Et à cause de ça, il a été assassiné par trois personnes. Il a pu en blesser une. Son cousin Bwana Combo est allé à Madagascar pour chercher des guerriers pour venir combattre Abdallah Ier. Ils sont restés à Domoni pendant presque un mois. Et Abdallah Ier est allé les déloger. Et c'est à partir de là que les Malgaches ont commencé à connaître Anjouan. Tout cela s'est passé au XVIIIᵉ siècle. Les propriétaires des boutres, c'étaient toujours les sultans et certains aristocrates. C'est une question taboue à Anjouan, raison pour laquelle, au cours de nos enquêtes, les gens ont refusé de décliner les noms des propriétaires de boutres. La ville de Wani avait ses trafiquants qui allaient au Mozambique pour acheter des esclaves. Mais les noms sont secrètement gardés pour éviter une divulgation qui pourrait porter préjudice. Et maintenant, tout le monde s'est intégré et les descendants d'esclaves vont à Mutsamudu pour épouser la fille d'un aristocrate parce qu'il est riche. Donc, il ne faut pas parler, au risque de divulguer des secrets ou des réalités aujourd'hui tenues secrètes.

Je pense que nous avons le devoir d'aller un peu plus loin. Je me suis rendu compte pourquoi ce travail traîne aussi longtemps, parce qu'on ne trouve pas d'ouvrages là-dessus. Les dépositaires des manuscrits n'en ont pas véritablement parlé. Ils l'ont seulement frôlé. Il nous faudra collecter des anecdotes et les rassembler pour traiter cette question des Makua et de l'esclavage. Un aspect pour illustrer cela, le problème Belela à Anjouan. Une famille d'origine makua, donc esclave. Ce sont en effet des descendants d'esclaves, la sœur de Belela est de Patsy, elle y vit encore. Ce sont eux qui ont protégé la présidence à Patsy. Là où le palais présidentiel est construit, c'était le domaine du docteur Wilson. Au moment où son palais a été rasé, le Dr Wilson n'était pas content. Lorsqu'on a commencé à raser son palais, de nombreux témoignages de jeunes, de militaires, de femmes à Patsy disent que vers minuit et une heure du matin, on a vu Dactar sur son cheval blanc. C'est cette dame-là qui a pu guérir, la dame m'a dit que là, nous avons enterré un cabri, jusqu'à 3 cabris noirs pour que Dactar nous laisse tranquilles.

Oui, à Patsy, un jeune étudiant a décliné son identité Ali Mohamed Bwere, ce dernier est le nom effectivement de son grand-père, qui est venu du Mozambique. Nous sommes à trois générations de cette période. Mais comment se fait-il que ces gens-là ont petit à petit abandonné ces noms au profit de ceux qu'ils portent aujourd'hui ?

À trois générations de cette période de leur introduction aux Comores, tous ont pratiquement donné à leurs enfants des prénoms musulmans ou à connotation arabe. Parce qu'ils ont voulu s'islamiser, à l'exemple de Belela, qui portait aussi un nom musulman à côté. Belela permet de l'identifier. Belela, c'est cet ancien Makua, même s'il porte un nom musulman. En Amérique, les Noirs sont des Afro-américains ne sachant d'où ils viennent, mais aux Comores, il y a quelqu'un qui rappellera que les parents de celui-là viennent de Mrima ou du Mozambique. Malgré cela, ils ont changé de nom et intégré les milieux socioculturels et traditionnels, car ils ne veulent pas être pointés du doigt et considérés comme étant le bas de l'échelle. Ils sont montrés comme Makua même s'ils ne le sont pas. Le mot est générique et péjoratif, on utilise aussi bien Makua que Mshambara pour désigner ceux qui viennent d'Afrique ou du Mozambique ou lorsqu'il y a un acte ou un geste déplaisant et désagréable.

Ce sont des images gardées par la mémoire, que le subconscient fera sortir alors que tous sont en commensalité dans les quartiers, dans les cérémonies commémoratives et traditionnelles. Tel personnage est aussi influent dans son milieu, mais il n'empêche que quelqu'un dira : « Smaela uwo hatsoka mshendzi »[1].

En Amérique, les Noirs disent qu'ils ne sont pas Africains. Parce qu'ils ne savent pas exactement d'où ils viennent. Tout le monde accepte alors que chez nous, il y aura toujours quelqu'un qui te le rappellera en disant : « eh toi, tes parents viennent du Mozambique ».

Mais pourquoi ont-ils changé leur nom ?

Ils ne veulent pas être pointés comme ça, considérés comme étant le bas du peuple, le bas de l'échelle ; vous êtes des Makua, même s'ils ne le sont pas, mot générique et péjoratif. À Anjouan, on utilise le mot *makua* comme on utilise le mot mshambara. Ce dernier terme est plus utilisé pour désigner celui qui vient d'Afrique et du Mozambique. Lorsque les vieux disent que celui-là est un Makua, cela ne l'intéresse pas, mais lorsqu'il dit que celui-ci est mshambara, cela veut dire qu'il a fait quelque chose qui n'est pas agréable. La véritable question est de savoir si on peut faire le lien entre mshambara et wa-shamba en Tanzanie. Oui, parce que ces populations qui viennent d'Afrique sont toutes mises dans le même panier. D'ailleurs, N. Gueunier a montré que, même à Madagascar, tous ceux qui viennent d'Afrique sont classés Makua. Pourtant, il y a distinction dans la scarification sur leur visage, sur les bras, permettant de les identifier. En effet, celui-ci n'est pas de la même ethnie que l'autre. Aux Comores, au lieu de les séparer, on les a mis ensemble.

J'ai croisé par hasard un certain Jean Marie qui travaillait chez Grimaldi et je lui ai demandé une rencontre pour en parler. Il a quelque peu hésité et puis, finalement, a dit qu'il n'y avait pas que des Makua. Il a dit, en fait, ici à la Grande-Comore, il y avait des zoulous. Aussi, c'est par réflexe d'être tous des étrangers qu'ils se sont mis ensemble. Parce qu'ils étaient moins nombreux et pour faire face à la situation, ils se sont mis ensemble. Mais ils n'étaient pas tous Makua.

Sur une carte postale ancienne, éditée à Mayotte, on a aligné des zoulous. Cette

1. Collecté à Moroni en 2010, confirmant qu'aux Comores, l'esclavage n'a pas dépéri. Les gens ont en mémoire l'image du premier makua arrivé.

carte a été éditée à l'occasion de l'abolition de l'esclavage.

À Anjouan, on disait que parmi les étrangers introduits, certains consommaient de la viande crue. Selon un témoignage de mon père, pendant la seconde guerre mondiale, les Anglais avaient ramené des zoulous enchaînés à Majunga et il a vu un zoulou qui a mordu le sein d'une femme qu'il a croisée et le lui a arraché. Aussi, ils étaient tout le temps enchaînés, emmenés au marché l'après-midi et on leur servait les intestins des vaches, qu'ils mangeaient crus. J'ai fait rapidement le rapprochement avec ce qui se passait à Patsy, que des Makua mangeaient de la viande crue. Cela m'a été rapporté à Patsy. Peut-on penser à des cannibales ? Voilà pourquoi je voulais voir cette dame à Patsy. Car, pour moi, celui qui arrache la mamelle de la dame pour la manger est un cannibale.

La difficulté, c'est que les Européens ne classaient pas les gens, et cela est très vrai à La Réunion, où tout Noir est cafre, et puis l'identité esclavagiste y est, par ethnie. On a omis de dire que ce sont des Comoriens par exemple ou des Mozambicains, à l'île Maurice, semble-t-il, il y a de nombreux handzuani. Parce que la majeure partie des esclaves pris pendant la période des razzias malgaches et qu'on a trouvés à Sainte-Marie étaient des Anjouanais. À partir de Sainte-Marie, on les vendait. Certains vers La Réunion et d'autres vers l'Ile Maurice. Sainte-Marie était leur transit. Il reste beaucoup de choses à révéler.

C'est comme les traditions avant l'islam. Herbert y a consacré un article et aucun Européen n'a travaillé là-dessus, elles étaient considérées comme des rites sauvages. Donc, les Blancs ne s'y intéressaient pas. Il y a le trimba, le coma, le mdandra, le culte des anguilles, etc.

Le culte des anguilles a été apporté par les Austronésiens, auquel Allibert a fait une référence ou analogie avec un rite en Afrique, les galowalo, qui ressemblent comme deux gouttes d'eau avec les mêmes connotations que le coma à Wani. C'est pour cela qu'il a voulu filmer le coma, mais malheureusement, là où on organisait cela, le sable a été emmené et il ne reste que des galets. Donc, les vieux refusent d'organiser ça. On ne va pas se faire casser les dents là-bas.

Le *mdandra* est une danse particulièrement makua, elle est dansée à Anjouan, à Patsy, à Koky, à Bazimini, à Mromadji et également à Bambao la mtsanga, là où il y avait les esclaves. Mais on la danse à l'intérieur d'une grotte, d'où son caractère de fête profane. Il n'y a pas longtemps, à Patsy, on a dansé le mdandra à l'occasion du mariage du jeune Ali Mohamed Bwere. La chanson ne parlait que du hérisson. Ces danses disparaissent parce que les jeunes refusent de s'assimiler face à la montée en puissance de l'islam et des islamistes. Beaucoup de générations d'un âge avancé. Après leur disparition, on n'entendra plus parler de tout ça.

Ma prétention actuelle est d'abord d'en parler et de voir après pour un travail de conservation. L'étude permettra de classer ces danses et de répertorier celles qui sont d'origine makua. Eventuellement, recenser toutes les danses, tous les chants et la portée de leur contribution pour finalement reconstituer ce patrimoine.

Il y a une photo, une carte postale, tam-tam, éditée à Mayotte, de la collection Jean-François Hory, celui les achetait à Madagascar, il a plus que les archives de Mayotte, il a énormément de cartes postales du XVIIe, du XVIIIe et du XIXe siècles.

Les gens dansaient en cercle, ils parlaient de la danse des indigènes dans un article de Hébert qui, lui, a marqué danse makua. Il y a là un problème, car la réalité réunionnaise est totalement différente. À La Réunion, s'imbriquent plusieurs cultures dont on connaît les origines africaines ou autres, ce qui n'est pas le cas aux Comores, où la question est de savoir parmi les danses africaines lesquelles sont d'origine makua.

Dans le nkoma, le mdandra fait partie. Nkoma, ce sont les esprits des aïeux qui reviennent. Pourtant, on assimile le nkoma par les descendants des *bedja*. Ces derniers ont effectivement occupé, semble-t-il, aux IVᵉ et Vᵉ siècles avant J.C., Axiom en Ethiopie. Puis, on les a appelés les galowalo. Nkoma, c'est la manne, les esprits, des aïeux qui reviennent. Mais paradoxalement, on utilise le nkoma ya mnazi (noix de coco) pour faire des offrandes. Le nkoma est en relation avec les esprits. À l'intérieur, il y a un moment où on introduit le mdandra. Quand les femmes préparaient le repas, ils dansaient le mdandra pour demander tout aux esprits. Ils dansent le mdandra. Lors d'une cérémonie de mariage à Patsy, ils chantaient « mrumwa kalaliya godoro ». Aujourd'hui, les plus jeunes, comme Ali Mabwere, apprécient ces danses et ces cultes, mais connaissent peu de choses les concernant. Il voudrait contribuer, mais comme tout le monde, il est victime, car il n'ose pas s'étaler, mais il sait peu de choses. L'inquiétude, c'est la disparition de ces danses liées à l'ethnographie makua.

Dans Damir, la musique comorienne, il y a une chanson makua, mais elle a été transformée. Elle est chantée lors des danses chigoma quand il y a mariage.

Voir docteur Daniel Abdouroihamane Kafe, voir Tareh, où il y a une petite fille assise sur une chaise. Ou Rassia, SEROIS, RAZAH

Etant donné que nous ne savons pas la langue, nous le chantons comme nous voulons. Nous déformons pour avoir un sens. Les chansons de mshogoro ou shigoma, ce sont des chants makua.

On a oublié que les musulmans ont pratiqué l'esclavage. C'est une bonne critique, mais teintée d'anti-islamisme. Nous savons ce qui s'est passé au IXe siècle avec Harun El Rachid, les esclaves contrôlaient beaucoup de villes. Harun El Rachi en a profité pour les intégrer dans l'armée.

Idouay : le livre des mille et une nuits, où j'ai vu les effets de l'esclavage. C'est à peu près ça. Le livre des mille et une nuits a commencé avec l'esclave noir qui a couché avec sa maîtresse, la femme du roi. Lui, il a compris que les femmes ne sont pas des hommes complets, il se couche avec une femme la nuit et le matin, il la tue.

L'aristocratie domonienne a récupéré toutes les chansons des esclaves et les a intégrées dans son répertoire comme si elles lui appartenaient. Bwalolo. Kumanyoko est un terme makua pur. Il y avait une intégration. Quand on était au collège, on ne s'imaginait pas qu'on avait un dictionnaire à côté. Il y avait une dame qu'on appelait coco Mbushi. Son mari était Makua. Lorsqu'ils terminaient de manger, la dame récitait son duwa (al hamdulilahi rwabil anlamina), l'homme répliquait : c'est ton dieu qui t'a donné le repas ? Lorsqu'il disait Mungu (dieu), ce n'était pas le dieu universel. Mwalatru est le dieu universel. Mungu watru, ce sont les dieux de la terre, du feu, etc. et à Mromaji, c'est bizarre, là où le mdandra se disperse, c'est à côté de la mosquée. Ils disent en fait que personne n'a demandé à ce que la mosquée soit construite à cet endroit-là. Ca, c'est la place de nos ancêtres. Nous sommes aujourd'hui des musulmans, mais nous n'avons pas oublié nos origines, nos ancêtres. Là où nos ancêtres vivaient, c'est dans les environs de la grotte de Mapundru. On y danse le mdandra. C'est sûr que les premiers habitants ont vécu là. Cela pose le problème des origines des Comoriens. La question de savoir d'où nous venons n'est pas finie. Certains savent pertinemment cela, mais ne veulent pas que ça soit ainsi. On ne peut pas parler de falsification de l'histoire, au début de la colonisation, les descendants arabes avaient tendance à faire comprendre aux colons qu'ils étaient les véritables maîtres de l'île. Saïd Ahmed Zaki est quand même un Arabe, de même que Saïd Ali à la Grande-Comore. Ils voulaient montrer qu'ils étaient les dépositaires de l'histoire de ce pays, qu'ils étaient les véritables héritiers et non ces Noirs-là. D'ailleurs, leurs chroniques s'accordent pour dire que ce sont les Arabes qui ont introduit les Noirs aux Comores. Leur seule version de l'histoire est celle qu'on connaît.

Dans la chronique de Saïd Ahmed Zaki, celui-ci disait que les premiers habitants étaient des sauvages qui habitaient dans les grottes et dans des cases en pisé. Saïd Ahmed Zaki ne saurait dire le contraire, car c'étaient eux les premiers. Profitant de la culture judéo-islamique ambiante et de la méconnaissance des administrateurs coloniaux de l'histoire de l'archipel, cette présentation est réductrice, faisant de l'Africain un vulgaire sauvage paganisé. C'est seulement eux qui ont accès à la culture, qui possèdent une civilisation alors que pour les autres, c'est dépréciatif. Mais il ne dit pas ce que les premiers habitants ont apporté, leur contribution dans la civilisation comorienne. Ces premiers hommes n'étaient pas incultes, contrairement à ce qu'il disait, qu'ils ne valaient rien. Ce sont nous les Arabes qui possédons la culture et la civilisation. Or, ces Noirs avaient leur culture, leur manière de vivre, leur religion ; ils avaient des pratiques à eux. Par analogie, la thèse de Nourdine Abdallah montre que les pêcheurs n'étaient pas incultes, qui pose la question, la culture, c'est quoi ? Est-ce qu'on peut parler d'homme sans culture, d'homme sans civilisation ? Tout être, tout homme est ouvert au développement. En vérité, il y a débat, un conflit idéologique refusant aux Noirs la civilisation et que leur manière de vivre est dépréciative. Le modèle de vie est celui des Arabes (mustaarab), que tous tendent à adopter. Tout autre modèle de vie est dit sauvage. Jusqu'ici, je reprochais à Gou et à Ainouddine en disant qu'ils ont cette façon un peu brutale, violente, d'écrire l'histoire, une histoire conflictuelle. Dans leurs écrits, apparaît un conflit latent entre Arabes et Noirs.

Ba Goulam de Mirontsy a remis à Gou une histoire d'Anjouan avant l'arrivée des Chiraziens. Moussa Saïd utilise cela comme support à la formation à l'université.

12. Entretien avec ALI MOHAMED GOU, archéologue

Il est difficile de tirer des conclusions définitives pour les débuts du peuplement et encore plus sur un peuplement par la traite des Noirs tant qu'on n'a pas mis en évidence des éléments serviles, un marché, et tant qu'on n'arrive pas à dire qui sont ces Comoriens qui vendent et ceux qui sont vendus. Donc, la thèse d'un archipel carrefour, relais et lieu de passage, est la plus plausible. Et du coup, des marrons ou parce que, à des moments de mer démontée, les navires devaient se réfugier et attendre l'accalmie (port du nord). Tous ces éléments ont permis d'avoir un peuplement de ces îles (marronnage, recherche d'aliments et les gens capturés ne reviennent plus au bateau[1]). Pendant la période médiévale, aux Comores, comme dans toutes les îles bordières, les migrations qui ont donné le brassage des populations ont favorisé la formation des villes commerçantes que « le professeur Vérin a appelé échelles… qui furent aussi des relais essentiels dans les mouvements de population[2] ».

Mais l'opinion la plus répandue retient un peuplement au premier millénaire après J.C. qui s'appuie sur les résultats des travaux archéologiques.

Gou : cela devrait être un problème réglé, compte tenu du temps de la réflexion.

On va structurer quelques questions pour fixer le cadre. Si, jusqu'au XVᵉ siècle, les Comoriens sont victimes ou acteurs, qui sont alors les Comoriens qui vendent et les Comoriens qui sont victimes ? Faute d'une démographie historique dans la période, on ne peut pas dire combien ont été déplacés, puisque, aussi, on ne peut pas faire un travail en amont pour évaluer le nombre dans les pays de destination pour savoir si le nombre est assez important. Il est probablement difficile de retrouver les traces des Comoriens qui étaient déportés et déversés pour travailler dans les harems, dans les mines etc., car

1. Mze Madi Mchangama de Ntsaweni : Makua na msiru, watso do trawa.
2. H.D. LISZKOWSKI, 2000.

les traces, il n'y en a plus, sauf peut-être dans les gènes. Y a-t-il des gens qui peuvent nous dire que des Comoriens sont arrivés ?

Gou : des Comoriens, acteurs ou victimes. Ils étaient acteurs dans le sens qu'ils ont participé activement, ils ont pratiqué, ils ont été intégrés dans le réseau de ce commerce arabe des esclaves dans la zone. Disons que la période elle-même est assez longue, puisque cela va du début à l'arrivée, des contacts avec les commerçants arabo-musulmans ou arabo-perse-musulmans, jusqu'au XVe siècle, qui est la marque qui indique l'arrivée des Européens.

Avant les Européens, le commerce, pour nous, a existé dans le sens où le côté actif vient des esclaves ramenés, sécurisé ici, avant d'être acheminés. Donc là, il y a une participation dedans. C'est dans ce sens que je vois la participation des Comores. Alors, qui sont les acteurs ? Les acteurs sont d'abord les Comoriens arabisés des grandes villes qui jouent en quelque sorte le rôle d'intermédiaires ; ce sont eux qui reçoivent, ce sont eux qui vont faire partir, sur ordre bien sûr des maîtres. Les maîtres sont les Arabes, mais pas les Arabes comoriens installés définitivement. Les donneurs d'ordre sont les vrais bénéficiaires du trafic, qui les ramènent dans le monde arabe du Golfe.

D'où venaient alors les esclaves ?

Gou : d'où venaient les esclaves ? Ils ne peuvent pas venir du nord, ça vient de l'ouest des Comores, d'en face, et en face, c'est du Mozambique directement.

Peut-on soupçonner un courant nord/sud ? C'est-à-dire de la Tanzanie actuelle en direction de Madagascar, et même d'en face aussi, car Madagascar n'a-t-il pas reçu des Mozambicains ? Car il semble que l'intérieur de la grande île est un vrai circuit de commercialisation.

Gou : je n'ai pas étudié Madagascar, mais je vois les îles en tant que lieux plus sûrs et aussi, il faut regarder et tenir compte des techniques de navigation de l'époque qui étaient très rudimentaires. Tu sais, ils ne pouvaient ramener beaucoup de gens, ils ne pouvaient pas aller très vite.

Mais il existait les pirogues malgaches, qui ne datent pas de la période des razzias seulement. Ce sont de vieilles embarcations qui ont fait leurs preuves.

Gou : oui, mais ils pouvaient faire combien de voyages par an ?

Certes, mais jusqu'au XVe siècle, le plus important n'est pas le nombre, c'est le phénomène lui-même et sa durée.

Gou : justement, on ne pouvait pas faire beaucoup de voyages…

Mais en un an, vu la proximité, ils peuvent faire combien de voyages ? Avec les Occidentaux, c'est facile à évaluer. Avec des gros bateaux, on a trois mois maximum alors qu'avec les Arabes, c'est un travail qui a commencé au VIIe siècle d'abord jusqu'au XVe, c'est beaucoup de siècles. Le plus important, ce n'est pas le nombre de personnes embarquées, mais le temps qu'a duré le fléau.

Gou : la durée en nombre de siècles.

Mais toujours est-il que la question qui perturbe le chercheur, quelques lectures faites pour cette perspective, quand on parle de port, c'est beaucoup plus le Mozambique qui est pris comme source et rarement on voit les Comores apparaître comme port, ni au départ ni à l'arrivée. Mais sont-elles des points de passage ?

Gou : ce sont des lieux de dépôt, ils les ramènent après. Vu la position intermédiaire des Comores avec Madagascar, c'est aussi possible que les Malgaches aient transité avant d'être acheminés vers l'autre côté.

Il est possible que les Malgaches aient transité aux Comores avant d'être acheminés vers l'autre côté. Cela peut concerner le Malgache makua, le Malgache noir. Des originaires malgaches que l'on soupçonne en territoire comorien, notamment à Anjouan. D'ailleurs, j'ai vu pas très longtemps et je ne voyais pas non plus cet aspect que les sakalavas malgaches ont deux origines possibles, africaines, et on suppose que c'étaient des esclaves.

Gou : oui, c'est possible. Tu as déjà travaillé sur les sakalavas à Anjouan ?

Quand tu fais un peu le tour, les Comores ont joué un rôle de dépôt, elles ne fournissaient pas forcément la marchandise ? Alors, peut-on sans se tromper dire que la traite a peuplé l'archipel ?

Gou : elle a contribué forcément. Elle a permis de ramener des ressources humaines. Je ne suis pas sûr que lorsqu'on a amené des esclaves, tous sont repartis, dans un premier temps. Il reste sûrement une main-d'œuvre qui va s'intégrer petit à petit.

Des thèses parlent d'un peuplement naturel. Comme Soibahadine, qui croit que le modèle d'embarcation archaïque était le radeau et qu'il a permis ce premier peuplement, africain, sans esclavage.

Gou : oui, cela a toujours été la question délicate... Le problème le plus délicat, c'est de faire la part des choses entre les Africains esclaves et les Africains non-esclaves. C'est-à-dire que les premiers Africains, d'abord que les premiers habitants, des Africains, n'étaient pas esclaves. Ils sont venus de leur propre gré. Et puis, à partir de quels critères on peut distinguer les Africains esclaves et les Africains non-esclaves, jusqu'au XVe siècle, c'est très délicat.

C'est l'avis que je partage, c'est l'hypothèse que je développe. Il m'est difficile de faire la part des choses. Qui est venu comme esclave et qui est venu de son propre gré, autrement dit quelle différence peut-on établir entre un Makua venu aux Comores dans cette première période et celui qui est arrivé du XVIe au XIXe d'une part et celui introduit au XIXe siècle en tant qu'engagé ?

Gou : d'autant plus qu'on ne voit justement pas une activité économique qui aurait nécessité l'usage de l'esclave dans le pays. (Comme le disait le Grec, le jour où la navette volera toute seule, on n'aura pas besoin d'esclaves.) Ce ne sont pas des grandes îles, il n'y a pas beaucoup de grandes activités, il n'y avait pas de grandes productions. Non, non, on ne voit pas...

Et le travail du fer, puisque les Arabes étaient des grands consommateurs ?

Gou : ils étaient consommateurs, mais les bantous étaient eux aussi des grands producteurs. Ils maîtrisaient ces techniques depuis très longtemps ; et très souvent, ils en avaient besoin, besoin pour eux d'abord, et tout le monde asiatique aussi avait besoin de ce fer bantou qui était reconnu de très grande qualité. Donc, pour les Comores, c'est ça. Pour d'autres pays, il y a le fer, le cuivre, l'or. Pour les Comores, ils avaient besoin de ce fer. Non. La quantité produite à partir des Comores, c'est aléatoire. Mais encadrées par des pays dont l'activité est très importante.

Vers le sud, le Botswana et le Zimbabwe, c'est une activité importante. Vers le nord aussi, on est dans cette zone-là. C'est un carrefour très actif, donc là, c'est automatique, c'est là où on voit le rôle : ils ont besoin de beaucoup de gens là-bas, ils travaillent et ils s'en vont. C'est ce qui justifie le besoin d'esclaves.

Chanudet a établi une carte où il fait partir les esclaves d'Anjouan. Il dit que c'était un centre de distribution. Anjouan regorgeait-il de gens ou l'île a-t-elle simplement servi de pont ? L'archéologie a-t-elle des données pour ça ?

Gou : oui, mais nous, si on regarde les grandes villes portuaires d'Anjouan, il y a développement, accroissement, un agrandissement plutôt, vers les XIVe-XVe siècles, mais c'est aussi justifié par la position naturelle : il y a la baie, il y a les abris, qui permettent de bien protéger, cela part de Mutsamudu. Le port, il est là. Ils l'exploitent. Mais je ne vois pas pourquoi Chanudet limite cela à Anjouan. Alors qu'à un moment donné, on a soupçonné Mwali Mdjini.

Comment se fait-il, dans ce cas-là, si Mohéli était le centre, que Mohéli soit l'île la moins peuplée ?

Gou : parce qu'ils repartaient ; c'était un transit et ils repartaient. Il y a des grandes zones, on ne sait pas encore, ces grands espaces ont-ils servi à Mwali Mdjini même ? Des grands centres ont été des endroits où on les parquait. Les esclaves, on les contrôlait et ils repartaient après. C'était peut-être une stratégie, mais on n'a pas fouillé, on a émis cette hypothèse à un moment donné. On n'a trouvé ni chaînes ni traces réelles (matérielles) autres que l'espace.

L'absence d'éléments serviles comme des chaînes ou d'autres instruments ne permet pas de tirer de conclusions.

Gou : il y a des grands espaces, à Mwali Mdjini, le site est abandonné, on peut voir cela. Mais à Anjouan, les sites sont toujours et continuellement occupés, on ne voit pas s'il y a des espaces comme ça. Si on regardait la ville de Mutsamudu, s'il y a un endroit où ils les parquaient, dans les autres villes, étaient-ils libres ? Pourquoi les ont-ils mis de ce côté-là ? Qui décidait du site ? Jimlime ou ailleurs ? Ont-ils choisi eux-mêmes le site ? Essayaient-ils de s'enfuir ? Etaient-ils des marrons ? À Nyumakele, c'est là qu'il y a les Sakalavas d'Anjouan.

Aujourd'hui, tu parles des Sakalavas d'Anjouan, c'était le premier signe de départ. On parle de Sakalavas.

Gou : non, ils ne sont plus Malgaches. On parle des proto-malgaches.

S'il y avait eu une vente, il y aurait eu un dépeuplement. Quels étaient alors les grands marchés ? Tu as parlé probablement de Mwali Mdjini, est-ce que dans les autres îles la vente se déroulait aussi ?

Gou : c'est très délicat, car il faut absolument trouver des places à l'intérieur, mais logiquement les grands ports, si c'est un transit, juste pour repartir, on a besoin de ports et non de grands centres. Maintenant le problème, c'est que le transit durait combien de temps ? Cela peut durer une saison. Ils ont quand même un temps pour rester, je ne pense pas qu'ils vont tous partir. Il faut les laisser quelque part. Donc, si on considère l'île entière comme lieu où on peut venir les récupérer, on les laisse à des endroits et eux, ils vont s'occuper, s'installer, s'éloigner pour se mettre en sécurité. Dans ce sens-là, le trafic contribue au peuplement. Ils ont peut-être eu le temps de procréer. S'il n'y avait pas non plus un départ, il y aurait eu un peuplement très intense, considérable. Or, le peuplement n'a jamais été considérable. Automatiquement, il y a une partie qui partait. Ils repartent à partir des ports naturels. Pour Anjouan, c'est Mutsamudu et Domoni, ce dernier port est un lieu de départ, mais forcément un lieu de concentration dans la région. C'est vraiment les grands ports. En Grande-Comore, là, il y a le nord et l'ouest. Mais c'est surtout le nord.

C'est le Trou du Prophète, Dzidani, autour des villes comme Bangwa, Mitsamihuli etc., mais on a soupçonné certaines villes comme Shindini, Malé, qui fut l'un des vieux ports.

Gou : oui, oui, mais est-ce que ça ne fait pas aussi le lien entre des ports internes, parce que Malé Fumbuni, pour le triangle inter-îles (Grande-Comore, Anjouan et Mohéli) ?

Je voudrais montrer que l'évidence de communication entre les trois îles est pertinente. Mayotte n'avait pas une population importante en nombre. Martin disait que la population respectable était dans la petite île à Pamandzi, partout ailleurs, c'étaient des hameaux, vraiment des hameaux. Cela est vraisemblable. Qu'on n'ait pas eu plus de 50000 habitants au début du siècle. En parlant de ports, nous avons cité Malé, Chindini, Fumbuni, il n'y en avait pas d'autres au nord ou au sud ?

Gou : Itsandra, ça c'est, je crois, les Européens qui ont valorisé ce port. Le véritable port jusqu'au XVIᵉ siècle, c'est le nord. Un contact naturel, direct, sans contrainte apparente. Les fouilles de Ntsaweni font entrer incontestablement les Comores dans la logique de Chami, 30 000 ans d'histoire.

Pour boucler cette période, sachant qu'il est difficile de tirer des conclusions définitives tant qu'on n'a pas d'éléments serviles, tant qu'on n'a pas non plus mis en évidence un marché, et tant qu'on n'arrive pas à dire qui sont véritablement ces Comoriens qui vendent et ceux qui sont vendus, ce qui veut dire que la thèse d'un relais, d'îles de passage, est la seule possible. Et, du coup, des marrons ou parce qu'à des moments de mer démontée, les navires devaient se réfugier et attendre l'accalmie (port du nord). Tous ces éléments ont permis d'avoir un peuplement de ces îles (marronnage, recherche d'aliments et les gens capturés ne reviennent plus au bateau (Mze Madi Mchangama de Ntsaweni, Makua na Msiru, watso do trawa). Et comme la marchandise était aussi hommes et femmes, donc, naturellement, les Mdjonga et autres ne sont-ils pas ces gens en fait ? Regarde cette anecdote, si on pouvait la traduire : la venue d'un boutre dont les passagers ne savaient pas que l'île était habitée ; ils ont débarqué ces gens-là à Chindini et sont partis. En revenant pour les rechercher, ils les ont trouvés mariés à des djinns et ont donné des enfants.

C'est Moussa qui en parle, qui se rapproche un peu de cette vérité-là, parlant d'ifrites, qui sont des Africains. On peut imaginer un trafic à ce moment des gens par des marchands de passage et c'est là qu'on peut s'arrêter, s'appesantir sur cette idée d'ifrites appliquée aux Africains, aux Cafirs, etc. Le deuxième élément qui paraît inséparable, c'est l'islamisation. On parle de période obscure passant à l'islam assez facilement. Il n'y a pas de séparation. Comme si les Comores avaient commencé avec l'islam. Il n'y a pas de séparation.

Gou : cela dépend de l'approche.

Le narrateur comorien ne fait pas de différence entre la période d'avant l'islam et l'islam.

Gou : ils ne veulent pas afficher qu'ils n'étaient pas musulmans avant, c'est idéologique. Ca ne peut pas être plus tard comme ça.

Même avant les sultans, il y a des difficultés pour fixer la chronologie, on parle de l'un comme de l'autre sans séparation de temps.

Gou : c'est lent, c'est tout un processus. On ne peut pas venir comme ça et être tout de suite musulman. Ce n'est pas possible, ils se sont islamisés.

Maintenant, à partir du XVᵉ siècle, le risque, c'est l'abondance de documents, de sources, le risque de mépriser des sources et de n'en consulter qu'une partie alors que l'on a besoin de construire le savoir de ce qui s'est passé réellement. (Capela n'a-t-il pas mis la main sur un document portugais révélant l'existence d'un trafic qui faisait d'Anjouan un transit ?) Pour les chercheurs lusophones, par exemple, c'est évident, car il y a abondance de documents sur le trafic, notamment sur les Makua. Par exemple, tu te mets à des questionnements, mais pour l'autre côté, cela n'a pas de sens. C'est ça, le risque, lorsqu'il y a non seulement abondance de sources, mais diverses sources qui ne sont pas accessibles à tout le monde. En arriver au constat de Cambell ou Coupland, qui a soupçonné des départs des Comores. Qui disait qu'on prenait les gens des Comores pour les Mascareignes ou ailleurs.

Gou : cela dépend des navires, lorsqu'on analyse les activités par rapport aux escales, elles sont intenses au XVIIIᵉ siècle. À ce moment-là, il y a plus d'escales, les Européens manifestent plus d'intérêt, il y a une explosion pas possible d'escales.

Mais Filliot disait que les Comoriens étaient avares de ventes d'esclaves, ils ne les vendaient pas, il s'oppose à Ainouddine, ils ne voulaient pas vendre.

Gou : ils étaient avares de vendre parce qu'ils avaient énormément d'accrochages avec les capitaines de navires. Il y avait des conflits, surtout dans leur implication dans les guerres entre Anjouan et Mohéli, car il y en avait pas mal. Des fois, les Européens ne soutenaient pas Anjouan alors que, justement, en regardant les ports, il y avait Mutsamudu et Itsandra Mdjini au XVIIIe siècle. C'étaient les ports les plus recherchés. Mais à Anjouan, il y avait un bon port. Je crois que s'ils étaient avares, c'est par rapport aux capitaines des bateaux. Quand ils avaient un capitaine anglais, ils donnaient. Anjouan avait cette propension à traiter avec les Anglais. La Grande-Comore a connu un effacement plutôt naturel, car les bateaux préféraient Anjouan à cause du mouillage.

Donc, résultat, à la Grande-Comore, il y a eu intégration ?

Gou : oui, fatalement, ça a fonctionné. Les Européens se contactaient, se donnaient des rapports et indiquaient les ports les plus faciles, l'île où on était bien accueilli et où il y avait moins de risques. Par exemple, l'île complètement effacée, c'était Mayotte. Car là, il y avait un problème de barrière.

Ce n'est pas la thèse des naturalistes. Le premier d'entre eux, c'est Livstozki, et même Allibert, quand il dit microcosme et plaque tournante.

Gou : c'est raté. La tête de pont, c'est Anjouan. Seulement, il a collecté quelques éléments qu'il a su valoriser, mais en réalité, il a raté.

La grande question est que deux courants se sont rencontrés, celui arabe et celui des Européens. Puis, le troisième, qui est un courant local, un cabotage très effacé, comorien et zanzibarite, et à l'intérieur du bateau, il y a trois ou quatre personnes qu'on peut donner au mieux offrant. Ces bateaux-là connaissaient naturellement les routes maritimes, ils longeaient les côtes et pouvaient éviter les observations des Européens. Ils parlaient plutôt swahili que comorien ou anjouanais.

Il y a beaucoup d'exemples. Ma question concerne Anjouan : quand on dit wa Zambara, Makua, est-ce que toutes ces villes, Patsy, Bambao, Vuani, Pomoni et Lingoni datent du XIXe siècle ?

Gou : moi, je crois qu'il y avait des habitants avant, mais qu'il y a eu agrandissement et valorisation au XIXe siècle. Compte tenu du besoin d'exploiter les terrains, au temps de l'exploitation coloniale, il y a eu valorisation. Qu'il y ait eu une population avant, c'est évident.

Les grands Mawana sont des esclavagistes. Objectivement, ce sont ceux du XIXe siècle, entre Abdallah I et Abdallah III. C'est ce dernier qui a donné le cirque de Patsy à Sunley. Il faut faire une évaluation, mais les mawana étaient esclavagistes. D'ailleurs, les navettes entre Anjouan et le Mozambique étaient fréquentes au XVIIIe siècle. Certes, les plantations se développent au siècle suivant, qui voit venir le plus de main-d'œuvre. On n'en a pas toujours suffisamment, mais il faut aller chercher. Et ils en ramènent. À Pomoni, le sieur Wilson est celui-là qui a été dénoncé par Livingstone pour utilisation d'esclaves, honte pour un sujet britannique, qui plus est consul de sa majesté. Il fait venir, car il en a besoin. Il crée la plantation de Pomoni et il valorise. Il a travaillé avec Abdallah III en étant son secrétaire particulier. C'est peut-être lui qui a ordonné l'envoi de convois pour ramener le plus possible. Ils pouvaient entrer à Pomoni directement sans avoir à passer par Mutsamudu. Abdallah III avait son palais à Bambao.

La baie de Moya a pu accueillir ces navires qui venaient directement de l'Afrique se trouvant juste en face. Oui, de ce côté de la baie de Moya, on allait directement en Afrique. Oui, ils pouvaient venir à Moya comme ils pouvaient atterrir à Pomoni. Il y avait aussi les petites plaines et puis, surtout, ils avaient besoin de bois ; et ici, on avait une forêt qui faisait bien l'affaire. Et puis, pour aller à Bambao, il y avait un chemin à l'intérieur, pénible à emprunter, mais très court. Même de nos jours, avec les véhicules, on préfère emprunter cette voie montagnarde plutôt que de faire le tour. Le chemin intérieur était plus court.

Un cabotage local a fait peupler les îles au XIXᵉ siècle. Même Mayotte, où les premiers immigrants du sucre sont venus d'Anjouan au milieu du XIXᵉ siècle, après 1856.

Alors, quel est le sultan qui a le plus contribué à l'introduction de la main-d'œuvre à Anjouan ?

Est-ce que, à ce moment-là, la navette entre Anjouan et le Mozambique s'est accélérée ?

Gou : oui, par rapport à ce qu'on disait tout à l'heure, au XVIIIᵉ siècle, les escales de rafraîchissement, et puis ces escales ne s'arrêtent pas aux Comores, ça continue jusqu'au Mozambique. Donc, au XVIIIᵉ siècle, il y a un développement, les navires ne s'arrêtaient pas directement et je me demande si ce ne sont pas ces escales-là qui ont accéléré le développement urbain. Certes, les plantations se mettent en place au XIXᵉ siècle. Ce dernier siècle a vu venir le plus de main-d'œuvre parce qu'on en a besoin. On n'en a pas suffisamment, il faut aller chercher. Et ils ramènent.

Quelqu'un m'a parlé de Moya parmi les villes qui ont accueilli les washambara ?

Bambao est une ville ancienne, mais qui a connu une extension à ce moment-là ?

ENGAGEMENT

Gou : ils partent aussi d'Anjouan vers Madagascar. Oui, Anjouan a peuplé Mayotte et Mohéli, et quand on dit Anjouan, qui étaient ces Anjouanais qui partaient ? On ne peut pas poser seulement la question, car ce sont les washambara, mais à partir du moment où ils partent d'Anjouan, on dit qu'ils sont Anjouanais ! En réalité, ce sont les autres qui ont juste changé de veste, qui n'avaient pas d'intérêt à rester à Anjouan. À partir du moment où on les fait venir d'Anjouan, tout le monde dit qu'ils sont Anjouanais.

Pourquoi ces nouveaux venus allaient-ils s'attacher à une île dont ils ne connaissaient rien ? Même à Mayotte, c'était le même calvaire. Pourquoi retourner à Anjouan si on leur posait la question après l'engagement ? Pour retourner au Mozambique, peut-être qu'ils auraient dit oui. Mais à Anjouan, non ! Le cabotage continuait valablement entre la côte est-africaine et Anjouan et d'Anjouan vers Mayotte.

Gou : ils sont appelés wa koni à Mohéli. Ce sont des Anjouanais travailleurs, pas forcément quelqu'un qui vient de la ville de Koni. Ce sont des travailleurs qui ont continué jusqu'à la période coloniale. Ce sont des travailleurs très forts. « Regarde la description, tu comprendras que ce sont les autres, mais ils ont eu à transiter par Anjouan, peut-être le temps d'apprendre la langue, le temps de connaître le terrain… »

Je n'ai pas encore réussi à sortir de la question des importations, je n'ai pas trouvé le document.

Gou : tu n'as pas à trouver, mais déjà à poser les bonnes questions, c'est déjà quelque chose. Ce sont les possibilités, mais parce que, aussi, on ne peut pas trancher toutes les questions. Mais on voit clairement que, même s'il y a des moments où on peut trancher sur l'existence, sur les ports, on peut aussi voir l'ampleur. Dès le début, on a une participation de l'extérieur, une arrivée de l'extérieur qui a peuplé les Comores.

On est dans les deux, seulement le mot le plus fort que je n'aime pas trop, c'est le mot victime. Est-ce qu'on a vraiment été victime ou plutôt bénéficiaire ? Les Comores ont été bénéficiaires. Jamais la traite n'a été bénéfique pour quelque pays que ce soit. Si on constate une augmentation de la population, maintenant, politiquement et économiquement, ils sont exploités. Exploités parce qu'il n'y avait pas de système permettant de s'intégrer. Donc, faute de pouvoir s'intégrer dans Anjouan, ils sont repartis dans les autres îles, où ils ont pu être plus ou moins « libres ». Ils ont été exploités pendant des décennies et même politiquement au XXᵉ siècle. Ahmed Abdallah a utilisé ces gens-là.

Gou : ça a été bénéfique pour les Comores, cela a permis d'augmenter l'accroissement de la population. À partir de ce résultat, on a une population intégrée.

Qu'est-ce qu'ils font ? À Anjouan, ils sont intégrés ? Ne vivent-ils pas mal ce phénomène ?

Gou : non, il y a une augmentation de la population.

Moi, je n'aime pas le mot bénéficiaire non plus.

Oui, victimes.

Il y a eu l'aristocratie, combien de siècles ? Le système des chefferies a duré longtemps jusqu'au XXe siècle.

La traite a permis l'introduction massive d'une main-d'œuvre servile et qui aujourd'hui forme la population de ces bourgades.

Gou : c'est une façon élégante de dire que cette traite-là a peuplé les Comores.

Comment distinguer les Comoriens, ceux qui ont été victimes de la traite et ceux qui ne l'ont pas été.

Danses

Un autre aspect de la question et qui ne me gêne pas. Je n'arrive pas à formuler ou à trouver les danses makua. Ici, nous ne sommes pas à La Réunion, où on peut connaître les origines de la danse, comme le maloya, la séga. Ici, aux Comores, toutes les danses sont africaines, quelques rares exceptions ne sont pas d'origine africaine. Quelles danses sont les leurs ?

Gou : il faut associer danses et chants dans les plantations. Quand ils faisaient la collecte de la canne, dans les travaux collectifs, rapidement, ils étaient appelés à chanter, à danser. Ils s'encourageaient par les chants, c'était une manière de se distraire aussi. Il y avait des chants, car on voit à partir des photos anciennes que les gens dansaient. Tam-tam au cours de la coupe de canne à sucre, sûrement il y avait ça, on peut les trouver. Des chants de danses, mais il y a des chansons spécifiques. En effet, une personne de Henya Mrama a donné une version d'un chant de gandza. C'est rythmé avec ce qu'ils ont comme ornement autour du corps.

Oui, justement, Chaehoi de Djomani à Moroni évoque la question de la canne à sucre avec des aspects considérables quand il te parle de la coupe de la canne à Madagascar, ceux qui conduisent les pressoirs de canne.

Gou : à la Grande-Comore, la sosote, la jeunesse, c'est connu. Ou ye dola ya Msha Avignon. Mais il y a des chansons spécifiques. En effet, une personne de Henya Mrama m'a donné un chant de gandza.

Evidemment, il y a de belles chansons. Il faut les repérer. Maintenant, les rites agraires, qui sont des danses d'origine africaine créant des liens avec les esprits, les forces et les origines, n'ont pas forcément été introduits par les esclaves. Mais ces derniers les ont automatiquement appliqués. Nous pourrons à partir de là retrouver les leurs, notamment dans les plantations.

Intégration

À la Grande-Comore, on pourrait croire que l'intégration des Makua est plutôt réussie. Apparence trompeuse : sur les deux aspects suivants, apparaissent des ressentiments : à travers la chanson de l'association musicale de Moroni (AS MU MO). D'où venez-vous ? « Nous venons de Boboni. Le crâne est cassé, donnez-nous au moins les éléments pour garder ». C'est une façon imagée ou sarcastique pour dire que ceux qui nous gouvernent aujourd'hui sont des descendants de Makua, ces esclaves de Boboni. Ce qui laisse comprendre qu'à Moroni, il y a beaucoup de gens appartenant à cette catégorie.

Feu Naçr Edine disait : « tout simplement, ces quartiers, c'est ce qu'on peut appeler la zone ». Ce n'était pas Moroni, mais la zone pour désigner Irungudjani et Djumwamdji. Est-il vrai que ces quartiers particulièrement datent de la fin du XIXᵉ siècle ?

Gou : je ne sais pas pourquoi tu poses la question alors que c'est une question très claire. Ce sont des quartiers de regroupement. Là, si on avait du mal à retrouver ces quartiers avant le XVIᵉ siècle, d'ailleurs, il n'y a pas qu'ici, il y a les quartiers de Hampanga à Mutsamudu, à Anjouan. Mirontsi également date du XIXᵉ siècle, ce sont vraiment des lieux où on regroupait les travailleurs des plantations. Naturellement, on pourrait dire que ce sont les travailleurs de la SAGC et de Humblot qui se sont établis à Djumwamdji et à Irungudjani. Ils sont venus à ces endroits-là et se sont mélangés avec les autres. Géographiquement, ils sont là. Ce sont les travailleurs.

Ils sont là et après, si les autres viennent et se mélangent et vice versa, géographiquement, ils sont là. Ce sont les travailleurs.

Après la mort d'Abdallah Himidi, Abou Omar est intervenu à la télévision pour évoquer ses origines. Je l'ai appelé, mais il se trouve que sa grand-mère était la plus vieille des personnes ayant vécu dans le quartier. On a essayé de tracer l'histoire de cette grand-mère, même s'il y a toujours un côté mirobolant, notamment pour lui, le site de Nvuni leur appartient. Mais on est arrivé à une date précise. Cette femme, morte dans les années 1990, a connu Saïd Mohamed Bin Cheih, mort lui en 1904. Mais en reculant par rapport à l'âge décliné, on est arrivé à 1870-1875. Et par rapport à la question de savoir d'où elle venait, de Salimani dans le Hambou, village créé par Humblot. En fait, c'est là que commence mon travail. Certes, on peut estimer que j'ai ici une des réponses que je voulais.

Gou : ça, c'est une intégration, elle est là. Venant de Salimani, ses origines sont de l'autre côté.

Maintenant, c'est un petit village, à Moroni, dans les environs, qui s'appelait Bilad. Ce petit village, là il faut aussi comprendre ce conflit dangereux autour de Maluzini ; là, où il y a le lycée, sur le site du terrain d'aviation, c'est cette zone-là qui pourrait aller jusqu'au port. Il se trouve que les familles qui formaient ce village possédaient les terrains autour du lycée, après ils ont été chassés ou plutôt ils ont fui l'impôt sous Pobéguin, qui est le seul à avoir mentionné l'existence du site et des habitants, qui se sont réfugiés à Irungudjani. Et ils se sont intégrés. Mais ce village-là semblait être un domaine du djumbe.

Gou : regarde le centre-ville et la zone des travailleurs et après une zone habitée par les travailleurs, après la zone, c'est quoi ? C'est le lieu de travail. Automatiquement, il peut y avoir des gens dans le lieu de travail. Et ces lieux de travail, géographiquement, tombent dans ce bilad-là. Comme c'étaient des travailleurs, ils vivaient dans le champ proprement dit. En fuyant, ils ne pouvaient pas aller de l'autre côté. Ils rejoignaient les autres travailleurs. Ils vivaient sur le littoral, c'est vrai. Même quand on est sur le centre-ville, on vit sur le littoral. Certes, c'est le littoral des champs. Ceux qui sont de l'autre côté sont contrôlés par l'agglomération. Vers le sud, c'est Ikoni qui contrôle, donc ils ne peuvent pas aller vers là-bas. Ca paraît évident que ceux-là sont toujours les mêmes, sauf qu'ils étaient implantés dans les champs. Si l'activité économique n'est pas tellement importante et qu'on leur impose encore des impôts, fatalement, ils déguerpissent. Or, sûrement le palais voyait comme s'ils vivaient bien. Mais le système a toujours existé, même à Anjouan. On a le champ jusqu'à maintenant et cela n'a pas disparu. Mais il faut ramener tout, une grande part pour le palais. Par obéissance, ils doivent remettre. Et puis, on vous donne la part qui vous revient, c'est quand même notre terrain.

J'ai besoin de quelqu'un qui puisse me tracer la ville telle que nous la décrivons maintenant, la ville à la fin du XIXe siècle. On ne peut pas projeter si on ne voit pas où étaient installés tous ces gens-là. Maintenant, l'intégration et le mélange avec le centre-ville, ce sont des anecdotes, une histoire anecdotique. Près du palais, il y a des personnes qui se définissent comme étant des enfants du palais, mais dont la mère est esclave. Et tout le monde sait. Ce sont des gens qui sont venus et qui étaient installés à certains endroits. Le plus célèbre, le plus connu, c'est Djumwa Mnyamwezi. La partie sud de la ville, près de Gobadju, près de Studio Med, c'est là où ils étaient installés, on connaît toutes les familles : famille A.K., les D., M. Athoumani etc. D'ailleurs, l'un d'eux dit que c'est une histoire très récente, pas trop lointaine qui nous concerne, nous tous, oui, et c'est vrai. Ce sont des histoires anecdotiques qu'il faut relever pour montrer qu'il y a une espèce d'intégration ; parfois, ce n'est pas un cas unique, ils se sont mariés avec des familles aristocratiques ou libres. C'est le cas du père de M. D., dont la famille de la femme ne l'a pas accepté. Raison pour laquelle il a préféré habiter dans son domaine, un coin isolé qu'il a acheté et bâti, cultivant ainsi son indépendance. Sa femme, issue de Badjanani, mais dont les enfants n'ont jamais vécu là-bas et n'ont sûrement pas d'affinité particulière. On peut recenser des milliers d'histoires comme celle-là, à Mtsangani ou ailleurs. Evoquer des cas pareils, c'est comme si on était en train de profaner des lieux sacrés. C'est à peu près cela, s'il est aisé de situer ce que l'autre a appelé la zone, même si je vais m'attirer la foudre en parlant de cette zone, en disant que ce sont les anciens travailleurs, mais que personne ne précise la nature. Mais il y a aussi une autre explication de l'origine d'Irungudjani. Au départ, ce sont des gens qui ont été enrôlés dans l'armée de Msa Fumu comme soldats, venus de Zanzibar. Après la guerre, ils se sont installés à cet endroit-là. Et une autre source évoque cette origine en ces termes : on m'a rapporté que c'est Saïd Ali Mfaume qui les a ramenés là. Et puis, me pose une question : qui est Saïd Ali Mfaume ? C'est le père de Saïd Ibrahim. Or, cela s'explique, car il y a des liens inexpliqués entre certaines familles et chez Saïd Ibrahim.

Gou : ma petite idée, c'est de prendre les cartes qui se trouvent dans la communication de Moussa et Damir et Sophie sur les traces de l'histoire. Elles se trouvent au CNDRS. Parce qu'il y a des cartes, ils ont fait une visite guidée de Moroni. Ikoni. Itsandra. On reprend les mêmes cartes, il suffit de faire le premier traçage et puis de délimiter du centre vers les périphéries.

La personne qu'il faut faire parler, c'est Damir. Lui, il connaît même les noms et ce n'est pas facile. Par contre, avec cette approche, les travailleurs de la SAGC, je crois que nous fixons là une origine, puis la datation est plus importante, avec un début à la fin du XIXe siècle. Nous commençons vers 1875-1895. Humblot étant arrivé, on commence à voir les gens s'installer autour, c'est pour moi l'élément clé pour faire partir.

Gou : pour revenir sur le traçage des zones, la petite difficulté, ce sont les déplacements des gens de la zone centrale vers ces zones-là ; il y a, par exemple, le cas de D. qui prend son épouse au centre et la déplace ; ou le sens inverse, on accepte difficilement les plantations.

Il ne faut pas trop se casser la tête pour ça : prenons ce cas de D., il a emmené sa femme dans une zone inhabitée. Même Irungudjani ne descendait pas jusque-là. Il s'éloigne complètement. Alors qu'à 50 mètres, c'est la limite avec Irungudjani, à la lisière du domaine de la confrérie chadhuli. Donc, à Kurani Saïd Hachim et kurani zawiyani. Et puis, rubatwi, un domaine d'un autre cheih, dans la même zone. Alors, les gens qui y travaillaient, à la limite sud d'Irungudjani, étaient-ils leurs travailleurs ? La carte des cimetières prouve que là, on est à l'extérieur de la ville.

Gou : il faut voir la carte des cimetières et là, on est à l'extérieur de la ville.

Regarde les cimetières près du petit marché : il est en dehors de la ville de Moroni.

Du côté nord, où sont les cimetières ? Là où il y a la Maison du livre à côté de la justice, c'est toujours en dehors de la ville. C'est l'administrateur Teysseire qui a construit la route de la Mission catholique jusqu'au château d'eau, en accord avec le propriétaire Mze Ali pour valoriser son champ. Et les cimetières : pour les Européens au café du port, à l'extérieur de la ville. Le rempart n'est pas trop loin, à l'intérieur, mais tourné vers l'extérieur (création récente). Mais il y a d'autres cimetières, à Gobadju, près de la mosquée d'Irungudjani, les cimetières de la famille Saïd Tourqui, et puis le caveau de Cheih Yahya et famille. Pour la famille Tourqui, ils ne se mélangent pas. Alors que pour les cheih Yahya, il y a aussi les éléments serviles, d'Irungudjani. Un descendant encore vivant, au surnom provocateur Charif Ali m'a dit clairement que ma mère et mon oncle ont été amenés ici par Abdallah Chei Mohamed. C'est une préoccupation pour moi. deuxième cimetière, près de la mosquée de Mdji mpiya : c'est le caveau du Djumbé et famille Abasse Djussuf. Badjanani ordinaire, c'est à Chindoni, pour les familles régnantes, elles ont leurs caveaux propres. Les familles serviles qui leur sont rattachées demandent l'autorisation pour y être enterrées. À côté des cimetières des Indiens, près de la Mission catholique, ce sont les caveaux de ceux qui se font appeler les Norvège. Et tout de suite après, c'est le caveau des gens de la confrérie chadhuli. C'est un domaine désintéressé pour une œuvre pieuse, en demandant l'autorisation, la confrérie se fait une obligation de dire oui. C'est réservé pour les fidèles. Beaucoup de gens sont enterrés là, considérant qu'ils sont plus ou moins acceptés, une certaine promotion sociale, ils refusent d'être enterrés dans les caveaux d'allégeance. Il y a l'exemple de feu Msaidié Djae, c'est quand même l'aristocratie du quartier, et toutes les personnes de sa famille étaient enterrées dans le domaine de la mère de docteur Saïd Bacar Saïd Tourqui, domaine limitrophe d'Irungudjani, près de la nouvelle mosquée du vendredi. Mais dans les années 1970, un différend, né du parti blanc et du parti vert, les a opposés. Saïd Bacar du parti vert s'adressant à lui pour je te montre… dans son orgueil habituel qu'est-ce que tu peux me faire ? En tout cas, on ne m'enterrera pas chez toi. Il a alors coupé le cordon. Si nous étions vos esclaves, c'est fini. Cette déclaration a un sens profond, car esclaves, les fils le deviennent ; même si, aujourd'hui, les stigmates de l'esclavage ne sont pas visibles et l'ancien esclave jouit de sa liberté, à la mort, l'esclavage le rattrape. Les proches se souvenant de cette boutade, il n'a pas été enterré dans ce caveau qui les accueille, mais dans le domaine de zawiyani.

Gou : et la partie haute de Zilimadju ?

Cela appartient à une famille du clan Mnyaranda, dont l'histoire m'a été contée par Mze Mhudine à Mvuni à travers l'anecdote de la guerre au terme de laquelle Msa Fumu, s'inclinant devant la défaite, a dit : prends tout « Randa, ne henya randa, na randa wawe ». Cette version a été confirmée par un vieux de Bweni ya Bambao, qui se définissait lui-même : « nous sommes o wa shendzi wawo mon père vient de là-bas à Irungudjani. Mes aïeux viennent de Zanzibar » et sans complexe. Mais il est mort il y a 5-6 ans. Il avait pris la parole dans un meeting à Mvuni pour Saïd Ali Kemal et Jean Mradabi.

Certainement, certains villages habités par ces travailleurs ont un rang secondaire, aujourd'hui féodalisés. Comment, par exemple, la région de Hambu intègre les villages de Nkomiyoni et de Djumwa Shongo dans la hiérarchie. Ce sont des villages de travailleurs. Mais tous ne seraient-ils ou ne se reconnaissent pas comme tels.

Puis, en 2010, il y a eu des évolutions à Djumwashongo, la famille Labo, d'origine makua, a installé son autorité dans le gouvernement de la cité. Ils sont les dépositaires du pouvoir. Ils ont accédé à la notoriété du village. Comment le village a atteint cette dimension-là ?

Gou : ce sont des données nouvelles, il faut concevoir l'enquête.

Pourquoi y a-t-il toujours des rixes entre des gens de Mitsudje bloquant les habitants de Salimani ? Pour eux, c'est Salimani, mais ils n'évoquent pas la raison. Pourrait-on la connaître ?

Salimani est-il un village qui compte dans la région ?

Il y a beaucoup de non-dits. L'intégration à la Grande-Comore est quand même un cas atypique, Salimani est resté jusqu'alors, et ça ne pose aucun problème, c'est un village de la GC. Nkomiyoni aussi. Est-ce qu'on regarde les villages d'un bon œil ? Ou, au contraire, nous vivons comme des parias, mais les gens ne le disent pas ?

Gou : sûrement que ce n'est pas vu d'un bon œil et cela n'est pas non plus bien affiché.

Contrairement à Anjouan, où il a fallu attendre qu'Abeid se marie à Pomoni, à la Grande-Comore, les gens se déplacent pour se marier dans ces villages. On y trouve des sharifs, des descendants de kabaila et autres. Cette intégration à la Grande-Comore a été rendue possible par le mariage alors qu'à Anjouan, le mariage a bloqué cette intégration. À Henya mrama, il existe deux clans et l'un d'eux est rattaché à un clan à Ntsaweni. Y a-t-il des membres originaires d'une des deux localités qui se sont établis dans ces deux localités ? Ou c'était une convention pour les traditions et coutumes ? Celui qui me l'a dit n'a pas d'explication, il sait tout simplement qu'en cas de mariage à Ntsaweni, ils descendent. Et ceux de Ntsaweni vont partir là-bas. Ils envoient la part des gens de Ntsaweni dans ce village.

Aussi, toutes les familles Humblot sont rattachées à eux. Jean Humblot confirme en disant qu'ils sont leur famille en Grande-Comore. S'ils ont un problème de terrain, ils font appel à nous pour arbitrer. En cas de conflit avec d'autres, c'est nous qui les défendons.

On ne peut pas parler de non-intégration aujourd'hui alors que l'on a un vice-président issu de la région de Tsembehu. En effet, après l'élection, il a fallu régler un problème. Parce que lui, il s'est marié à Mutsamudu et à la Grande-Comore, il s'est marié à Ikoni. Chez lui, il n'est pas tellement connu. Ces derniers temps, on est parti le réconcilier avec les siens, comme s'il ne se sentait pas à l'aise. Les gens ont voulu s'assurer que maintenant, il va s'occuper d'eux. « Te reconnais-tu parmi nous », voilà le système.

À Anjouan, je ne regarde pas sur les origines, mais un passé proche. Les enfants qui ont fréquenté l'école, ceux qui ont eu une formation. Ceux qui ont occupé un poste, j'essaie de voir leur parcours. Je cherche à savoir à quel moment l'école s'est implantée dans la localité et s'il y a eu un engouement vers l'école. Est-ce que les enfants, une fois à l'école, ont cru à un avenir autre que celui des parents ? Ou bien on allait à l'école, faute de mieux. J'ai abordé les questions comme ça, pour savoir si l'école n'a pas été un levier pour l'intégration.

Gou : l'école a servi, bien sûr ; et en regardant comme ça, Bimbini, Tsembehu, les gens sont partis vers Mayotte.

Sont-ils nombreux ? J'ai connu une famille installée à Mayotte.

Leurs métiers.

Gou : eux, ils sont restés dans les travaux du bâtiment et on a besoin d'eux à Mayotte. Ce sont des maçons et les travaux de maçonnerie, c'est eux. Et puis, à un moment donné, au départ aussi, comme il n'y avait pas les habits tout faits, ils travaillaient comme tailleurs. Mais maintenant, ils sont concurrencés par les habits tout faits qui viennent de l'extérieur.

Peut-on croire que le travail de maçonnerie était lié à l'esclavage ? Parce qu'à la Grande-Comore, cette idée est soutenue.

Gou : pour la maçonnerie, ils n'ont pas attendu le XIXe siècle quand même ?

Mais ils ont été utilisés. En tout cas, les femmes makua ont été beaucoup utilisées pour mélanger le mortier. Elles le trépignaient. C'était une des activités que chaque personne bitumant sa maison leur confiait. À l'occasion, elles chantaient et dansaient. C'était un travail harassant, Sophie Blanchy en a parlé et a même édité une photo. Un informateur à Moroni a longuement insisté sur cette tâche et a avancé une liste de personnes makua qui avaient été maçons comme Athoumani Taoussiri. Et on faisait appel à leurs femmes pour venir mélanger le mortier.

Gou : aussi les tâches de poterie, la vannerie, Jean Humblot dresse aussi la même liste de tâches ou de métiers dont ils s'occupent particulièrement.

Dans l'agriculture, c'est beaucoup plus elles, mais l'élevage, ce sont les hommes. Pour féconder et collecter la vanille, les fleurs d'ylang-ylang, dans les alambics, sur les côtes pour la pêche, ce sont toujours les femmes. La confection des nasses est l'œuvre des Makua. Ils ont apporté la technique. Il faut voir si Anisse peut dire quelque chose.

Oui, c'est prévu pour voir son analyse quand le fils de Marahani est devenu le premier personnage de l'île.

Gou : c'est quand même une réussite, il va en parler. Et Nourdine Bourhane comme président. D'ailleurs, cela avait choqué la communauté de leur Bambao Mtsanga quand on a présenté les trois vice-présidents dans Al balad et qu'on a marqué qu'il est né à Mutsamudu. Car pour eux, c'est une falsification, mais il est né au village, pas ailleurs. Il faut valoriser la ville natale. Tsembehu et Bambao, c'est la même chose. Ils sont tous partis et ils sont à Mayotte. Vuani, c'est de l'autre côté avec Marahani. Ce qui m'intéresse, c'est de voir comment ils évoluent maintenant. Et Anisse, c'est un bel exemple de réussite.

Gou : là, c'est le top. Il répondra, lui. Il le dit s'il n'y a pas quelqu'un de Mutsamudu sur place. Pour lui, le conseiller du président, le ministre Dossar ont toujours essayé de le bloquer. Il a été appuyé par la Dame, c'est la raison de sa réussite.

Nous voudrions écrire l'histoire, pas seulement du silence, mais celle des fils des autres. Ceux dont on ne parle pas et qui sont considérés comme des sous-hommes. C'est le contenu de cette dernière partie. Une vision pour l'avenir du pays et de son évolution.

Gou : en partant à Mayotte, ils reviennent aujourd'hui avec des moyens, ils construisent. Du coup, ils ressemblent plus aux gens. Le particularisme ne s'affiche avec l'acuité qui était la sienne il y a une vingtaine d'années au moins. Ahmed Abdallah a pu l'utiliser, mais avec le temps, cela disparaît. Et puis, les jeunes, ceux qui sont nés après les années 1960, n'ont que faire de se savoir de Nyumakele ou de Bambao. Cela ne veut rien dire pour eux. Même si on connaît l'histoire, cela n'a pas d'importance pour eux. Ils sont de plus en plus à l'école, où ils fréquentent les autres, contrairement aux générations précédentes, confrontées à des barrières régionales, psychologiques, idéologiques etc. Pour eux, ils sont effectivement de leur village d'abord, de leur région, d'Anjouan et puis Comoriens. Il n'y a pas d'empreintes particulières. Ils raisonnent en Comoriens ordinaires. Il n'y a pas longtemps, dans les années 1980, un Comorien à Mutsamudu ou à Moroni pouvait entrer en communication aussi commodément avec une personne se trouvant à Paris ou à Washington qu'avec un compatriote vivant dans le Nyumakele ou à Vuani à Anjouan. La cabine téléphonique a été implantée pour la première fois à Mdjamawe entre 2006 et 2010. Certes, l'école, le mariage ont été des éléments clés pour le changement, mais il ne faut pas sous-estimer le petit commerce débrouillard développé par les jeunes Anjouanais qui leur a permis de franchir encore des barrières sociologiques graves. Ce commerce les ramène à une autre réalité, pour dire qu'ils sont tous pareils, ils mènent tous une vie misérable, mais cela ne leur pose aucun problème de se lancer dans le commerce. Car pour eux, ils ressemblent aux autres dans les autres localités et îles. Ils refusent la fatalité. Ils se marient partout, à la Grande-Comore, où ils sont bien accueillis, ou ailleurs. Le mariage leur est toujours fermé à Mutsamudu. On peut faire un parallèle entre cette situation et celle du début du XXe siècle : pourquoi des Comoriens devaient-ils refuser la main à des Makua ? Ce sont les mêmes traits physiques. C'est la communauté noire africaine. Ils se connaissent et surtout ils viennent tous d'Afrique. Même de nos jours, les femmes comoriennes sont beaucoup plus réceptives qu'aux hommes. D'ailleurs, une boutade d'un grand intellectuel à son collègue : il n'y a que nous deux qui acceptons que nous sommes des Africains !

13. Témoignage de Kaambi El-Yachouroutui, ancien Ministre, ancien Secrétaire Général de la COI

Moi : deux exemples, j'ai passé toute la journée d'hier à la Caisse de Prévoyance sociale, où existe toute une documentation relative aux travailleurs des sociétés. Ce sont eux qui touchaient les allocations familiales. Le directeur de la Bambao a également des archives, notamment les carnets individuels. Nous disposons là de sources sûres pour continuer ce travail, mais encore faut-il secourir ces pièces avant qu'elles ne soient consumées par les agents corrosifs, égarées tout simplement, ou détruites (les vendeuses de pistaches sont beaucoup plus dangereuses pour ces archives que l'humidité).

Kaambi : La période qui va de 1871 à 1904, l'archipel des Comores n'était qu'un petit territoire de la France à l'abri des conventions internationales et loin des préoccupations du gouvernement de la France, mais placé sous le gouvernement des planteurs. Il n'existait pas de protection pour les travailleurs. Cela avait des conséquences pour la population et les travailleurs, qui continuaient à subir l'oppression de leurs employeurs, qui mettaient au premier plan leur profit. On ne parlait même pas d'état, c'était de l'exploitation. L'esclavage était aboli, mais certains employeurs gardaient la méthode des esclavagistes. En effet, bien que l'esclavage était aboli, les employeurs en territoire des Comores en usaient toujours. En général, c'étaient les travailleurs qui étaient exploités et qui n'avaient pas la possibilité de s'organiser. Et même maintenant, est-ce qu'on peut dire que les travailleurs ont la capacité de s'organiser ? « Ce sont des travailleurs qui étaient toujours exploités et qui n'avaient pas la possibilité de s'organiser. On a vu ce qui s'est passé à la SCB. Les employeurs sont très forts, ayant conscience qu'ils détenaient le pouvoir ». « Ils disent nous avons un pouvoir ». « À cette époque-là, parmi quelques aspects qui avaient été pris en compte, c'est peut-être au niveau sanitaire. À mon avis, cela préoccupait les colons. Ils ont construit des petits dispensaires, car ils estimaient qu'à partir du moment où les travailleurs étaient malades, ils ne pouvaient pas travailler. C'est le seul aspect social qui a été développé, ce fut donc pour eux un minimum au plan social. Ils les soignaient dans les petits dispensaires lorsqu'ils étaient malades ».

En effet, les employeurs avaient besoin de travailleurs valides capables de produire, mais en aucun moment les aspects sociaux ne les préoccupaient. Toutefois, dans leur dossier, il y avait toujours un certificat médical. Ils étaient toujours considérés comme de vulgaires esclaves et continuaient à percevoir des salaires dérisoires. Il n'y avait pas de possibilité de retraite et ce d'autant plus que ces travailleurs-là devaient travailler à vie. Parce que la notion de Caisse de retraite n'existait pas. De ce point de vue, ils ont introduit la notion de Caisse de Prévoyance sociale et d'Allocations familiales pour encourager les naissances : en effet, il fallait des enfants pour renouveler la main-d'œuvre du fait que le trafic, même clandestin, s'amenuisait.

Parce que la notion de Caisse de retraite n'existait pas, à un certain moment, ils ont introduit la notion de Caisse de Prévoyance sociale, c'est-à-dire c'est le régime des accidents de travail, car à mon avis, en termes de retraite pour les travailleurs des champs et des plantations, ils font et puis ce sont les enfants qui les aident, qui les suivent.

Le problème, c'est que la plupart essayaient d'acquérir, pour les plus intelligents, des terrains, pour planter du manioc, des choses comme ça, de manière à avoir quelques ressources à un moment où ils n'ont plus de force, ils veulent travailler un peu plus, mais jusqu'à un certain âge, quelquefois, ils ne pouvaient plus travailler et pourtant, il fallait qu'ils vivent. Donc, avec un peu de terrain, ils pouvaient faire des petits travaux avec l'aide des enfants et des petits-enfants, et avec tout ça, ils pouvaient s'en sortir. La notion de retraite également, même maintenant, peu de travailleurs ont la possibilité d'être à la retraite. C'est une des revendications majeures de cette île. Quand on parle de SMIG, cela fait trembler les gens. On dit que cela va faire des chômeurs... non, c'est un minimum de garantie pour que les gens ne soient pas exploités, c'est tout. Il n'y a pas de 12-14h, qu'on dit que, on ne va pas recruter. On recrutera 3 ou 4 et que dans tout ça, le chômage va augmenter. Non, un travailleur est un travailleur, s'il a sa dignité, il a ses droits, en quelque sorte, on veut les protéger. Bon, nous, en tant que politiques, les politiciens ont été un peu pris au dépourvu en quelque sorte et l'ampleur des problèmes était telle que les politiques sont passés quand même à côté d'un problème bien réel des travailleurs.

Nous étions confrontés au train-train de la vie quotidienne et tout ça, aux problèmes urgents, en termes de priorité. On se disait bon, l'éducation, la santé et l'économie. Le social en tant que protection des travailleurs, tout ça, réellement, les politiciens, peu de politiques, s'en sont occupés. On sait que Saïd Mohamed Cheikh, même Ahmed Abdallah, a eu quand même à jouer un rôle important au niveau de la réforme agraire. Il a défendu les travailleurs pour des raisons politiques. Parce qu'il voulait l'électorat de ces gens-là et ont défendu les travailleurs de Nyumakele en disant qu'à partir du moment où ils avaient travaillé un moment, ils avaient droit à un lopin de terre, pendant que les compagnies vendaient les terrains à des riches citadins de la ville, Ahmed Abdallah a essayé de défendre un grand nombre de gens de Nyumakele. C'est cela qui a fait sa base électorale, car certains avaient acquis quelques terrains qui étaient détenus par la société coloniale. Tous ces aspects-là, il faut les prendre en compte. Saïd Mohamed Cheikh, comme politicien, à un certain moment, s'est beaucoup intéressé aux problèmes de ces travailleurs. Mais toutes les délégations qui ont fait partie avec Mouzawar, des Mroudjae jusqu'à nous, on doit faire notre mea culpa. C'est-à-dire, on était tellement pris par l'ampleur des difficultés de la vie quotidienne. Malheureusement, en ce qui concerne le droit des travailleurs, on se contentait de ce qui se disait un peu partout, le BIT et toutes ces organisations, mais on n'a vraiment pas fait une politique. Fort heureusement qu'il y a eu l'existence des syndicats. Ca, c'est vraiment positif, même si à un certain moment, on a vu que les syndicalistes étaient agressés. Il y a eu des licenciements abusifs, qui continuent jusqu'à maintenant. Parce qu'on a vu la personne, on a vu l'année dernière les enseignants et tout ça là, ça continue. C'est-à-dire la politique fait passer ses intérêts majeurs avant pour avoir ses intérêts avant ceux des travailleurs. Parce que, aujourd'hui, quand on voit dans certaines affaires, c'est que Sambi s'est trompé peut-être. Mais il a signé, il a fait passer une loi, donc maintenant, il y a des difficultés financières et économiques dites aux institutions financières, et les rapports sont toujours les mêmes, je les ai toujours connus. Je les ai connus, ces gens-là, leurs recettes n'ont pas toujours marché, dix ans, quinze ans après, c'est toujours pareil, ça revient. Donc maintenant, l'enjeu, c'est le point d'achèvement. C'est une initiative peut-être heureuse, dire que 80 ou 90 % de la dette seraient effacés. Le minimum, c'est prendre des engagements que dès qu'on en arrive au point d'achèvement, mais il ne faut pas qu'on en arrive en 2014. Sinon, ce n'est pas possible, on revalorise les salaires des gens qui font des sacrifices. Il est impensable qu'une simple personne, parce qu'elle travaille à la présidence, clientèle politique, ait la possibilité d'avoir 400000 et qu'un professeur à l'université ne puisse pas l'avoir. Ce n'est pas possible, alors le professeur d'université abandonnera l'université et cherchera à faire aussi de la politique pour être conseiller du président ou autre. Donc, ces aspects-là, je crois, il faut quand même qu'il y ait des assises nationales de réflexion et que nous, hommes politiques, nous puissions faire notre mea culpa parce que dans certains domaines, nous avons failli. Il est impensable que nous n'ayons pas pu instaurer un SMIG, même s'il y a des réalités, des spécificités dans le pays dont il faudrait quand même, à un certain moment, tenir compte.

Quand on parle de l'histoire récente de l'archipel, et tout particulièrement à Anjouan, on dit toujours qu'il y a une division très nette entre les grandes villes et les autres. Quel regard portez-vous maintenant sur cette histoire-là ?

La situation a été créée depuis la colonisation pour pouvoir favoriser la division qui a essayé de favoriser certaines villes au détriment des villages, pour pouvoir utiliser cela en termes de « diviser pour mieux régner » ; c'est un peu cela. Mais ce que je constate en ce moment, c'est que ça s'est vraiment démocratisé à Anjouan. Actuellement, tu ne peux pas imaginer que les gens de Mutsamudu partent d'ici et aillent à Bazimini pour acheter des choses. Des grands commerçants maintenant, ce sont les anciens des petits villages qui étaient abandonnés qui ont acquis certaines richesses. Il y a eu quand même un partage des richesses. Evidemment, avec les pouvoirs politiques, maintenant les villes comme Mutsamudu, Moroni, Fomboni, Mitsamihuli etc. ne passent pas en premier lieu. Cela se voit. Le fait Sambi, ça c'est exceptionnel. C'est le fait religieux qui l'a propulsé, mais nous, c'était facile d'émerger et de convaincre sans une alliance avec un enfant bien vu de l'autre côté, donc ces divisions ont été favorisées par la colonisation.

Parce que les écoles ont été implantées dans certains endroits, la plupart de ces gens-là étaient des travailleurs ; les gens des villes, c'étaient les contremaîtres qui sont devenus des fonctionnaires et ainsi de suite ; et cela a créé des dissensions très importantes, on ne peut pas vraiment parler de haine, parce que, Dieu merci, l'aspect religieux domine par les confréries et partout cela a évité le pire ; on ne peut pas arriver à un phénomène de type hutu et tutsi et ce n'est pas ce phénomène-là, mais beaucoup de méfiance, beaucoup de machin, ça explique qu'il y ait eu des opérations pendant la période du séparatisme, les cas qui se sont produits de certaines maisons des villes et de citadins de Mutsamudu, des bourgeois de Mutsamudu qui sont environnants ici au quartier Shitangani ont été pillés. Ce n'était pas pour les agresser, c'était un moyen de partager. Ils considéraient qu'ils étaient nantis par rapport aux autres. Donc, ils avaient un certain nombre de choses qu'ils pouvaient prendre, des chaises, ils ont pris du mobilier, des réfrigérateurs, ils ont pris tout ce qu'ils voulaient. Ces opérations-là ont été engagées surtout par des jeunes chômeurs ou des jeunes délinquants, tout ça, poussé par certaines personnes. Mais Dieu merci, étant donné le fait religieux, cette agressivité ne s'est pas développée autant qu'on aurait pu le penser. Presque quand les gens disent que ça, ce sont les enfants des machins qui travaillent comme domestiques dans les maisons de machins, maintenant on trouve ces mêmes personnes de Nyumakele qui ont des maisons à Mutsamudu, une belle maison, et qui font travailler aussi des descendants des familles arabes, tous ces aspects-là ; maintenant, les mariages de plus en plus, les jeunes se trouvent à l'école, ils sortent ensemble et ils dépassent les trucs de papa. Moi, je ne peux plus imposer maintenant à ma fille qu'elle épouse telle ou telle personne. Elle épousera qui elle veut, les choses ont vraiment évolué et ça, c'est quand même positif parce que ça permet de consolider l'unité, d'éviter les conflits. Donc, c'est la cohésion sociale.

Ainoudine, dans sa thèse, a dit qu'au temps de LOPA, dans l'accord trouvé pour arrêter la révolte, ils ont intégré une clause selon laquelle ils pouvaient marier des femmes à Mutsamudu.

Parce que les gens de Mutsamudu se sont mariés avec des descendants d'esclaves et ils ont donné beaucoup d'enfants, mais les esclaves ne peuvent pas marier une femme, une fille de ce genre. Parce qu'ils étaient charmés et souvent par des charmes de certains machins tout ça, on a vu beaucoup de familles ici ou les gens ou les épouses des machins descendants, ils ne voulaient pas qu'on le dise, mais pour eux, c'est l'histoire.

Je ne pense pas que ces regards critiques nous permettent de voir un petit peu l'évolution, de mesurer, parce qu'on ne peut pas occulter l'histoire. Ils n'y arriveront jamais à un développement si nous ne tirons pas les leçons des fautes commises par nos machins, nos ancêtres, il faut retrouver un cadre qui nous permet de tirer un trait sur ce passage-là et il faut que les personnes qui ont été les descendants, les victimes de toutes ces situations puissent au moins faire le deuil de ces situations. À mon avis, ça, c'est important. Et les phénomènes changent tellement vite, on trouve des gens qui se sont paupérisés dans les villes, qui vivent dans la mendicité. Ce sont des phénomènes qui se développent, mais « il y a des nouveaux riches », des gens qui sont aujourd'hui entreprenants, par exemple, ici à Mutsamudu, 60 % des magasins sont tenus par des gens de Bandrani qui étaient les travailleurs des plantations, le girofle, le machin, tout ça, ce sont les descendants. Certains ont pris l'accès de l'école, les gens peuvent envoyer leurs enfants à l'étranger pour faire des études ; ils sont très entreprenants et moi, je suis très content. Et je vois des gens de Bandrani épouser des femmes de Mutsamudu, surtout les grandes familles. Moi, j'ai une nièce dont l'époux vient des gens de Bandrani, Meka, du côté de Shitsangani. Dani Meka dans le magasin, sa femme est une nièce de Mutsamudu et son mari est de Bandrani. Des choses qui n'auraient pas dû se passer il y a une cinquantaine d'années.

On dit souvent qu'une bonne partie de ces travailleurs-là, avec la démocratisation des années 1970 à nos jours, sont partis vers Mayotte.

Ca, c'est vrai. D'ailleurs, c'est ce qui explique la réussite de certains. Car certains ont acquis la nationalité française. Ils peuvent se déplacer, aller où ils veulent. Ils avaient des moyens, du travail, des salaires, ils ont fait fructifier tout ça. Et la plupart des gens qui sont à Bazimini, ce sont les anciens de Mayotte, et ce sont les gens des plantations qui sont partis là-bas. Donc, le changement, pour eux, c'est d'abord partir. Cette idée de départ, je pense que nous avons beaucoup vécu cela dans le pays avec les engagements, les gens qui passaient d'une île à l'autre pour aller à Mayotte particulièrement, et puis vers La Réunion et Madagascar.

Cette époque-là est-elle restée dans la mémoire des gens ?

Si, certainement, on peut trouver des personnes ici qui peuvent parler quand même un peu. Le monsieur qui est ici et qui est rencontré peut connaître beaucoup de choses sur notre histoire par rapport aux travailleurs. Lui-même (…) de Mutsamudu. C'est un notable qui s'appelle Youssouf Sakin. Il est clair, il est à Mutsamudu. Lui, il peut parler parce qu'il n'a pas vécu, mais il est intéressé, il parle avec.

L'histoire est là, nous ne pourrons pas l'occulter. Maintenant, quels sont les facteurs clés qui ont aidé au changement ?

Moi, je crois que c'est l'accès à l'éducation, au niveau des écoles, les lycées, tout ça, de même que depuis Ali Soilihi, ça se multiplie partout et puis les parents, aussi pauvres qu'ils soient, ils font le plus gros sacrifice qu'ils doivent faire. Moi, j'ai vu une personne ici qui vend des pistaches. Il vit et il a fait entrer son enfant à l'école privée. Il paie 10000f par mois. Il se prive de manger et de tout. Lui, il veut que son enfant apprenne quelque chose. Il estime que s'il sort, il sera quelqu'un et là, il tirera des profits nécessaires. Alors, il fait de gros sacrifices. Donc, l'éducation est un des facteurs. D'autres facteurs : l'amélioration des conditions de vie et puis maintenant la démocratisation. Mais avant, les grands hommes politiques, c'étaient les Affane, les Djohar, tout ça, c'étaient des gens qui sortaient de Domoni, de certaines villes, les Mohamed Ahmed. Maintenant, la classe politique, la plupart sont ici, ils n'arrivent pas à avoir des gens qui sont recrutés, Monsieur Nassim Allaoui, qui est de Jimlimé, une zone qui était enclavée et tout le temps, c'est lui le président du Conseil de l'île. C'est un phénomène. Devant cela, ils ont acquis un certain nombre : Maraharé, Anisse d'un village reculé Marahare, c'est lui, le gouverneur. Tout ça, ce sont des choses qui ont beaucoup évolué ici à Anjouan. Il y a beaucoup de gens qui ont réussi à l'extérieur, à La Réunion, et qui reviennent ou leurs enfants reviennent. Ils investissent, leurs activités économiques font que les choses changent, se développent ; on trouve maintenant un certain nombre de personnes qui n'avaient pas accès à certaines choses et qui les ont. Donc, le phénomène des villes et des villages, qui était un phénomène extrêmement délicat, a tendance maintenant, en raison des différentes évolutions, on assiste maintenant à un autre schéma. Et certains facteurs de rapprochement de la population sont positifs. Il y a moins de mépris, la plupart des personnes qui ont des enfants placés dans les familles sous des formes d'exploitation et d'esclavage parce que les parents sont pauvres soi-disant, ils leur font apprendre le coran ainsi de suite, parce qu'ils n'ont pas fait l'école, ce phénomène est pratiquement révolu. La plupart de tous les enfants de ces gens-là, sous l'emprise maintenant des ONG, de la société civile, il y a des gens qui sont très actifs dans ces associations, tout ça et la sensibilisation et les organisations internationales, comme l'UNICEF, il peut y avoir des cas isolés. Mais la plupart, maintenant on trouve les enfants, ceux qui ont ces enfants-là, ils les élèvent comme leurs propres enfants. Ajouter, ce n'était pas le cas, je suis lié à plusieurs reprises que dans notre famille, notamment Zaki, lui, a fait l'histoire d'Anjouan, cet élément est resté et aujourd'hui, personne ne peut travailler sur l'histoire des Comores s'il n'a pas lu Saïd Ahmed Zaki. La toponymie de Mutsamudu a beaucoup changé. Oui, les grands citadins sont partis. Ce que je constate, malheureusement, c'est que certaines de ces familles ont eu du mal à envoyer leurs enfants à l'école. Les grands citadins de Mutsamudu sont tous partis à La Réunion, en France comme à Mayotte. Ce sont les gens qui sont venus d'ailleurs, soit du fait de l'exode rural soit des gens qui sont venus investir, se sont installés, des gens des villages qui ont acheté des terrains à Mutsamudu, même les maisons de la médina sont achetées par les gens des autres villages, qui s'installent, ceux qui sont là à proximité de la fameuse mosquée de Mkirashoni qui réunissaient des grands notables, des bourgeois, bien à côté, et s'installer là est une marque de réussite. Ils achètent des maisons, ils restaurent, ils les rénovent, ils sont là, ils sont de Mutsamudu. Ils votent à Mutsamudu, ils sont à Mutsamudu, leurs enfants sont là ; ils vont ailleurs de temps en temps, mais ils vivent à Mutsamudu, donc la population de Mutsamudu a beaucoup changé. En grande partie, il y a eu un apport des gens de Nyumakele, malheureusement, les gens vivent dans la périphérie, tout ça. On n'a pas pu accéder à des conditions d'habitat plus correctes et tout ça. Ce que je constate, malheureusement, c'est que certains de ces familles ont du mal à envoyer leurs enfants à l'école. C'est ce que j'ai dit à ceux qui ont pris le relais de mon association la SOS-espoir, c'est-à-dire revenez un peu sur cette situation, le problème d'insertion des enfants. Lorsque nous, on a joué un très grand rôle au niveau des familles, on leur a fait comprendre qu'on ne pouvait pas garder des enfants sans qu'ils aillent à l'école. Ça, ce n'est pas normal, donc j'ai créé SOS-Espoir lorsque je suis revenu de Maurice, de la Commission de l'océan Indien, avant d'être appelé par le président Azali. J'ai passé un an ici et je m'occupais comme aujourd'hui je m'occupe d'une association du patrimoine, c'est une autre association de jeunes que j'ai formés pour prendre le relais. Ils sont là où on a aménagé les conteneurs, ils font l'alphabétisation, pour maintenant, il y a des femmes des villages qui n'ont pas fait les études à l'école, surtout des jeunes femmes ; ils sont là, ils apprennent certaines choses et font de la broderie, tout ça. Ces aspects sont faits par le SOS-Espoir. Le patrimoine qui était fait par Mme Fatima Boyer, c'est justement pour essayer de sauver ce qui reste des vestiges de l'histoire des Comores. On a restauré la citadelle qui était en train de tomber, on a commencé le palais des sultans, qu'on fait restaurer avec l'aide des Américains. Je dois faire des efforts pour avoir tout financement complémentaire et puis nous sommes intéressés par le palais de Bambao de Mawana. Parce qu'il a été transformé en maison d'habitation par l'ancien directeur de l'ancienne coloniale. Au moins, même étant à la retraite, il se souciait de cette maison. Le palais est toujours là, même s'il y a quelques transformations qui gâchent son aspect ancien, mais nous sommes en train de faire une recherche pour le faire reconstituer, le palais. Ca sera un peu au niveau du palais du sultan notre prochaine mission. C'est la population de Domoni, très consciente effectivement, à un certain moment, qui fait un petit effort. Ca commence surtout sur la ville de Domoni, ce domaine appartient à certains gens des descendants des familles, mais sont très conscients ; ils se sont mobilisés pour qu'aucune feuille de l'histoire ne soit effacée.

Quand on parle de domaines appartenant à des familles, certaines personnes s'interrogent et s'inquiètent, se demandant si on ne va pas leur demander de quitter les terres qu'elles occupent. Elles posent déjà la question.

Non, il y a le palais du sultan de Domoni, c'est la famille de Jamal, l'ancien directeur d'Air Comores, c'est sa grand-mère ou plutôt sa mère qui habitait là. C'est plutôt un palais, à la différence de celui de Mutsamudu, qui était utilisé comme un hôpital, un lieu public. Ils ne sont pas en mesure de restaurer qu'à un certain moment, il va falloir discuter avec la famille. Ils ont pu le construire, mais pas les faire déguerpir, c'est leur lieu.

La plupart des travailleurs qui occupent leurs terres disent que ces terres leur appartiennent. Le directeur de la SCB m'a dit qu'il y a des gens à qui on a donné ces lopins de terre, car ils n'avaient nulle part où aller.

Et pourtant, ça appartient au domaine, à l'Etat.

Maintenant, une petite question pour Mutsamudu. Il y a un quartier qui a attiré mon attention, Lazare. Pourquoi ce nom ?

Ah oui, certainement Monsieur Youssouf Sakini peut vous donner une explication, mais la plupart de ces gens-là travaillaient au port. Ce sont des travailleurs. Moi, en lisant des livres, j'ai trouvé certains noms de quartiers, mais le mot Lazare, pas encore. C'est intéressant. Les descendants des gens de ce quartier travaillent au port, ils sont pêcheurs et dockers. Les gens du port sont venus de Bandrani, de Bambao, se sont installés ici, le port était déjà là.

14. Youssouf Moussa, indépendantiste maorais, leader du Front démocratique à Mayotte

Tel que j'ai compris, l'esclavage existe dans certains pays : en Mauritanie, dans certains pays du Golfe. Des formes actuelles d'esclavage et si nous cherchons à élargir le problème, peut-être qu'il y a des formes d'esclavage qui existent actuellement, notamment celui des enfants qui travaillent dans certains pays et cela pendant des heures et des heures. Ces systèmes qui existaient dans les pays occidentaux, au XIXe siècle, au moment du capitalisme où on faisait travailler les enfants et de façon très dure. L'esclavage dur à proprement parler, il existe peut-être quelque part. Le plus répandu actuellement et certainement, c'est l'esclavage moderne.

L'esclavage a existé, nous le savons. Peut-on trouver des formes ou des survivances de l'esclavage aux Comores ?

Entre autres survivances, je pense, c'est cette forme, dans les chefs-lieux et la capitale, où les familles acceptent des enfants des régions rurales pour les utiliser dans des formes diverses. On peut le voir, comme la chanson de Salim Ali Amir le décrit, cette forme-là existe toujours.

Maintenant, dans le même ordre d'idée, physiquement, les pratiques ont petit à petit disparu, mais dans l'esprit des gens, il y a toujours des survivances des idées et pratiques concordantes. Dans des familles nobles, exemple de Mutsamudu, les enfants ruraux sont considérés comme des esclaves. Naturellement, des enquêtes sociologiques très poussées sont indispensables pour constater les pratiques telles qu'elles se présentent de nos jours. Ce qui se passe dans nos villes doit nous renseigner sur les formes qui se pratiquent encore à Moroni comme à Mutsamudu et ailleurs.

Avez-vous vécu, vous, durant votre vie, des pratiques qui ressembleraient ou qui pourraient être interprétées comme forme pratique esclavagiste ?

Dans le temps, dans les écoles coraniques, même si de nos jours les choses ont beaucoup évolué, il y avait des pratiques limites. Les apprenants, le maître, dans la pratique, avaient droit de vie et de mort sur eux. Cela passait par les mauvais traitements ou autre chose, ils étaient à la disposition et ils pouvaient faire tout ce qu'ils voulaient. Par exemple, s'agissant des châtiments corporels, on arrivait même à enchaîner des enfants.

Nous sommes maintenant à un niveau d'interprétation des données.

Jusqu'aux XVIIIe et XIXe siècles, il y a eu beaucoup de déportations du continent vers les Comores, notamment du Mozambique, peut-être même de la Tanzanie.

Parce qu'on retrouve dans les familles des gens dont, manifestement, les ascendances sont directement du continent. Maintenant, il faut se rendre compte que dans nos îles, même à La Réunion et Maurice, il y a eu d'autres apports. Aux Comores, nous avons les Arabes, même si le peuplement, pour l'essentiel, est d'origine bantoue. D'autres apports se sont ajoutés comme les Malgaches, les Arabes et d'autres. Donc, aux XVIIIe et XIXe siècles, il y a eu un mouvement très fort de déportation de Makua, particulièrement du Mozambique. À Mayotte, un mouvement voudrait faire croire que l'apport mozambicain est perceptible en direction pour légitimer la rupture avec les autres îles de l'archipel. Une prise de conscience que certains tentent d'utiliser alors que cela concerne toutes les îles. Il y a une conscience manifeste confirmant cette origine. Et il y a de nombreuses personnes qui reconnaissent que leurs origines viennent du continent. Le maire actuel de Dzaoudzi Labattoir, Mohamed Bacar Mcolo, lui, dit clairement que ses origines, c'est le Mozambique. Il y a un an déjà, un groupe de jeunes Mahorais s'est rendu au Mozambique à la recherche des origines. C'est de cette façon-là que nous allons « chercher nos origines ».

Au niveau de la recherche, il n'y a pas de problème, c'est au niveau de la conscience des gens.

« Ah oui, il y a un refus, même si peut-être les choses ont ainsi peu évolué ; je me rappelle que quand on était enfant, traiter un Comorien d'Africain était pris comme une injure suprême. » Au niveau de Mayotte, il y a une tendance d'utilisation, d'instrumentalisation de cette conscience, à travers les écrits, pour se séparer. La crainte d'une volonté manifestement affichée de rompre avec les autres îles. Mayotte n'est pas comorienne serait l'aboutissement de cet argumentaire qui se développe. Mayotte, c'est avec le Mozambique et non avec les autres îles. Ces arguments sont développés par les Occidentaux, qui ont eu des moyens pour le faire (Jean Martin affiche des thèses révisionnistes par rapport à son ouvrage), mais sont repris maintenant pour justifier une quelconque rupture.

Tiziane Marone utilise des raccourcis qui étonnent pour justifier la filiation directe avec le Mozambique.

La polémique ici n'a pas sa place, mais il faut arriver à poser ces problèmes pour une meilleure écriture de l'histoire des Comores, vue d'une manière objective, scientifique, non teintée de colonialisme. En prenant l'exemple du patrimoine intangible, les mêmes danses se retrouvent dans chaque île et ce sont les mêmes groupes qui les produisent, les mêmes origines. Trouver une danse typiquement mahoraise n'est pas possible, mais qu'une danse ne soit plus pratiquée à la Grande-Comore, c'est le résultat de l'influence islamo-arabe d'une part et de la mauvaise presse d'autre part. (Moina Riziki Baco, à La Réunion, s'exclamant à la découverte d'une émission au sujet d'un ziara organisé à Anjouan : « Finalement, c'est l'islam à la Grande-Comore qui a dominé, mais nous avons les mêmes pratiques, nous sommes les mêmes gens. Nkima et ugari pour désigner le même repas. L'unicité de l'archipel se fonde sur un socle civilisationnel et humain commun plutôt qu'autre chose). On comprend difficilement que des esclaves, makua, enchaînés et parqués dans des navires pour les plantations soient arrivés avec des instruments de musique. Instruments qu'on utilisait dans la culture du riz, plus ancienne, alors que, eux, ils sont venus à la fin du XIXe siècle, cela paraît incompatible. De deux choses l'une, ou ces instruments ont été introduits simultanément avec la culture du riz, ou ils l'ont été en même temps que les esclaves du XIXe siècle. De toute façon, de nos jours, même s'il y a des gens qui veulent faire une fuite en avant et en désespoir de cause, ils sont obligés d'accepter que leurs origines sont africaines. Si cette tendance existe encore, ils ne peuvent pas nier cette réalité comorienne. Cela paraît impossible. Même si, dans le temps, il y a eu ces apports d'esclaves, les mélanges réalisés dans l'ensemble de l'archipel ont servi de creuset pour absorber tous ces courants et former une population homogène. « À Labattoir, aujourd'hui, l'essentiel de la population est d'origine anjouanaise. À Koni ya Kungu, à 90 %, la population vient d'Anjouan. C'est la deuxième commune de l'île en termes de population. Dans la commune de Mamudzu, le chef-lieu, près de 50 % de la population est d'origine anjouanaise ou issue des autres îles. Par exemple, la commune de Kaweni est un village anjouanais. Pasmainti, Tsundzou et Vahibé sont des villages anjouanais. Les Mahorais eux-mêmes savent pertinemment qu'ils ne peuvent pas gommer cette réalité-là, ils peuvent se leurrer. Un Français a réalisé un film sur un groupe d'élèves mahorais envoyé dans un village, au fin fond de la France, suivant des pratiques qui ont toujours cours : si un établissement manque d'effectifs suffisants pour maintenir la classe ou l'école, on fait venir des élèves des colonies pour combler le vide. De nombreux jeunes mahorais ont été envoyés dans cette région et le cinéaste les a suivis pendant un an. Il a sorti un film et dans ce film, une fille, par exemple, est interrogée sur un supposé envahissement d'étrangers venant des autres îles. Est-ce que toi tu n'as pas des origines des autres îles Comores ? Elle répond : si, mon père, mais ce sont des étrangers ».

Baco Madi, c'est un nom anjouanais. En définitive, ces aspects sont les conséquences des transferts de population par les colons, qui avaient besoin de bras, pour

Mayotte particulièrement, et qui font que l'on retrouve les mêmes gens dans chaque île. Ce sont ces apports qui ont été à l'origine soit de créations de villes et villages, soit de leur agrandissement au cours de cette période.

Combani est un village de Grand-comoriens, Mramadodo et Malamani aussi pour la plupart. Donc, en termes de brassage, Mayotte est plus comorienne que les autres îles.

Notons qu'Anjouan a peuplé les trois autres îles des Comores avec une nuance : ces gens-là étaient anjouanais depuis quand ? Voyons donc cet aspect du transfert des gens depuis le continent. À un moment donné, on a eu l'idée de faire d'Anjouan un lieu de regroupement de ceux recrutés en Afrique avant leur distribution vers les destinations qui en auraient besoin.

Entre modernité et craquement.

Que les Comoriens acceptent qu'ils sont Africains. Car cela pose encore des problèmes. À Mayotte, avec l'arrivée des Rwandais et tout ça, les Mahorais disent ces « Africains-là ». Ils n'ont pas compris qu'ils sont eux-mêmes africains. Ca serait mieux que les Mahorais, que tous les Comoriens d'ailleurs, l'acceptent. Pas seulement du bout des lèvres. Ils doivent croire qu'ils sont véritablement des Africains. Non seulement de par leurs origines, mais également de par leur mode de vie. Le mode de vie qui est le nôtre, c'est l'Afrique. Certes, une fois que l'on se trouve dans une île, il y a certaines choses qui apparaissent et qui diffèrent un tout petit peu de ceux qui sont en Afrique, mais pour l'essentiel, nous avons le même mode de vie.

Mauvaise presse.

Il faut peut-être accepter de faire un test ADN pour montrer d'où nous venons. La domination de la culture arabo-islamique gauchit un peu l'histoire.

Et aussi le colonialisme, puisque le propre du colonialisme est d'isoler la population en lui montrant que non, voilà, vous, vous êtes bien, vous n'êtes pas comme les autres. Vous parlez bien etc. L'un dans l'autre, nous finissons par croire qu'effectivement, nous, nous sommes différents de nos frères du continent africain, que nous sommes des wa ungwana et eux des wa-shendzi. Cela fait mal et les gens ne se rendent pas compte des conséquences.

Jusqu'à maintenant, il y a des familles qui, on le voit par leurs traits, viennent d'Afrique. Je me rappelle que les deux ou trois fois où j'ai fait escale à Nairobi, les gens de l'aéroport m'ont dit : « oh my brother, how are you ? ». Ils ne voyaient pas de différences. En Afrique de l'Est, un Comorien, moi en l'occurrence, se sent comme chez lui, il est dans son milieu. C'est cela qu'il faut aujourd'hui valoriser. Apprendre l'histoire afin de mieux l'enseigner aux nouvelles générations. L'esclavage lui-même est un fléau, un accident majeur de l'histoire. Et nous en sommes victimes ; victimes de beaucoup de choses, culpabilisés.

S'agissant d'un quartier de Moroni, des bribes d'informations permettent de retracer l'histoire de ceux qui sont là. En effet, certains étaient, pour emprunter la formule de Mme Sophie Blanchy, des serviles du palais (djumbe), de la famille régnante, et résidaient dans les environs du lycée Saïd Mohamed Cheikh à Moroni. Mais après, ils ont argué des arguments selon lesquels des démons venaient perturber leur vie, et ils ont quitté les lieux. Curieux, ils ne sont pas allés ailleurs, mais sont allés rejoindre rejoindre d'autres de même statut qu'eux déjà installés derrière les murs de Moroni. On peut estimer qu'ils se connaissaient, que c'étaient les mêmes groupes et qu'ils venaient des mêmes régions (d'Afrique). L'autre élément fort, aux Comores, sont arrivés des éléments d'ethnies différentes. Ils n'étaient pas tous Makua, il y avait des zoulous, des maconde, des nyamwezi etc., la liste est longue. Et par réflexe d'étrangers, ils se sont regroupés, ont formé des villages, se sont mis ensemble et ont développé des coutumes. Ont-ils continué ce réflexe d'étrangers, défensif, se protégeant, au risque de disparaître ? À la Grande-Comore, cela n'a pas été le cas. Ils se sont éparpillés et ont intégré des villes et villages. En se mêlant, ils n'ont pas formé de villages à part, à quelques exceptions près.

À Anjouan, c'est tout à fait différent. La séparation a été nette et on a créé pour eux des villages entiers près des plantations parce qu'ils formaient la main-d'œuvre dont on avait besoin. Ils avaient leurs propres villages, Pomoni, Patsy, Bambao, etc. C'est pourquoi la contradiction à Anjouan est nette. L'opposition entre eux et les grandes villes est forte. Mutsamudu, Domoni et Wani forment un monde à part, un monde à conquérir. Ces agglomérations ont souvent payé les révoltes qui se sont nourries de cette opposition chauvine développée par ceux des campagnes. Une approche analytique montre que ceux-là n'étaient pas forcément esclaves ; les wa-matsaha (bushmen) étaient là et ont certainement trouvé chez les nouveaux venus des alliés. C'est cela la réalité combinée. Elle montre que les Comoriens forment une population homogène, les nouveaux venus n'ont pas eu de mal à se mélanger ou à cohabiter avec les primo-arrivants. Le mode de vie n'étant pas du tout différent, ils ne présentent de différences physiques. L'absence d'état civil depuis cette période n'a pas aidé à distinguer les gens et ce point rend pertinent la sauvegarde des carnets dont disposaient les travailleurs de la SCB.

À Mayotte, après la prétendue abolition de l'esclavage, les colons ont encore eu besoin de travailleurs dans les plantations et ont donné beaucoup de gens à l'île, raison pour laquelle Mayotte est la plus comorienne des îles. Et puis, il y a eu la période où la capitale était à Mayotte. Tous les fonctionnaires y travaillaient, se sont mariés et ont eu des enfants. Rares sont les Mahorais qui peuvent dire que leurs grands-pères ou grands-mères sont originaires de Mayotte. Il n'y en a pas beaucoup.

En ce qui concerne l'intégration, l'étude vise le dernier arrivant pour aller vers une reconnaissance, car ils ne sont pas seulement intéressants par leur nombre, mais surtout, ils ont apporté des techniques, des apports linguistiques et culturels. Ensuite, il faut accepter, sortir de l'oubli et ne pas rester dans cette amnésie volontaire pour une réhabilitation ? Pendant une certaine période, on nous a dit à l'école primaire : « nos ancêtres les Gaulois ». Voilà en gros le cadre et toute réflexion a ses limites, seulement, il fallait commencer un travail. L'objectif n'est pas de finir ce travail, qui paraît encore plus difficile si on tient compte des milliers de kilomètres à parcourir jusqu'en France pour consulter les archives. Aujourd'hui, les archives départementales de Mayotte ont été ramenées dans la zone pour qu'on ne soit pas obligé, malgré les subterfuges administratifs et ceux du visa Balladur qui se dressent devant le chercheur comorien, d'aller en France. Les prochaines années de la recherche se présenteront-elles sous de bons auspices pour les chercheurs ? Il y a des raisons d'être sceptique quand on sait que malgré les efforts, sous nos cieux, pour constituer un fonds d'archives à la disposition du public, sans même avoir eu l'autorisation du gouvernement des Comores, une partie se trouverait conservée aux archives départementales de Mayotte. Absence de politique dans ce domaine ou tout simplement gouverner aux Comores, c'est regarder vers le trésor public. Il n'y a aucun texte qui parle de culture ou de patrimoine.

15. Mohamed Youssouf Roumli et Fouad Moindze
février 2013
La perception de l'esclavage

Malgré les difficultés que représente l'histoire de l'esclavage aux Comores, le témoignage oral reste un des moyens les plus efficaces pour la collecte des informations. À Mitsamihuli, il a fallu surmonter de nombreux obstacles pour collecter quelques informations, compte tenu des réalités socioculturelles.

I/ Historique

Défini comme étant une institution, l'esclavage a toujours existé sous diverses formes : pendant la période sultanesque, l'esclavage fut pratiqué à Mitsamihuli comme dans toutes les régions de Ngazidja. En effet, les esclaves étaient des gens étrangers à la cité, réduits en esclavage. Ils formaient les habitants des villages environnants de Pidjani et de Ntsadjeni. Selon un informateur, par la nature même, cet esclavage était différent de celui pratiqué par l'Occident ou l'Orient. Pour lui, il n'y a pas eu vente d'esclaves dans les marchés. C'étaient des personnes économiquement faibles qui étaient réduites en esclavage (pas de marché d'esclaves).

Dans les traditions comoriennes, l'esclave vivait dans des conditions différentes par rapport à la période coloniale. En effet, du moment où ces esclaves, quel que soit leur travail, étaient logés, nourris au palais, leurs enfants vivaient dans les mêmes conditions que celles des enfants du maître. Ils participaient ensemble à la même école coranique (esclavage traditionnel).

Les Makua : pendant la période coloniale, la cité de Mitsamihuli n'a connu aucune forme d'esclavage. Les esclaves que l'on connaissait étaient des gens déportés de l'Afrique de l'Est. Ils ont par la suite créé les villages périphériques de Membwabwani et de Henya mrama. Ceux-là étaient des ouvriers qualifiés, des navigateurs et des maçons. Ce fut le cas de Kanloga, un ouvrier au service de M. Henri. Il a construit leur maison et leur usine.

II. Perception

L'esclave, depuis son apparition, n'a jamais été considéré comme l'objet de son maître, un objet appartenant à un individu fort et puissant. Au contraire, la relation maître/esclave dépasse les normes humanistes. Le maître possède totalement son esclave, y compris son âme. Cette vision n'a pas existé aux Comores. En effet, la situation de l'esclave, dans nos cités, est des plus libérales, bien que l'on considère l'esclave comme un sous-homme vivant à part et marginalisé. Certaines manifestations de la vie sociale lui étaient refusées : il n'avait pas le droit de se marier avec les libres ni de faire le grand mariage coutumier ou traditionnel.

La situation actuelle a beaucoup évolué et ne ressemble en aucun moment à l'ancienne période esclavagiste. L'ancien esclave s'est véritablement affranchi et arrive à gravir toutes les marches de la vie sociale : fini le temps de la marginalisation. Dans la cité de Mitsamihuli, on s'aperçoit que les anciens esclaves parviennent au même rang social que leur ancien maître et, dans certains cas, ils deviennent plus influents que lui dans la société (par leur éducation, leur richesse, et l'honneur qui en découle). Ainsi, la notion d'esclave, la sous-estimation, la marginalisation, le mépris de la part de certains ont catégoriquement disparu de la mémoire des gens.

De nos jours, c'est un autre fait qui apparaît, celui du complexe des enfants des anciens esclaves, qui rejettent ou qui nient la réalité d'hier. Ce complexe de grandeur, cette folie de grandeur, la recherche à tout prix de considération sociale sont, en fait, les complexes des descendants des anciens esclaves. Ceci dit, aucun signe de cette période n'est visible, en tout cas n'est pas souhaitable.

Bilan

L'étude de la perception de l'esclavage à Mitsamihuli n'a pas été faite sans difficultés. D'abord, un manque d'informateurs crédibles. Puisque la population s'est beaucoup rajeunie, il y a de moins en moins de vieux témoins. Par ailleurs, certains informateurs ont hésité, pour ne pas dire ont eu peur, de traiter la question. Pour eux, le fait de parler de la vie des autres peut leur causer trop d'ennuis. Certains ont refusé de se faire enregistrer. Parfois, on a assisté à des scènes de ménage où l'un des époux voulait empêcher l'autre de divulguer des informations sur le sujet qui pouvaient engendrer des conflits sociaux. Nous avons fait de notre mieux pour rassembler le plus d'informations possible, le résultat n'a pas été sans peine, mais l'intérêt est énorme.

16. Perception de l'esclavage à Fumbuni

L'esclavage est attesté depuis le XVIIe siècle sous plusieurs formes, pratiqué par les familles nobles (*wasululu*) qui avaient des esclaves du Pimba, de Domba et de Dimani. Ces esclaves étaient des domestiques et des esclaves agricoles.

Les domestiques ne pouvaient en aucun cas sortir ; logés et nourris, selon Moinamkaya du clan Wenyabundaya, ils s'occupaient des enfants et faisaient les chambres. Leur vie se déroulait à l'intérieur de ces maisons clôturées. Selon Allaouiya Saïd Hachim, les esclaves portaient le sultan Hachim sur le fitako de Fumbuni jusqu'à Moroni et ne percevaient rien. L'esclave porteur emmenait les membres de la famille partout où ils devaient se rendre. L'esclave portait seulement un tissu, qu'il enroulait autour de sa hanche.

Les esclaves agricoles, eux, s'occupaient des champs toute l'année et ne pouvaient aller en ville que le seul vendredi. Ces terres étaient à Pemba, à Dimani et à Domba.

Fumbuni apportait des présents dans toutes ces régions à leurs esclaves, qui ne devaient pas venir en ville à part les jours de fête, mais accompagnés.

Souvent, les femmes esclaves tombaient enceintes de leur maître, à ce moment-là, ils étaient obligés de se marier, de leur donner des terrains et de les libérer. De nos jours, ce sont les descendants de ces anciennes esclaves qui dominent la ville de Fumbuni.

Certaines pratiques existent encore, celles qui interdisent aux descendants d'esclaves de prendre la parole et de s'asseoir sur les places publiques à côté des grands notables. Il peut être aujourd'hui fonctionnaire ou notable, mais ne se marie qu'avec des familles de basse classe ou pauvres.

Fedadjamu, reine et tante de Hachim, née en 1660, possédait une grande maison entourée de murs et, de nos jours, des membres influents de la famille y sont enterrés. À l'intérieur, vivaient des esclaves venus de Kwambani Washili. Chaque vendredi, à 18h, se tenait au palais une préséance. Son programme, rendre visite aux membres de sa famille deux fois par semaine et payer à ses esclaves une fois tous les trois mois le dzuna (monnaie de l'époque). Elle faisait cultiver à l'intérieur de sa cour de la canne à sucre.

Mwana Athimari et ses esclaves :

Les Wenyabundaya sont une famille de trois clans :

Le clan Mdziani, qui possède des esclaves à Male et à Kopve.

Le clan Fatima Sera, l'invincible, possédait aussi beaucoup d'esclaves. Ces derniers se chargeaient de ses bœufs et de ses terres.

Et enfin celui de Moinathimari, femme puissante, mais voilée, possédant des terres. Elle pratiquait l'esclavage, mais traitait ses esclaves avec égard. Elle les laissait entrer dans ses chambres. Elle les payait tous les quatre mois.

L'esclavage au djumbe

Le djumbe est la famille la plus connue et la plus riche : elle pratique l'esclavage jusqu'à nos jours. Les maisons disposent toujours de caves souterraines, sombres, où vivaient les esclaves.

Les grandes familles de Fumbuni ont une perception de l'esclavage : les descendants d'esclaves sont toujours infantilisés par elles. On leur rappelle toujours leurs antécédents s'ils commettent une erreur ou passent par une porte qui jadis était celle des sultans ou des dignitaires de la famille. Certains droits leur sont enlevés. Des travaux peu reluisants leur sont réservés, comme la pêche (le pêcheur à Fumbuni a un autre statut, c'est une fonction).

À Fumbuni, il y a toujours une perception dans les esprits de l'esclavage, bien que difficile à pratiquer. C'est ce qu'on peut appeler un esclavage moderne : jusqu'à maintenant, les mêmes familles gardent les mêmes pratiques. Elles accueillent les enfants placés venant des autres villes, villages et régions. Ces enfants font des travaux ménagers, même si certains sont envoyés à l'école.

(Daniel Wardat, Salimou Ali Mhadju et Mouignidaho Mohamed Soulé)

17. Propos recueillis auprès de BACAR MLANAWANDRU
Fumbuni

Q : était-il possible à l'époque passée qu'un homme libre puisse se marier avec une femme esclave ou une femme libre se marier avec un homme esclave ?

R : ce n'était pas possible parce que, avant, la religion était de rigueur. Un esclave se mariait avec une esclave, un homme libre avec une femme libre. Même si l'esclave se mariait avec une esclave (le grand mariage), il restait esclave durant toute sa vie jusqu'à son décès. Quand il décédait, on devait appeler son maître pour qu'il donne l'autorisation de le laver. Il était amené jusqu'au cimetière et son maître donnait l'autorisation de l'enterrer.

Q : n'était-il pas possible qu'une esclave, de par son charme, se marie à un homme libre ?

R : oui, c'était possible.

Q : mais un esclave ne pouvait-il pas se marier avec une femme libre ?

R : non, tu comprends, si une femme esclave était belle, elle pouvait avoir un homme libre pour mari, mais le cas contraire, non.

Q : quelles cérémonies organisaient-ils ?

R : les hommes libres pouvaient égorger 15, 20 ou 30 bœufs, cela dépendait ; les esclaves, trois bœufs seulement.

Q : les cérémonies étaient-elles les mêmes ?

R : non, parce qu'il y avait un tissu appelé hami et des tricots (sans manches) qui existent jusqu'à maintenant. Un toirab léger, un tari lameza et les zifafa le matin pour le conduire chez sa femme.

Q : est-ce qu'ils avaient un lieu spécial pour leur cérémonie ?

R : ils avaient un lieu (bangwe) à eux pour leur cérémonie.

Q : est-ce qu'ils avaient les mêmes danses que les hommes libres ?

R : non, elles n'étaient pas identiques, eux (les esclaves) avaient igwadu, sambe, et les zifafa le matin. L'igwadu et le sambe étaient spécialement pour eux. Le zifafa, c'est pour qu'on puisse les voir quand il va chez sa femme. Un boubou de hami (tissu blanc, mais pas très clair) ; il y avait des esclaves qui le préparaient avec l'écorce d'un arbre, avec un bonnet de tcharahane, des makubadhwi ya hazi, mais il y avait des makubadhwi ya mfotso. Il n'avait pas le droit de porter un bonnet ordinaire ou un djuba ni un mharuma (un tissu léger porté sur les épaules par les hommes).

Q : ils pouvaient faire le grand mariage, mais il leur était interdit de porter certains habits et ils ne pouvaient pas disposer de place à la mosquée du vendredi ?

R : non, ça leur était interdit.

Q : ils ne priaient pas le vendredi ?

R : si, mais ailleurs. Les salutations, ils les faisaient entre eux. Ils n'avaient pas le droit de saluer les hommes libres.

Q : comment cette situation a-t-elle évolué ?

R : c'est le regretté Saïd Mohamed Cheikh, président et natif de Mitsamihuli, fils d'Echa Boina, qui a aboli cette situation. Des gens étaient contre lui, mais lui s'en foutait, car c'étaient des gens comme nous.

Q : est-ce que la confrérie n'a pas contribué…

R : quelle confrérie, Chadhwili, ils étaient serveurs, mais je n'ai pas vu Maanrouf, je ne peux pas dire.

Q : que portait la femme mariée ?

R : elle portait *mkumi, kanike*. Elle ne pouvait pas porter le *lapoulane* ou *soubaya* ni envoyer trousse ou *hara*. Même si son mari lui envoyait, elle ne pouvait pas.

Q : il paraît que des esclaves pouvaient être envoyés comme dots ou cadeaux ?

R : oui, mais ce sont des particuliers, comme tel et tel.

Q : le *shigoma sha laansur* était aussi pour eux ?

R : c'est vrai, c'était pour eux, mais dans d'autres villages, ça existait.

Q : est-ce que, pendant ces danses, les hommes libres pouvaient danser avec eux ?

R : non, ils dansaient entre eux seuls, les gens de ce village venaient les regarder. Quand les gens de ce village décédaient, c'étaient eux qui creusaient les tombes et qui les portaient au cimetière. Les bœufs égorgés pendant les mariages des hommes libres, c'étaient eux les esclaves qui les égorgeaient, qui préparaient la viande, la distribuaient dans leur maison ; même les gâteaux, c'étaient eux les esclaves qui les préparaient, qui cherchaient les fagots et les portaient au réchaud.

18. Propos recueillis auprès d'Abdallah Mohamed Ben Ali
Moroni

Q : nous voulons savoir si les esclaves qui étaient ici se mariaient entre eux ou avec une autre catégorie sociale (homme libre) ?

R : négatif, les esclaves ne se mariaient pas avec les hommes libres. Ils se mariaient entre eux. Mais les hommes libres étaient de deux catégories. Il y avait les *sharif* descendants du prophète et les nobles (*kabyla*).

Les hommes libres cherchaient soit des *sharif* comme eux, soit des nobles. Les gens de la campagne pouvaient être sollicités par une famille s'ils étaient *sharif*. Chez la classe des hommes libres, il y avait des exigences. Un prétendant prince pouvait faire usage d'une des esclaves ; s'il tombait sous ses charmes, la religion ne l'interdisait pas. Il ne versait pas de dot. Il y a des cas précis.

Q : les esclaves pouvaient-ils faire le grand mariage ?

R : oui, c'est ça, c'est ce dont nous parlons là. C'est le grand mariage ; mais ils avaient leur grand mariage à eux (leurs coutumes).

Q : en faisant leur grand mariage, avaient-ils des places spécifiques à eux ?

R : ils avaient des lieux spécifiques.

Q : avaient-ils des étapes (à suivre) à eux ?

R : oui.

Q : tu m'avais dit que le jour du grand mariage, ils n'avaient pas le droit de porter des turbans ?

R : oui, ils ne s'enturbannaient pas. C'était interdit. Avant le mariage, ils ne portaient pas le boubou. Ils portaient un cache-sexe. Ils ne portaient jamais de *dauba* [habit traditionnel qu'on porte après le grand mariage]. L'esclave, même après le grand mariage, n'avait pas de place au premier rang dans la mosquée du vendredi. Le mari, comme sa femme, n'avait pas le droit de porter les vêtements que portaient les autres. Après le grand mariage, leur statut évoluait au sein de la communauté des esclaves. Mais au sein des hommes libres, ils étaient toujours esclaves. Mais cela dépend aussi, chez les hommes libres, on peut te donner des exemples précis. (Stoppe ton magnétophone d'abord)

Q : leur mariage a-t-il évolué ?

R : non, c'est resté comme ça jusqu'à l'abolition. Les esclaves, quand ils voulaient aller à La Mecque, ils demandaient la permission à leur maître. Dans le mariage des hommes libres, ces derniers pouvaient envoyer des esclaves comme dots.

Q : comme les voitures et les vidéos aujourd'hui ?

R : oui, on les envoyait comme dots et cadeaux (*hishima*).

Q : il y a une anecdote que tu m'as donnée selon laquelle le jour où ton frère a lu le sermon du vendredi pour la première fois, vous avez affranchi un esclave. Tu peux me dire à quelle date ?

R : ce n'est pas mon frère Ibrahim, mon oncle.

Q : est-ce que tu étais adulte (majeur) ?

R : oui, j'étais conscient, je ne peux pas te dire le nom. Ils vont le savoir.

Q : la date exacte, le siècle, puisque la date exacte retenue pour l'abolition de l'esclavage, c'est 1904 ?

R : il y a toujours les séquelles de l'esclavage et des complexes.

Q : est-ce que pendant les cérémonies, il y avait dans leur musique des rythmes spécifiques à eux ?

R : oui, ils avaient des tam-tams spécifiques à eux : igwadu, sambe. Les autres, c'est récent, les toirab, les madjlissi, les zifafa etc.

Q : était-il possible que des hommes libres dansent leur rythme ?

R : non, il n'y avait qu'eux qui dansaient. L'*igwadu*, c'était spécialement à eux. Je ne sais pas dans les autres régions de Badjini ou ailleurs, mais ici, c'est ça, je l'ai vécu.

Q : est-ce que la femme pouvait porter des habits de luxe ?

R : la femme pouvait porter quelques habits, elle avait quelques droits. C'était le turban qui était interdit.

Q : on m'a dit que la femme pouvait porter le mkumi, caplanie, cela est resté jusqu'à quand ?

R : c'était la femme mariée qui pouvait les porter, mais la demoiselle portait un *hami* autour d'elle. Cela a disparu peu à peu. Maanrouf a contribué à l'égalité des gens et le sultan Saïd Ali était contre cette égalité. La confrérie a contribué à l'égalité des gens, la confrérie les a fraternisés.

Q : on peut comparer à l'époque de l'hégire, où le prophète faisait les *mouhadji-rouna* et les *answar* ?

R : c'était comme cela, ça j'ai vécu.

Q : est-ce que le mariage a évolué ?

R : les choses ont changé, les familles s'interpénètrent par le mariage.

19. Mitsamihuli et sa région : survivance et séquelles de l'esclavage

1. Hadawa

Informateurs : Ahamada Chiissi et Ahamada Mbechezi

Origine : omdji wahadawa wutsengwa handani ni wandru wapuha Mitsamihuli na Fumbuni na shuwani yikawo emdru wahandani yako tsenga omdji yeuparwa mhadju wasimba yikao hapuha mitsamihuli na male bandiya mhadju wa simba yadjehantsi hunu mdjinihaufanya makazi yapvo ndayapvo wandru wandisa wupuha wadje wamwengariye mfano mitsamihuli hautsaha wafanye hazi harumwa ye mazamba yahawo hunu hadawa ledzina lahunu aswili lahomdji likodoparwa nodjivani yilo nde ledzina lakodoparwa hale hokaya djivani yanu mazamba yawakazi wa mitsamihuli minhum mdru uparwa ahamada ahamedi yikawo leshamba linu ndelakohudja neledzina lahadawa hokaya leshamba linu likaya harumwa dawa bayina yafamiyi mbili sha baandiya ze famiyi zinu wayishiliyana yapvo ndapvo Mze Mhadju wasimba ya djusiza ledzina lahadawa hokaya hadawa ye aswili hudoparwa djivani sha edawa yahe leshamba lidjihundrawo womsihiri wadjumwa wahale litsongeza apvaha djivani ngahuparwawo hadawa yiyo ndeaswili ya- kodjana ledzina la hadawa badiya wowandru walawa mitsamihuli na shuwani wa baliya ze famiyi zahawo wadja wadjehantsi hunu yapvo ndapvo mdji wakoandisa uhuwa hunu hadawa unu mdji wa aswili wa wandru wa mitsamihuli na shuwani hadawa wakaya warumishi wamitsamihuli.

Transformation

Howonesa ukaya omdjiunu wurengwa matreka ni wandru wa mitsamihuli ndo hukaya yembidi yambwani yahomdji yikaya yamdru uparwa mdzadze mariama wa mfwaya owupande wadju wukaya baraka hali na bibi mwaza mzeye wamwinyidaho tsena wunu hadawa hale yeyezi yakaya nowandru wamitsamihuli apvaha kayitsumkini- shiha walawe mitsamihuli wadje waamrishe ndrongowo bahari hunu ndomazambani hawo apvaha wula wurumwa wadokaya nowa mitsamihuli wusa ulawa hokaya badiya omdji wadjawakotsanganyiha pvwakaya mzetsuwo yapuha wela yakodoparwa msayidiye wa hamadi wuwo ndeyaka shefu mitsamihuli hadjatsena ngwandzo yarenge wowushefu hadawa mengoni mwe ze sharutwi zahahe zoka shefuhamba wukaya heniamdri yad- johwitowa ngebidiyo yikubaliwa.

Changement éducatif

Hunu hadawa owandru wahomo elewa omsomo washizungu bayisha rika karibu na mitsamihuli wandru warambushiwa mbapvi omsomo wama pvaya yaziyo yaki arabu emakati yawo heni yakotriya mwanahahe likoli hakodombaliya hemindu hwenda mitsa- mihuli hokaya hadawa mengoni mwemidji yamitsamihuli wahomo hundra likoli hunu ndrongoyo zamsomo rikaya hakika dingoni halisi emakati yawo apvaha yinu owana hatru ndowendawo norambushiwa namsomo ito ndopvahanu radjafikira yaudjifanyiya madjumba yamsomo hautsaha owana wasome hokaya rangu yegalawa yabulwa omsomo hunumdjini wandisa hwendeleya usoni yitsongeza ridjiundiya likoli wunu tsena hunu mdjini wandru wendji wowudjuwa urongowa shingereza hama membwambwani bayi- sha sikaridji ushandziha yitsongeza wanahatru wendji wende harimwa ntsi zashingereza ngwasomeyawo bayishwa hunu mdjini karitsina wanahatru wafanyawo hazi zasirikali shakedja tsongeza rireomsomo ndingoni.

(Rassemblé par Saïd Abdou, Andjuza Saïd, Ali Mohamed Abdou et Foushati)

20. Membwabwani, village d'esclaves, par Mohamed Hamidou Saïd
ISFR

La région de Mitsamihuli présente un atout touristique attrayant : ses belles plages, le Lac salé, l'île aux tortues, les falaises d'Ivan. C'est ce qui a fait qu'elle a accueilli, au XVIIIᵉ siècle, un navire qui avait à son bord des Arabes, des colons et des Noirs d'Afrique. Arabes et colons se sont installés à Mitsamihuli et les Noirs à Membwabwani.

Le bateau continuait le trafic à Mrima (Afrique) et avait comme port de débarquement Iswadju au Trou du Prophète. À bord du bateau, il y avait Maftah, Niya, Hampwe, et Kanlogwa. Maftah s'est marié avec Niya et ils ont donné naissance à Miliza, Hamadi et Marahaba.

Mais ces Noirs étaient utilisés par les colons, notamment chez Humblot. Pendant longtemps, le colon Louis (Mshe Luwi) a été le chef de ce petit village. C'est la même situation pour le village de Mandza, dans la région du Mbude, où Mshari (Monsieur Henri) s'est installé avec ses travailleurs. De son mariage avec une femme du coin, est né Jean Bernard Toinette. Egalement, Mandza et les villages environnants ont été le domaine de Monsieur Henri et les habitants lui devaient la corvée.

21. Les conflits entre Mitsamihuli et les villes satellites
Informateurs : Mmadi Hamadi et Youssouf Abdallah

Introduction
Mitsamihuli, au nord de la Grande-Comore, est le chef-lieu de la région du même nom. Depuis longtemps, la région de Mitsamihuli est secouée par une instabilité sociale latente en raison d'un conflit qui persiste entre le chef-lieu et les villes satellites. Ce conflit engendre des problèmes politiques, économiques et sociaux. Cela est dû à des problèmes fonciers et raciaux.

Selon Moinaché Mmadi, la région de Mitsamihuli est en ébullition à cause de la propension des habitants du chef-lieu à vouloir exercer un contrôle sur les autres villages environnants. C'est le cas de Wemani, situé entre Membwabwani et Mitsamihuli, qu'on voudrait transformer en déchèterie. Ce conflit ne date pas d'aujourd'hui, ces manifestations d'hostilité sont enregistrées depuis la période coloniale, manifestations qui ont fait couler du sang et ont laissé des handicapés. Parmi les victimes, figure un certain Hassani de Wemani.

Mitsamihuli considère Membwadju comme un fief, car propriété de Mwanshamu, fille du sultan Mwinyi Mku. Cette position idéologique alimente ce conflit. Après la mort d'André, colon installé à Mwembwadju, les habitants de Mitsamihuli ont pensé que ce terrain devait leur revenir, car sa femme était de Mitsamihuli.

Ce conflit a été imité par Bangwakuni et Wella, qui se disputent le terrain de Sada.

Actuellement, personne dans les villes satellites ne voudrait soutenir un candidat de Mitsamihuli mdjini, juste pour signifier que l'ancienne période est finie. La région essaie toujours de marginaliser la ville de Mitsamihuli.

La ville de Mitsamihuli exerce un poids économique considérable, les productions de la région y sont distribuées. Certaines personnes à Mitsamihuli veulent maintenir des relations de servilité, marginalisant en quelque sorte les habitants de Membwabwani, qui sont pour eux des esclaves africains. Elles les considèrent comme des washendzi (wa bwabwa) portant des noms typiquement africains (Mpimpi, Kurilamadzi, Puruwe...). En fait, c'est toute la région qui montre du doigt les habitants de Membwabwani, qui ne se considèrent nullement comme tels. Cela a commencé avec le sultan de l'époque, qui a déclaré certains villages comme itreya. Mitsamihuli jouait également un rôle religieux à telle enseigne que dans certains villages, on faisait appel à des gens de Mitsamihuli, instruits, pour certains services. Cas de Ntsadjeni, qui cherche maintenant à s'affranchir de cette domination. Ils avaient l'habitude de livrer toutes sortes de produits aux familles régnantes à Mitsamihuli. De nombreux villages comme Kuwa sont dans cette situation. Par exemple, en cas de grand mariage dans ces villages, après l'abattage des bœufs, il fallait réserver les meilleurs morceaux de viande aux habitants de Mitsamihuli. Toyfa reste toujours un petit village servile pour Mitsamihuli.

Ces perceptions d'un autre âge sont à l'origine des conflits entre Mitsamihuli et les autres villes de la région.

(Saïd Mohamed ; Hamidou Zainaba ; Samdine Moustoifa et Bichara Ali Mmadi)

22. Ahmed Youssouf, Wellah, et Saïd Mohamed Adamou, Wellah, actuel maire du Cenbenwa
Avril 2013

Située au nord de la Grande-Comore, la région de Mitsamihuli est caractérisée par l'opposition entre le chef-lieu et les villes et villages satellites dans le domaine sociopolitique, voire économique. Au fil des ans, les habitants affichent toujours cette hostilité, qui ne fait que s'amplifier. D'une manière générale, quelles sont les origines de la ville de Mitsamihuli et du reste de sa région ? Quelle est sa position en tant que chef-lieu régional ? Quelles sont les difficultés rencontrées dans ces relations ?

1. Les origines de la région de Mitsamihuli ?
Selon Monsieur Ahmed Youssouf, ancien ministre, le nom Mitsamihuli proviendrait de l'histoire d'une femme djinn qui se nommerait Mihuli. Elle serait tombée enceinte d'un inconnu de la région, ce qui aurait donné « wamitsamihuli ». Selon notre informateur, les gens, notamment les femmes âgées, préfèrent qu'on dise « wamitwamihuli ». Toujours d'après lui, les premiers habitants de la ville étaient des étrangers (Arabes) et des autochtones venus des régions environnantes. Par contre, les autres villes et villages de la région étaient peuplés par des Bantous. Auparavant, les premiers habitants étaient des djinns.

2. Place de Mitsamihuli dans la région
À l'époque ancienne, un des chefs légendaires obligeait toute personne traversant la ville à se déchausser. Ceux de Wella et Ndzauze ne l'acceptaient pas, contrairement à Kua, Ntsadjeni et Toyfa, qui avaient des rapports de subordination. De nos jours, tout cela n'a plus de raison d'être, même si certains gardent toujours un complexe d'infériorité. À Mitsamihuli, les gens ont toujours une propension à vouloir s'imposer, ce qui explique les nombreux échecs tant politiques que sociaux, et notamment électoraux. Ils oublient que ces villages comptent plus de docteurs, de professeurs, et disposent de bonnes écoles, de centres médicaux et les enfants sont en majorité scolarisés.

3. Les types de difficultés
Un de nos informateurs nous apprend qu'il existe des problèmes de rapports entre Mitsamihuli et les villes de la région, notamment Wella et Ndzauze.

La région est composée de deux sous-régions, Djulamlima-Sada et Nyumankomo. Cette dernière est devenue Sembenwa.

En 2003, un conflit a opposé toute la région et Wella au sujet d'un lieu-dit appelé KANDA, revendiqué par ceux de Wella, qui justement avaient résisté au colon Humblot. Les justificatifs de ces propos sont conservés à Nantes, en France.

Le projet de créer une déchèterie autour d'une plage près de Wemani par Mitsamihuli a provoqué des dissensions et enfin un conflit entre Mitsamihuli et Wella. Les habitants de ce dernier village prétendent avoir habité à cet endroit avant qu'une éruption ne les déloge.

4. Espoir d'un développement communautaire

Les rapports conflictuels entre villes et villages dans la région de Mitsamihuli sont encore tenaces. D'ailleurs, les tentatives de mettre en place des communes laissent apparaître ces divergences profondes entre Nyumankomo et Cembenwa. Selon Saïd Mohamed Adamo, il y a une lueur d'espoir de mener une politique d'entente régionale. Le rapprochement initié en 2005 réunit désormais Wella, Kua, et Wemani.

Conclusion

La ville de Mitsamihuli et les villes et villages qui forment sa région constituent le domaine socio-communal, un véritable casse-tête. Si l'on veut réellement régler ce problème et unifier la région en une seule intercommunale, il faudrait dissiper les rancunes anciennes et récentes et ouvrir une nouvelle page historique. Ainsi, n'est-il pas bon de mieux vivre l'exemple de Wella et Kua ?

(Mohamed Soule Mmadi, Soule Mohamed et Salim Faysoil)

23. Abdou Bacar Boina

76 ans, Kuwa Mitsamihuli. Il vit toujours à Mitsamihuli mdjini, ville natale de son père, mais sa mère est née à Kuwa. À la retraite depuis 1998, enseignant, cultivateur et animateur notoire du Mouvement de la Libération des Comores (MOLINACO)

Abdou Bacar Boina : À Mitsamihuli, les gens vivent de pêche et d'agriculture. C'est une ville qui a connu beaucoup d'immigrants de par sa plage, qui lui a offert une rade que navires et bateaux fréquentent depuis fort longtemps. Par rapport aux exportations, notamment de sagou, il venait beaucoup d'esclaves d'Afrique, amenés par les Arabes. Les gens de Mitsamihuli ont eu très tôt des liens avec les Arabes, courtiers dans la zone.

Il y a des divisions et des rivalités portées par les trois quartiers de la ville (Mtsongole, Mirereni et Djao) malgré la tentative de regroupement en 1958 autour du grand mariage. Rappelons qu'avant cette date, ces quartiers formaient trois villages distincts.

De nos jours, l'opposition entre ville (de Mitsamihuli) et campagne persiste toujours. Venons-en à la préoccupation : les gens de Mitsamihuli ne sont plus des esclaves, ils sont plutôt arabes. Il y a très peu d'Africains. Les anciens esclaves en profitaient pour faire des enfants dans les grandes villes, chez leurs maîtres.

Avec la période coloniale, l'esclavage a été aboli. Malgré la jouissance de la liberté après l'indépendance, les gens de Mitsamihuli croient qu'ils sont toujours les maîtres et gardent des survivances de l'esclavage, tel Wapambe et les autres.

Il y avait encore des problèmes dans les partis politiques, mais dans les années 1945-1946, Saïd Mohamed Cheikh a été imposé et ceux qui votaient Saïd Ibrahim ont dû se cacher. Le parti vert de Saïd Mohamed Cheikh a écrasé ce qu'on appelait le parti blanc du prince Saïd Ibrahim. Si, aujourd'hui, il existe plusieurs partis politiques à Mitsamihuli, cela n'a plus été le cas après la 2e guerre mondiale.

24. Saandi Soulé, Enseignant du primaire

53 ans, Mitsamihuli.

En fait, les gens n'aiment pas dire qu'ils sont de descendance esclave (watrwana) alors qu'à l'origine, nous sommes des esclaves. Le métissage a commencé avec l'immigration arabe, indienne et française. Membwabwani est habité par des Africains reconnaissables par leurs noms : Gihona ; Gawa ; Pimpi, etc.

Les immigrés arabes et autres ont trouvé leurs épouses parmi la population noire déjà établie dans l'île. Evidemment, cette minorité s'impose et refuse cette proximité africaine. Crois-tu que la famille Mze Dada va un jour accepter qu'elle est d'origine africaine ? C'est pour elle une insulte.

Ils sont toujours mal jugés, considérés comme des bêtes, même si tout Africain n'est pas forcément esclave. Il y a eu dans le temps les travaux forcés, puis la pratique des enfants placés qui, le plus souvent, étaient traités comme des esclaves. Il y a un esclavage moderne, lié à la colonisation. Cette dépendance économique est une variante de l'esclavage.

(Rashmie Saandi Soulé et Hairati Chabani)

25. Mze Ahamada Mkudu
Batsa Mitsamihuli

Ces informations ont été données par Mzé Ahamada Mkudu, âgé de 90 ans et vivant à Batsa dans la région de Mitsamihuli. Et auprès de M. Mzé Almas Mmadi Mchangama, vivant à Ouzio dans la région de Mitsamihuli. Cet entretien a été enregistré sur K7 audio par Zainoudine Abdou Mbalia.

Ce travail a été réalisé au sujet du village de Kuwa, région de Mitsamihuli. Ce village est situé au sud de Wella, à l'est de Mwembwadju. Nous avons travaillé sur les réalités de l'esclavage et des esclaves à Kuwa.

Selon ces deux informateurs, le village de Kuwa à Mitsamihuli est d'origine warumwa (servile) du palais royal de Mitsamihuli « Djumbe Mwanschamu, troisième fille du sultan Mwinyi Mku ». En effet, Ntsadjeni, Bangwa Mafusa Nkowa, Pidjani et Kua étaient les principaux champs (itreya) du djumbé, c'est-à-dire que le Sultan Ahmed s'est approprié ces terres et les a transformées en biens indivis (manywahuli) au profit de sa fille Moinshamu.

Le village de Kuwa était le principal champ de culture et pâturage (bananes – riz – coco – maïs – bœufs – cabris…). Hamadi Mbamba a été le premier grand esclave, chef de palais, à qui on a confié toutes les affaires du champ. Il commandait également les autres esclaves qui assuraient les travaux de la terre et des champs.

L'ensemble de la population de Kuwa était donc esclave, travaillant dans les djangwa. Il y avait l'itreya Kopve – Dukudju, aujourd'hui formant des quartiers. D'autres itreya ont été constitués comme Salimani-Kuwa et dans ce cas, on intègre le domaine de Mahangani. Pour l'essentiel, Kuwa était le village des esclaves du Palais sous Mwansham à Mitsamihuli. On note que le premier mtrwana Hamadi Mbamba a eu un fils qui, actuellement âgé de 90 ans, s'appelle Ali Wambamba, détenant l'ensemble des terrains de Kua. Ses fils sont aujourd'hui parmi les plus riches du village.

La notion d'esclave n'est pas rejetée à propos de Kuwa, mais selon d'autres informations, ils ne sont pas Makua, mais wa-Shendzi, ils sont wanashé. Le résultat de notre étude analytique sur les origines de Kuwa n'a rien révélé sur une origine makua. Mais on se pose le problème du nom de Kuwa. Ce village est bien plus méprisé par les villages voisins, notamment Ouella et Bangoi Kuni. La présence des washendzi à Kuwa est plus compliquée à expliquer, dans tous les cas, ils sont wanachés du djumbe.

26. Collecté à Irungudjani auprès de Mze Madi en 2004

Vente d'esclaves

YOUSSOUF KARI, frère de feu Fundi MABURUK KARI, a été emmené en Egypte (Alexandrie) et n'est plus revenu. Fundi Maburuku a cherché à le retrouver en comptant sur l'ancien et feu Mufti Saïd Mohamed Abdouroihamane. Après un retour bredouille d'un voyage en Egypte, l'espoir de le revoir a été complètement perdu et depuis lors, on n'a plus entendu parler de lui.

C'est au début du XXe siècle qu'une grande famille de Moroni a vendu le jeune à une femme arabe en visite aux Comores comme esclave avec deux autres personnes. Ces deux dernières sont revenues et, en récompense, elles ont reçu un terrain dans le sous-quartier, où leurs descendants habitent maintenant.

Inya Makame : c'est un sous-clan local formé par les familles qui ont déguerpi de la zone Bilad, littoral près de l'ancien aéroport. Leur quartier était effectivement à Biladi. Le sous-quartier Mdji mpiya leur a été donné par la famille de Djumbé.

Enterrement

Le choix des cimetières à Irungudjani dépend des liens de dépendance de la personne avec son chef (wafome wawo). Dans ce quartier au sud de Moroni, les caveaux appartiennent aux familles régnantes de Moroni, mais d'autres sépultures familiales existent également. Selon toute vraisemblance et selon Charifou Ali, dit Timbwayi d'Irungudjani, sa famille a été emmenée à Irungudjani par le grand-père de Mouzaoir (Cheih Muhammad). Ce n'est pas un cas rare, beaucoup de familles sont dans la même situation. Et après la mort, ces familles doivent demander l'autorisation de leurs anciens maîtres pour utiliser ces caveaux-là.

Une femme de cette famille est enterrée dans les cimetières de Cheikh Yahaya (à côté de la mosquée de Djumbé Fumu), comme ce fut le cas de son oncle. C'est la même situation ou statut pour d'autres familles du quartier, dont les rapports avec ces familles sont ainsi lorsqu'il s'agit d'enterrement. Jusqu'à nos jours, ils continuent à enterrer leurs morts dans le domaine de ces dites familles clientes. Msaidié Djae avait recommandé et exprimé sa volonté de ne pas être enterré dans un de ces caveaux. Un coup de tête remontant au moment du conflit opposant le parti blanc et le parti vert, car il avait retenu la boutade de M. Saïd Bacar Saïd Tourqui, lorsqu'il avait dit lors de leur dispute qu'il : « l'attend justement pour lui montrer », ce moment (sa mort) pour lui refuser l'enterrement dans leur domaine…(?) car ils n'avaient rien d'autre en commun. C'était en 1970.

27. À propos de « Msada » par HADJI MOUIGNI MBAE
91 ans, Nkurani ya Sima
Propos recueillis le 13 juin 2006
Traduction d'Abdallah Mohamed, étudiant.

« Tous les travaux réalisés ici à Ngazidja sont une œuvre faite à la main par des hommes. J'étais petit, mais je me rappelle que mon père accompagnait HAMADI ALI, grand-père de HADJI YOUSSOUF BOINA et MKAPVAPVO ALI, pour aller à Nyumbadju. Ils étaient proches des Blancs. Ces gens cités ci-dessus se chargeaient du recrutement. Mais plusieurs travaux étaient gratuits. Dans un premier temps, les gens ne voulaient pas aller dans les travaux forcés. Ces travaux étaient réservés aux délaissés ou aux bannis. »

Mais il est arrivé un moment où le père de HADJI BOINA flattait les gens pour aller aux « Msada ». Tout cela parce que le chef était craint et respecté, contrairement à aujourd'hui. Et les villageois s'organisaient en catégories d'âge, mais ils n'étaient pas forcés.

Ce HAMADI arrivait à convaincre les gens du village jusqu'à arriver à cette organisation pour l'exécution des travaux de « Msada » en leur disant qu'il annoncerait aux villageois l'arrivée du Blanc pour percevoir les impôts afin que les gens se cachent. Et plusieurs personnes fuyaient le village. Donc, participer aux travaux de « Msada » était bien établi comme une forme de participation à la vie sociale. Chaque catégorie connaissait son tour et les travaux qu'elle devait effectuer. Ce qui fait que les chefs de groupe recevaient en récompense soit des habits soit de la nourriture.

Et un jour, un ressortissant du village a demandé au chef Hamadi de lui emprunter une somme d'argent et il la lui a accordée. Mais le chef a tardé à la lui donner. Allant chez lui à sa recherche, il a appris qu'il s'était rendu à Nyumbadju. Une fois là-bas, il s'est fâché et s'est mis en colère. Le Blanc l'a appelé et lui a donné un emploi salarial au mois. Cela a porté préjudice au système de Msada ; beaucoup de gens ont renoncé puisque celui qui avait été engagé était parmi eux. Chacun voulait être considéré comme employé pour avoir quelque chose à la fin du mois. À partir de là, les travaux du chef de Nyumamilima n'ont plus marché et le Blanc a appris que les employés ne gagnaient rien. Le chef a été mis en prison.

Le chef de Nkurani était gentil envers la population. Plusieurs personnes, comme Youssouf Nodjimba, Mchinda Ada, ont été embauchées grâce au chef [du village] pour devenir des gardiens. Depuis que la personne de Numamilima a agi de la sorte, le système msada n'a plus fonctionné comme auparavant. Car beaucoup de gens ont été recrutés et sont partis du village, mais ici, le chef s'entendait avec beaucoup de gens. Il arrivait à régler leurs problèmes.

Ici, les travaux Msada étaient bien organisés. On n'obligeait personne à y participer et chacun savait son tour. Parce que le chef dissimulait les gens lorsque l'agent des impôts se présentait. Ceci a permis au chef d'être respecté et écouté. Je te répète qu'il n'y avait pas de salaire pour tout le monde. Il y avait ceux qui travaillaient et percevaient le salaire. Et il y avait ceux qui aidaient le chef pour lui donner une place face au Blanc, car beaucoup ne payaient pas d'impôt. Regarde, la route allant de Chongo dunda en passant par Hepvanga traversant Hachingou vers Bandani jusqu'à Foumbouni a été faite à bras d'hommes. C'est fait à la main. À Foumbouni, il y avait un grand port. Ceci a permis aux Blancs comme Baumer d'avoir une bonne vision avec Nkurani. Il a construit une maison, un hôpital. C'est grâce à son amitié avec les chefs de Nkurani. Même le chef a ordonné qu'en cas de repos du village, les gens qui travaillaient dans le msada devaient avoir leur part. Tout cela pour inciter les gens à travailler pour le Blanc dans le cadre du msada, car le mzungu était notre ami.

28. Jean Humblot, témoignage sur la vie des Makua
Enregistrement réalisé à Mitsamihuli en 2007 par deux étudiantes de 3e année en histoire

Ehandani yahe mmakua wawo eyadjanawo handani Mshambulu, mbaye wa mbaba hatru. Bahi uwo nde ya trende ya djanawo. Ewadja ndahu ? Wadja Boboni, na mahala hwambwao Shongo dunda iho nde mahala hwakomsimanyo wakopasuwa emiri. Bahi wola yadja yaandisa omsi manyo uwo ndaye Mshambulu pvoko yende ya fanya efondation yahe sosote yende yadja yafanya esosote bambao handani. Halafu hadja, owashendzi wawo ndo wahadja. Sha hodja hunu watsododja woziwa no warabu. Wado rengwa wehidja hauka wawo ndo handani wado djuwa hu unda pvanu ngazidja. Hawuka karidjaka udjuwa. Waka udo unda weonesa owandru wapvanu.

Rahunda, na ufanya ziyo, nemabwe yo hakiza ne mabweya. Wadja waka ufanya hazi pvoko waka ho mabangani yimo wandjiya hau pasuwa emiri. Wado henda wetsindza emiri homsiruni, wodo wakaudjuwa zendrongowo zahe mekaniki yaho msimanyo.

Watsodo huziwa no warabu ne madjahazi watso rengwa no warabu. Hari enamna wado fanya we warenge hari wohenda wapiha, ndeheli waka udo rambiya owababa hau, hari wohenda wapiha ntsuzi halafu zo ununka levushe wendo mbwani wende watsatsaya wahantsi zentsuzi zila pvala. Pvwka urengwa hata watrotro. Warambiyo wasi pvala wa ishiya levushe wadja pvala wadja wandiso hula pvawo wa wazingiza wa wafungu wawatro madjahazini walawa wadjazao. Sha pvwaka hudja na wandrwa duhazi waka udji volonte wawo, wanu hama Mshambulu waka udo pveha wandru wenda wetsaha wandrwahazi iho sha owa trotro watsoka urengwa zanvuu.

Ngapvo waka hudja wandrwa duhazi na wandru washe wadzadze waka hudja tsena pvanu ngazidja waka udjivolonte piya watsoka hudja wafanyue hazi.

Wado hudja hofanye emiri ne ze hanzi zontsi piya. Hauka waka udjuwa ndrongowo hauka sisi karidjaka udjuwa ndrongowo waw ondema Makua swafi. Karidja udjuwa hama mdru mzade tsuwo yaka hunu sima yado hambwa Fayida, uwo ehazi yahahe hadonesa owandru ufanya utsewo, owandru wadodja yapvo hado hundra mapesa hata.

Watsodo rambiya huka wadorengwa afrika, sha ngapvo wado hamba Msubidji, mahala yambwawo Msumbidji, ngapvo warengwa iho tsena. Waka hudja onesa wanu hata madema wekazo barini, weyafanya ha mabinda, wsetsindza mahuri weya pasuwa warenge emabinda wefanya emadema. Wakaudo onesa owandru enamna yaufanya oharumwa emidji enam,na wado kaya olaMshambulu pvo yawapveha hado waninka mahala yahawo wewahahama henya mdrama, Boboni, shongo dunda hau ndahunu hadawa wakapvala. Bahi pvala ze pilasi zindji kwadjaka wuhula sha waka huninkiwa ha hishima hama mwana pvoko wado hudja wedayi, engzaridjo huka dje. Karitsina pvahanu. Pvao wado henda weninkiwa pulasi huka iyo yahanyu, wefanyiliwa kiritasi weninkiwa uka ngamdjo udjuwa uenshi mkentsi yapvio. Ngowono henya mdrama iho kwadjola. Ngono hata nyumeni pvanu, esuku iyo wadja pvanu, raha Jeannot yedjafa, wadja wani para pvanu tsende tsika ukaya shahidi. Hauka waka huwaninka pulasi il iwa endjeze epulasi waka waninkiwa yika ntshashi, waka hwendjeza pvoko ngawo wendji wende waka utsindza pulasi we waninka apvonge wokwadji wanduzao itso ndasi hapvo owanduzatru wadjanao.

Owaka hudja wawo enamna mze wahatru yaka udo rambiya zehadisi wotsi piya wo wafrika shahari ngapvo warumwa wado pvahiziwa wedja wehuziwa, yaani ngapvo warumwa wa aswili hula waho ufaume wado wabaliya wedja wewahuza.

Wakana tafauti, pvwakaya warumwa wakauhuziwa ngena owamakua sha tujur erasi ndzima mmakua. Rawo owarabu wadodja we wahuza hari wow ado wahula. Ngapvo waka udodunga madjahazi ngowono pvo wanduzao walo hunu ngapvo wawo pvoko waka udjuwa hukaya ngasina owanduzatru mahala yambwawo komori, wado lawa harumwa madjahazi wehidja. Mmakua na mdrumwa watsodo oneha sawa wo wamakua tsena sha ndapvo waka uhuziwa. wanu mshambulu yaka udjanao wanu kwadjaka udo huziwa shawatsoka hudja harumwa madjahazi ngapvo waka hudja ho wanduzao ngapvo wawo orabu wado wabzaliya thati wedja wewoza.

Intégration

Ladhima ngodjuwo ukaya apvaha yinu apvatsi mshendzi warehanya owangazidja wa walola ngwalolao owangazidja edamu apvaha ngiyo ndzima wendji erasi yaka pvanu ngiyo rasi ndzima. Ngwafanyao ze anda wefiwa ngwa swalio. Ngwafanyao ze anda sha ndazila ndeze métis zahawo sha yo ukiri mmakua haka mungwana eka hahisa hasilimu hadungu owusilamu. Esayila ye uparwa mungwana.

Mariage

Hale kedjaka ukiri yika impossible uka mgazidja hwambwa halola mshendzi hau mshendzi yalole mgazidja.

Izo karitsu djuwa eka wo ufanya mariage bese yetsoka hamdungu bahi emana tsi do yishiya hadisi ya mze wahatru yado rambiya hari yen dola yaki hawo wo hamba hindza ni hindze – unandze ni hwandze – basi pvala yendrongowo yihisa hindza ni hindze unandze ni hwandze apvo bahi zendrongowo zihisa hauka. Hauka ola mbaba pvahe eheli yaki hawo yehwaba emwana hahisa hahuwa nge mdru wa ulolwa. Mbaba hahe yetsomwambiya ukaya enda dji tsashiye mdrume, yenda djitapiliye apvaha ut-sahe emayesha haho. Mpaka kiyasi yamaha, hama ngowono nkuhu nowana hata mpaka ngwao wahu ye hwandisa uwarema misonko, namwenzanyu. Apvonge wehuwa nge ba-lighi haya degaj namwenzanyu mwadji tsashiye. Pvao wela hula nemdrume ye condition ndohutsoka hindza nihindze engo nandzo nanami ngamhandzo bahi waroha wenzao.

Wo wushinda waka wandru wadzima sha tsindo wa aswili pvanu owandru washi hale he aswili piya kapvatsi sha owaliyo ndeze metisi halafu wadja waka hulola wanga-zidja pvawo wala wangazidja pvao wazaya owana obligatoire hauka wake wangazidja randzi wazala ni wangazidja bayishe wazalwa ni mshendzi. Owangazidja hamandasi ri-zalwa ni mzungu sha si wangazidja hauka rizalwa komori. Mdzadza hatru ye mkomo-ri apvonge ladhima ridunge eshikomori sha mpaka wadja wasilimu randzi.ngowono apvaha hunu mdjwaezi pvoko apvaha ka hutsu parwa henya mdrama sha mdjwaezi. Wafanya msihiri, Ngwaona msihiradjumwa. Owandru ikao wafanye anda iho henya mdrama wawo washashi hauka tsi ambiwa zehadisi ndo huka tsi ambiwa zehadisi ndo huka owahadja wa walolawo ndo wafanyao eanda yani owangazidja wawo wa walolao ndo wafanyao eanda she aswili yahao piya wesa walawa wo kwawatsi. Yo ukiri pvwaka ma isilamu harimwa ema Makua sha ndezila metis she aswili owandru wabaliwa hudja hunu, aa wandru hata eluha yika difisili omdru ushinda yadjuwa.

Ngamwesheleyo ngarendo lekoli ngasi watrotro pvwaka waka hunu mdjini nde gardiye yaka hunu hando hambwa Madjaliwa pvoko eka ngo pareni si kari kiri hwenda likoli si urambiyo ridja rambiya mbaba, bo mba wola malomo tsoyi hau kaya ndomod-zima hatsodjodjuwa utriya mdru hodomoni Hauka she itriso shahe mdru uwo, yehudja hapuwa mdru hadja haribaliya. Ehwamba dini ? Shan do wana hawo kwadjaka ukiri, owana wawazaya pvanundo waka hwenda wedunga uka wado ambilwa pvwaheya dini kadha ye aswili yahawo aya ya ewaka handza wawone mgazidja rangu. Eyilo baya hin-dri ?

Mode de vie

Wado djikaya wowo wo ukana shiwara shahao woukana ndrongowo za ntsapvu-ho zahao sha ntsapvuho zahawo wawo wado zina renda rewona werema ngoma zahao za dozinwa. Emdru hadjo shinda yadjuwe ndrongowo zahawo, kapvwadja baki ndrongowo zahawo. Omvayo owahadja handani wado vaya migondra ye urenga nguwo ha fungu hapvitsa hunu hara hunu hafungu tu mvi. Hata owana washe emabele yetso lembeleya, nde namna iyo. Shapvo wadja pvanu emngazidja hadja haharaya no ketsu handza mdo vaya enamna yinu, badjawu ngamwendo wazi. Wadja waka hwambiya wala mbaya hatru waka oblije wambe eka djawu namwaninke nguwo. Nge sayila wadje wado triya nkan-du. Esayila we vaya hami wafungu hunu eki hale harudi wafungu hunu djawu esayila wadja warambiya sha watso subuti djau djauwazi harambiyo nguso mbwani yende ya yele wokwatsaha ndrongowo zoka ngwao wazi pvoko yila nde shihula hawo wokwatsaha ndrongowo.

Eshahula shahao surtu pvoko waka wadjana yembewu yiyo pvanu mdrama. Esayila pvo wahadja wende oha mbaya hatru wende wa mwambiya eshahula shinu kashitsu rifayi, kwadjado la hindru eka tsimhogo, mbatse. Pvahe hawauzisa eshahula mwandzao hindri? Ngapvo shahula shambwao mdrama, iyo nde mana wadru wahambwa henya mdrama, wawo ndo wenyi omrama ; esayila mshambulu hende namadjahazi hende hahulu eshahula shahao. Tsi ugari, ugari uwo mhogo sha mrama wohama trama sha watiti, tsikana pvala nyumeni sha zembuzi zi utowa, ili ndonesa owandru, wanu ndopvi wahadja waka banda samlini, ema mercenaire. Emwana hatru Celestin hondriha haka hazini yimkiniha haka kaprari pvoko harenge mbewu tsena yo ukiri umeye ndro hama trama uheze utowa wana mbawa udjipva si rido hula riono edjitihadi ndizo neze landa. She irewo nzolanda. Pvanu ngazidja hale laanda ah ha, mdru kadjaka usubuti yeroha isho nde shahula Sha wadja wadungu yila kihatru wehila ze nyama wandiso fundishiya eki ngazidja esayila. Ngono pvwa hundriha pvwakaya mgazidja nde yaka kapurari haka yiho Afrika yaka udjuwa ye luha halafu haka hudja ye habiya owandru huka hari yapvo djau ngapvwandzo djau sha ndajdjo mwesheleya uwo. Oyi mbaba hatru nde yado rambiya apvo raka watiti. labda uwo mdru dja Monsieur Louis nde yadjo djuwa wawo ndo wana wahuwu wawo ndo ezahao ngamdjuwo tsena hukaya pvwaka mshendzi tsuwo sha mwana yado hambwa djina ubu uwo doko tsikana akili ndro ndrondro tsika harumwa trezan na katorzan. Haka pulisi harumwa le shamba langazi hado hambwa djinwa ubu. Ngapvo makalima mendji yaka udo rambiya hama djivale malo atvakani eurambiye shi ngazidja "nike msi, pvahe atavakani, kapvatsi". Ebapvala ye hwamba hindrini tsena? Ye hwamba kalima zindji si rikana shiyosha shi angamiya owakati wahe sikiloni. Sha rika rifanya zindji mdru yeka ulauliya mdru pvo trasi eba pvala mdrwamba hindrini hado rifunda emshendzi uwo tsena ha homo hufa. Haka hufa ha 122 ans. Wawo wako homa. Ngapvo yahafa hunu mdjwazema mwana mshe uwo haka udjuwa shi zungu swafi yende yaka boyi wa M. Humblot, wa mbaya hatru. Enda angaliye, haka hufanyumeni, yinu maha mine rangu ezama za M. Humblot hata apvaha. Epvala hadohambwande ndopvi ? ayi mdjwazema, mraya tsaula waheya hunu tremani bahi tsika tsi mmono wamiwami hematso, sha ngamhwambiyo ba shingazidjambapvi ne mwande sha shizungu trawa haka boyi M. Humblot.

Watsoheya ne mazamo yahao sha ngudjuwo omdziho wahawo wotso tsimba wamsisi, bahi tsi ndrongowo za uka yakafaniwa hau bafuta aah a. ndo utso tsimba wadzihe yili owuvundo utsidjo nunka. Eka wahisa wamdzihi kapvatsi mbandrongowo tsena. Isabu sha haya wani. Hata ndrongowoza humtsaha tsena, egwamtsahawo tsena. Hari ngapvo wako uremangomasha wawo kwadjakapvanu.

Wotsodja wambiya mze wahatru huka ngapvo mwananyasi yahafa rika hudja rihwambiye haya nge namwende mwa mdzihe wotso henda watsimbi wamsisi kwatsu tsaha huka hapvereha hau hanyongoha, ndo hutsoka legama wo utsimba kuwu. Wasi pvala wafiniha pvala, kwakaza magaya, hata mba trasi mdru kadji mahala ngowona apvo raka munu mdru tsodo tsimba pvahanu ritso hundra madjiba. Ezimbazinu? Ah wawowandru wahale kamna ushinda udjuwahauka mdru yehifa wandru tso tsimba ngama wamsisi. Wawo washendzi;

Wamakua kwadjakana utamduni hata;

Harumwa emazamba….. womahodari ndrongowo za ulima oma hodari ezahawo wo kwakiri wo utowazenguwo wasaliya nayila migondra wo urema ma piyesi hata hata apvaha ngodjowona mwana mshe harenge ye mwana hamtra hodingoni hamfungu nguwo no fanya hazi. Hunu mdru muwume yetsolima emdru mshe halimi hunun mdjwayezi.

Ewado lima hindri ? Haswa mayele hale ntsohole karidjaka udo hula yo kedjaka utshwa ye ntsohole yishondri ? Nde mayele ya shingazidja hata marehemu Saïd Mohamed, président wahandani wahatru hamba pvanu hauka haka duktera, hamba entsohole yinu ketsina hata mba vitamine. She eya hatru yila raka ulima yila nde yakana vitamini. Ngowono randze ntsu yaka pvanu hata yadje yafe, Maore ndiho emayele yanu yaka udo henda yerengwa yehidja rehila she ntsohole yinu kedjaka hudja hunu hata hata youka hunu hata yi olo homadjuniyani.

Owakati wahao djitihadi sirika watiti hakuwu ehazi muhimu waka niyo ndo hudo fanya emiri wado hudja wefanye miri neze hazi zontsi piya nonesa owandru

29. Enregistré à Selea

Les *mshendzi* de Boboni, ces Noirs venus d'Afrique, ont été emmenés à Ngazidja par Léon Humblot. En fait, c'est la Société qui les a fait venir. Il les a installés à Salimani dans la région de Hambu. En vérité, il a installé ces Noirs sur trois sites, à savoir d'abord Boboni, puis Shongodunda.

À Boboni, il y avait la scierie, où travaillaient les Makua. C'est Saïd Ali Mfaume qui a donné toute l'île à Humblot qui, à son tour, est allé chercher des Makua en Afrique, les a installés à Salimani, puis à Boboni pour débiter du bois et produire des planches. C'est le travail qu'ils faisaient à la scierie.

Ces Makua étaient achetés sur le marché, là-bas, comme des vaches, et une fois arrivés ici à la Grande-Comore, ils étaient installés sur trois sites, à savoir Salimani, Boboni et Shongodunda. Mais ils étaient installés en premier à Boboni. Ce village a été créé pour eux par Humblot. Léon Humblot est un Français introduit par Saïd Ali.

Ce que je sais, à leur arrivée, ils ont commencé à se marier ici, car ils ne venaient pas avec leurs femmes. J'en connaissais un qui s'appelait comment, j'ai oublié son nom ; pourtant, j'ai assisté à son mariage.

Celui qui était à Nkomyoni s'appelait Issulahi Assoumani Baba. Il s'est marié là-bas et a eu des enfants. Je connaissais aussi Shandronga. Je l'ai vu, il s'habillait de haillons faits de la robe du maïs, qu'il reliait à l'aide d'un fil pour confectionner l'habit dont il avait besoin. Avec ça, il entourait sa hanche et son sexe. Il utilisait aussi des sacs pour coudre des boubous. Il dansait ici à Selea, il venait de Boboni jusqu'ici à Selea, puis à Nyumadzaha et à Mitsudje pour danser. Il tenait en dansant un mortier dans ses bras et chantait « he shandronga ».

Il y en avait un autre, Mkazambo, qui vivait à Boboni et à Shongodunda. Cet espace formait leur milieu, ils y vivaient avec leurs femmes. Certains étaient polygames et partageaient les séjours nocturnes entre Boboni et Shongodunda.

Aucun d'eux n'est retourné chez lui, au Mozambique. Ils sont tous restés ici. J'ai cité Assoumani Baba, Kitsani et Shandronga. Ce dernier vivait à Boboni et à Salimani, près du magasin. Salimani s'appelait auparavant Mdjazindru. Le colon est allé les acheter et les a installés là et l'appela Mdjaziro et après, il est allé les installer à Boboni, près de la scierie. Puis, il leur a construit des logements à Shongodunda pour encore lui servir.

Ces gens-là étaient payés, mais je n'ai jamais vu l'argent qu'on leur versait. Seulement, j'ai entendu qu'ils étaient payés. On leur donnait de quoi se nourrir. Après, au fil du temps, on les a payés pour qu'ils s'achètent des vêtements. Dans la plantation, leurs femmes prenaient tout ce qu'elles voulaient. Les noix de coco, elles les vendaient. J'ai vu une d'elles. Elle a été arrêtée sur-le-champ par un garde-champêtre avec des noix sur la tête. Mais lorsqu'elle a été présentée à Humblot, celui-ci l'a relâchée. Il a dit qu'elle ne faisait pas partie des gens qu'il lui avait indiqués. Ceux qu'il faisait arrêter étaient les Comoriens. Il ne faisait rien contre les Makua qui étaient à son service. Ceux-là pouvaient même couper un cocotier, ça j'ai vu. S'ils n'arrivaient pas à grimper, ils le coupaient et prenaient les noix de coco. Ils faisaient ce qu'ils voulaient dans la plantation de Humblot.

Lorsqu'ils étaient malades, cela dépendait ; ils étaient soignés selon les cas par des éléments de la pharmacopée. Parfois, on les soignait avec des médicaments français. Tu te rappelles Hamada Mwasi, le père de Soulé, lui, il avait le pied blessé. Comme il n'y avait pas de médicaments, on a utilisé des œufs et des plumes pour le soigner.

Ce sont les Makua qui ont créé le village de Boboni. Là, il n'y a pas de doute. C'est Humblot qui leur a donné cet endroit, car Saïd Ali avait donné à la société toute l'île, en fait depuis la forêt jusqu'à Bandadju. C'est Saïd Mohamed Cheikh qui a libéré ce pays et l'a restitué aux Grand-comoriens. Saïd Ali était un roi, si tu veux, on peut évoquer l'histoire de Saïd Ali.

30. Uzio Mitsamihuli : Ahamada Mdoihoma Mzimba et Saïd Mdoihoma Hamadi

Ils sont arrivés à Boboni, se sont installés là et ont servi là… Puis, ils ont commencé à sortir et à s'éparpiller lorsque la colonisation française a été définitive. C'est à ce moment-là qu'ils ont commencé à pénétrer dans les régions et dans certains villages. Après Boboni, on les trouve dans la région de Mbunde, à Mitsamihuli etc.

Ils sont d'abord arrivés à Djumwa shongo ya Hambu, puis à Boboni et Djumwashongo et à Nkomiyoni dans le Hambu. À Nkomiyoni, on trouve leurs aliments préférés.

Dans notre région, ils sont à Mbwanku, à Trelezini. C'est là qu'ils se sont établis et de là, ils se sont éparpillés. Parmi les premiers Makua établis à Trelezini, il y a eu Mshangama Msa.

À leur arrivée, les Makua servaient chez les Blancs, ils coupaient le bois. Mais dès la fin de l'atelier, ils ont fait la même chose que nous, ils ont cultivé, élevé les bœufs et les chèvres. Puis, ils se sont intégrés et nous avons mangé ensemble, eux et nous. Ils ne se fâchaient pas lorsqu'on les nommait Makua. C'est nous, maintenant, qui n'acceptons pas qu'on nous appelle Makua et pourtant, nous sommes leurs descendants. Parce qu'ils se sont mariés avec nos grands-mères. Alors, ceux issus de ces mariages ne l'acceptent plus. Ils se fâchent.

Saïd Mdoihoma : eh bien, moi, je te le dirai, parmi les Makua ici à Ouzio, c'est moi qui te parle. Parce que ma mère s'est mariée avec Assoumani Fakihi. Celui-ci était d'origine makua. Quand mon père a divorcé, ma mère a pris comme époux Assoumani Fakihi et a donné naissance à mes frères (demi-frères)

Je ne peux rien dire à ce sujet, car il y avait beaucoup d'esclaves. Il y avait des esclaves que les rois vendaient. Ceux-là, on les appelait esclaves. Il y avait ceux qu'on appelait watrwana. Donc, il y avait des esclaves et il y avait des watrwana. Puis, il y avait des Makua. Il y avait des wa-Shendzi. Le Makua était musulman.

Comme nous, à l'exemple d'Assoumani Fakihi, qui est venu de Pemba. Peut-être vous avez déjà entendu parler de Pemba, c'est là qu'est née la magie.

Il y en avait un qui s'appelait Mchangama Msa. Il a fondé le village de Trelezini. Il vivait dans ce village avec un autre qui s'appelait Mdreutre. [Ce prénom est apparemment donné à toute personne d'origine makua. Celui qui vivait à Moroni ressemblait à un bouffon, il avait pour tâche de chanter et danser]

Saïd Mdoihoma : celui qui s'appelait Mchangama, après s'être établi à Trelezini, a acquis beaucoup de richesse, beaucoup de terrains, beaucoup de zébus, de chèvres et moutons. C'était un personnage important, même s'il était mshendzi.

Nous n'avions pas peur et ne craignions rien. Nous mangions ensemble. Mchangama Msa avait des épouses libres, il ne consommait pas de hérissons. Marié, il a intégré le clan de sa femme. Ils n'étaient pas méchants, ils étaient comme nous, ils cultivaient, allaient à l'école coranique etc.

La différence entre eux et leurs enfants nés ici, c'est que les premiers ne maîtrisaient pas la langue. Les enfants, eux, parlaient en comorien. Mais tout ça n'existe plus.

31. Hachimo Saandi,
Village : Ntsudjini, âge : 60 ans
Enquêteur : Loukman Hachimo
2011-2012

On reconnaît les esclaves par deux éléments historiques : la danse *igwadu* et les lieux d'habitation, *itreya*.

Igwadu est une danse d'esclaves effectuée lors des cérémonies et festivités dans les maisons princières, *djumbe*, en l'honneur du maître.

Itreya, ce sont les lieux de résidence des esclaves, à l'instar de Zipvandani, Milembeni, Dimadju, Mhandani dans l'Itsandra. Souvent, des manifestations de conflit apparaissent entre les anciens maîtres et leurs travailleurs. Pour les besoins d'infrastructures de base nécessaires, routes, écoles, mosquées…, les habitants de ces lieux s'approprient les terres des seigneurs et naissent de nombreux problèmes. À Batsa Itsandra, par exemple, il y avait des problèmes concernant les terres de Saïd Anli « Rehemani » et les habitants de ces lieux. De même à Mhandani, *itreya* de la famille de Salim à Ntsudjini, où des tensions ont opposé les anciens maîtres et les habitants. Ces conflits sont un vrai imbroglio et cela a commencé sous Ali Soilihi qui, dans sa politique, a encouragé la population à acquérir les terres qu'elle exploitait.

D'un côté, la révolution d'Ali Soilihi et de l'autre la modernité sont les causes de disparition des esclaves (*warumwa*) et des *itreya*. La différence entre nobles et esclaves n'existe plus dans la mesure où ils sont tous instruits, riches, hommes d'affaires, autorités politiques, médecins, avocats etc. Ils ont les mêmes fonctions dans l'administration politique et économique du pays.

De plus, la révolution des idées, prônée par Ali Soilihi, et l'avènement de la démocratie ont permis à ces anciens esclaves (watrawana) de se marier à des familles nobles ou libres. Néanmoins, il y a « confusion » si la famille noble est conservatrice.

La société d'aujourd'hui accepte les anciens esclaves à cause du poids économique et politique qu'ils représentent. Cependant, il y a des formes d'esclavage qui ne sont pas perceptibles, à l'exemple de l'utilisation de la main-d'œuvre servile, l'exploitation des enfants placés, et la réalisation des rituels d'esclaves « igwadu » lors des cérémonies dans les djumbe ou mdji wayezi.

L'esclavage est donc confus. Jadis, c'était à la fois un problème idéologique, mais aussi matériel, une relation entre le seigneur, *mfaume* et son esclave, *mtrwana*. De nos jours, il n'y a plus de *mnadjumbe* ni *wafaume* ni esclaves. Certes, la perception est idéologique, perpétuée dans les cérémonies traditionnelles : *madjlis, maulid, harusi ne karamu…* et non matérielle.

32. Abdou Bacar Boina et Saïd Mdoihoma
Enquêteur : Saïd Abdou

Selon les traditions orales, l'esclavage a existé il y a fort longtemps aux Comores. Jadis, les esclaves vivaient dans des *itreya*. Il n'y a pas longtemps, les esclaves étaient regroupés dans des lieux spécifiques, Boboni notamment. Ce sont eux qui ont réalisé la route Moroni-Boboni. De nos jours, ces esclaves qui ont quitté Boboni se sont dirigés vers certaines villes et villages de la Grande-Comore, notamment Mkazi, Selea, Mvuni et Bundadju dans la région de Bambao. D'autres se sont dirigés vers la région de Mbude et Mitsamihuli ; ils se sont établis à Henya mrama.

Sur le plan culturel, on les reconnaît d'après leur comportement, leur habillement, ensuite par leurs danses, *maganja* et *igadu*. Ce sont des traditions de *Mrima*.

Ici, aux Comores, les esclaves sont de deux formes : sous forme idéologique et sous forme matérielle. Actuellement, ils se présentent sous la forme matérielle.

Les esclaves étaient acquis par achat par le roi ou la famille régnante et étaient mis au service du palais. Sur le plan social, une femme esclave pouvait être mariée à un non-esclave selon la coutume. Ils se mélangeaient rarement avec les gens et vivaient à part. Ils ont récemment commencé à s'intégrer en participant à la vie sociale. Certes, ils étaient souvent humiliés.

Ils travaillaient plus longtemps dans la journée et disposaient de peu de temps de loisir. Isolés, exerçant des métiers spécifiques, ils mangeaient rarement à leur faim. De nos jours, malgré leurs conditions de vie et de travail, leurs enfants bénéficient de meilleures conditions, car ils ont réussi par la formation et assument de hautes responsabilités dans nos villes et villages. Certains villages ont été créés par eux. Cas de Henya mrama, de Trelezini et de Membwabwani.

De nos jours, il est difficile de montrer du doigt les descendants de ces esclaves venus d'Afrique. À l'origine, ils ont formé plusieurs de nos villages. Parmi eux, ceux qui se sont installés dans le haut de Ndrude et ont formé le village du même nom dans le Bwanku. Après un temps, une famille a quitté ce lieu pour fonder le village de Kua, dont le clan est connu sous le nom de Panga mbuzi, signifiant « endroit où vivaient les esclaves ».

Anciennement formée, la ville de Ntsudjini est habitée par trois clans venant de villages différents. À dix kilomètres de Moroni, c'est une bourgade très riche qui compte 3000 habitants. Quatre villages partagent la frontière avec Ntsudjini, Zipvandani au nord, Hantsambu au sud, Milembeni à l'est et Batsa à l'ouest. La ville vit surtout d'agriculture.

Ntsudjini a toujours été un siège de rois, parmi lesquels Mgungwa, Fe Mambi et Msa Fumu. Les informatrices rapportent que l'origine de la royauté vient de Batsa, puis d'Itsandra Mdjini, et enfin elle s'est installée à Ntsudjini. Lorsque le roi arrivait à Ntsudjini, les esclaves qui le portaient devaient rester pour le servir.

33. Saïd Mouigni,
Né en 1927 à Mvuni Bambao
Enquêteur : Abderemane Saindou

Vous, les jeunes, vous aimez souvent les humiliations. Même si vous dites que ce sont des travaux d'étude, avez-vous vraiment besoin d'esclaves ? Alors, ce village a été créé par un personnage appelé *Mlanfi* de Hantsidzi, au nord de la Grande-Comore. Il est du clan Wenya Sharifu. Vient ensuite Mkalaweni de Moroni, du clan Wenya Radjabu. Vient ensuite le vieux Samba de Mapvinguni, dans le Bambao, du clan Wenya Samba. Ce sont les trois fondateurs du village de Mvuni ya Bambao.

Les anciens esclaves sont là avec nous dans les places publiques, avec nous dans les mosquées et sont même avec nous parmi les doyens du village (wafomamdji). Ne crois pas qu'ils ont des cornes ou sont de couleur de peau différente de nous. Ce sont des gens qui cherchent maintenant à défier certaines images que la tradition a accordées comme, par exemple, le *hutba*. Ce sont des gens qui cherchent toujours à s'imposer, quitte à créer des divisions pour montrer leur folie de grandeur. Un rien dans la cité et ils cherchent à diriger pour montrer que ce sont eux, maintenant, qui tiennent la ville.

Pourtant, ils ont fait le grand mariage, c'est vrai ; ils participent dans les grandes cotisations villageoises, c'est-à-dire ils cherchent à se rapprocher de nous.

Ce ne sont pas les esclaves qui étaient à Boboni. On n'a pas déplacé des gens pour venir travailler ici. Il y a des étrangers, mais ils doivent obéir à la hiérarchie sociale qui fait que les autres sont des serviteurs.

34. Moussa Rassoul
Enquêteur : Mohamed Rachid

Boboni est un site historique abandonné depuis 1998, situé à quelques kilomètres de Moroni. Selon Moussa Rassoul, les Makua de Boboni sont dispersés et se rencontrent dans les villages environnants de Mkazi, Mvuni, Dzahadju la Bambao Seleya et Mbude. Surtout, ils sont nombreux à Mbudadju.

Ce qu'il faut savoir, c'est que les Makua de Boboni n'ont pas quitté le site par groupes, mais un à un. Selon les recensements, ils étaient 111 en 1999 avant d'abandonner le site. Leur départ est lié aux conditions de vie et de travail ; la scierie étant depuis longtemps fermée, seuls les gardiens avaient des raisons d'y rester. Le manque d'emploi a motivé le départ.

Par ailleurs, l'enclavement du site, faute de voies et de pistes praticables, l'inaccessibilité, surtout par voiture, n'ont pas arrangé la situation. Boboni est toujours resté d'accès difficile. Les habitants qui ne se sentaient pas en sécurité, en particulier vis-à-vis des villages voisins, se sentaient rejetés et ont finalement décidé de quitter les lieux plutôt que d'adopter le réflexe de repli sur soi qui aurait fait disparaître le groupe. Ils ont opté pour l'intégration plutôt que de se distinguer des autres.

Il est très difficile de les reconnaître, certains d'entre eux sont devenus des grands notables parmi ceux qui dirigent les cités. Il y en a même qui se sont enrichis et qui ne révèlent plus leurs origines, au risque de se faire rejeter par la société. Décliner une origine Boboni, c'est courir le risque d'être rejeté. Actuellement, ils vivent ensemble au sein de la société et se marient avec des personnes libres.

Il y avait deux types d'esclaves : d'abord, les esclaves domestiques, qui travaillaient au sein des grandes familles. Ces esclaves étaient considérés comme biens immeubles de la famille.

Ensuite, ceux qui étaient employés dans l'usine de distillation et dans les scieries.

Les esclaves domestiques se sont mélangés et dilués au sein des familles de leur maître. Ils sont parfois considérés comme membres de la famille, ce cas concerne surtout les femmes. Par contre, les hommes ont toujours tendance à se distinguer et leur servilité est perceptible.

35. Les Makua aux Comores
Dzahani la Ntsidje

(Traduction)

Q : avez-vous entendu des gens appelés Makua aux Comores ?

R : j'en ai entendu parler, mais ici, souvent, on les connaît sous le nom de *Washendzi*.

Q : d'où venaient-ils et comment sont-ils venus ici ?

R : ils sont arrivés de plusieurs manières ; il y a ceux qui sont arrivés avec la femme chirazienne.

Il y a ceux qui ont été ramenés par Msa Fumu Ben Fe Fumu. Ceux qui sont arrivés de Chiraz accompagnant la femme fuyaient la guerre de Chiraz et se sont installés dans un village appelé Hadombwedjezo, entre Hahaya et Pvanambwani. Le roi qui y régnait et qui les a accueillis s'appelait Bedja Maharazi. Il s'est marié avec la femme chirazienne.

Q : vous nous dites qu'ils fuyaient la guerre, mais comment ont-ils fait, quel travail faisaient-ils pour survivre dans un pays qui n'était pas le leur ?

R : d'abord, ils ont servi au djumbe chez Bedja Maharazi ; ils cultivaient et après, ils participaient aux guerres. Parce que si tu vois Ma pvandza Mtsidje, dont le sabre va aussi vite qu'une balle, c'est un mshendzi qui le disait pour faire l'éloge du fils de Tsidjé.

Qui est-il ?

Il s'agit de Mba Pandza, mais à l'époque, ils (*Washendzi*) ne parlaient pas bien le comorien.

Là, les gens se rendaient à Uraleni pour des menus travaux, mais ils étaient encore dociles.

Q : comment étaient-ils considérés au village du moment qu'ils faisaient tout et participaient à la guerre ?

R : au village, on les appelait wamanga (venus de l'étranger), respect, car fondé sur l'hospitalité qui nous caractérise. Ce n'est pas courant de stigmatiser les gens.

Q : les Makua sont en effet des étrangers. À partir du moment où ils se sont établis, pouvaient-ils justement informer ceux de leurs familles restés au pays de ce qui se passait ici ?

R : non, ce n'était pas possible, car il n'était pas aisé de trouver un moyen de transport ou de voir quelqu'un pour lui donner une lettre. Même ceux qui y allaient passaient 3 à 4 mois avant de revenir.

Et si, en effet, il y avait des contacts, c'était à partir des esclaves qui faisaient les voyages avec les armateurs. C'étaient eux qui assuraient le gouvernail des bateaux. À l'arrivée, ils s'informaient auprès de leurs familles, mais cela n'était pas autorisé non plus à cette époque.

Q : une fois qu'un Makua, considéré comme esclave, s'établit dans un village, peut-il intégrer les structures coutumières ou il reste esclave à jamais ?

R : oui, il peut devenir un homme accompli après un service reconnu ou après un grand mariage très encadré (limité). Mais actuellement, il n'y a pas de restriction et il ose rappeler qu'il est un accompli comme un autre. Mais au temps de nos parents, si parmi les Makua il y en avait un qui voulait faire un mariage coutumier, on s'informait de ses possibilités réelles. Combien de bœufs veux-tu aligner ? 5, par exemple. Donc, on lui dit tu nous en donnes deux, car tu ne peux pas faire comme le fils d'untel qui a les possibilités. Ils faisaient comme s'ils songeaient réellement à son avenir, mais en réalité, c'était pour l'empêcher de se mesurer aux autres. Donc, ils leur permettaient de le faire, mais en contrôlant.

Q : tout cela pour montrer qu'ils n'étaient pas du pays ?

R : c'est la raison pour laquelle on dit qu'il y a une différence entre accomplis, entre des gens de même catégorie d'âge.

Q : en prononçant le nom de Makua, est-ce que c'était diminuant, une insulte ou quoi ?

R : c'était comme une insulte, c'était synonyme de sale nègre. À un moment donné, ils ont réagi, ils se sont réunis et ont mis en avant leur talent, ils savaient quoi faire hélas, mais ils savaient que ce n'était pas juste, ils avaient peur, car en pareil cas, ils étaient ostracisés.

Q : le Makua était-il considéré comme un Comorien ou pas ?

R : Il n'était pas vu comme étranger, mais plutôt comme d'une race inférieure, comme un Comorien de basse souche.

Q : pendant les activités coutumières, pouvaient-ils produire toutes les danses ou certaines danses leur étaient interdites ?

R : la communauté leur demandait toujours de réduire, leur faisant croire qu'ils devaient penser à leurs enfants, mais en réalité, c'était pour les empêcher de faire comme eux.

Q : des Makua vivaient-ils dans ce village ?

R : concernant le village de Tsidje, dès le départ, il a reçu une délégation venue de toute la région d'Itsandra, envoyée par Msa Fumu. Il a aussi désigné un chef en la personne de Msa Fumu Mbaba, qui fut ministre du palais d'Itsandra. Il y avait deux palais, celui d'Itsandra et celui de Ntsudjini. Une partie d'Itsandra est venue s'installer à Tsidje, clan du vizir Msa Fumu mbaba et sa famille. Avant d'y venir, il a demandé comment il allait vivre.

On l'a informé que nous viendrions partager le bonheur à Pangadju dans son fief (itreya) de Dimadju. Cela voulait dire que les gens qui y vivaient ainsi que leurs champs appartenaient à Msa Fumu Mbaba. Tous ces gens-là étaient esclaves de Msa Fumu Mbaba. Il est venu marron ! Oui, il a vu de la fumée et a demandé qui est là. L'autre a répondu : je suis marron. Quoi qu'il en soit, ils allaient s'installer là.

Q : qu'est-ce qu'un marron ?

R : c'est quelqu'un qui a fui parce qu'il était en servitude et qu'il en avait marre. Il a pris la fuite et s'est installé quelque part pour se réfugier. Le marron a déguerpi, vit en forêt. À l'époque, ici, c'était la forêt. Mais ils l'ont trouvé alors qu'il voulait se réfugier. Il y avait quelques personnes ici au village, mais lui, il était en pleine forêt. C'est le clan radjabu qui est venu en premier. Ici, ce qu'on appelle uswa dzaha, ce sont les seconds. Uswa dzaha est quelqu'un qui est né au village, mais son père, peut-être, est un Makua. Au contraire, Madihali et sa sœur sont venus de l'extérieur. Les Comoriens les reconnaissent, car ils vivent plus longtemps, ont toutes leurs dents. Il semblerait que Madihali venant de l'extérieur était âgé de 70 ans. Il est venu en servitude au palais, mais il a été libéré par la suite. Il est allé se marier à Mvuni et dix ans après, il est venu à Tsidje. Il avait à peu près cent trente ans. Il a eu un enfant à Mvuni, cet enfant l'a suivi plus tard à Tsidje, où il s'est marié. C'est la famille Madihali.

36. Les Makua et leur descendance
Première intervention : Mze Ahamadi Mwenye Daho

QUI SONT LES MAKUA ?

La venue des Makua, à l'époque, c'est monsieur HUMBLOT « MCHAMBOU-LOU » qui est allé chercher les MAKUA quand il construisait sa scierie. Les Makua ont construit la route qui va de MORONI jusqu'à BOBONI. HUMBLOT sciait et vendait du bois.

Des Africains « wachenzi » qui avaient été amenés ici faisaient descendre le bois à « BANGANI » ; beaucoup d'entre eux se faisaient massacrer pour des vols qu'ils commettaient dans les champs.

Celui qui se faisait prendre pour vol était découpé en petits morceaux. Pour les MAKUA, sortir, c'était aller voler ou se faire tuer. Ils volaient les bœufs.

Et s'ils entraient au marché « BANGANI », personne n'osait s'y aventurer.

LES MAKUA VIENNENT DE QUEL VILLAGE ?

Ils viennent d'Afrique « hamrima ».

COMMENT VIVAIENT-ILS ICI « aux Comores » ?

Ils vivaient à BOBONI.

Mais pas dans un village en tant que tel.

OU ONT-ILS ETE INSTALLES EN PREMIER ?

Ils ont été installés dans la région de « Bambao ».

POURQUOI A-T-ON FAIT VENIR LES MAKUA ?

Ils sont venus travailler sous les ordres de HUMBLOT pour le compte de la France.

QU'EST-CE QU'ILS FAISAIENT (LES MAKUA) COMME TRAVAIL ?

Ils coupaient le bois et le faisaient embarquer dans des voitures appelées « YAMPIRA », ils allaient aussi au marché ; les autres étaient des maîtres dans le sciage du bois.

QUELS SONT LES NOMS DES MAKUA QUE TU CONNAIS ?

« MLE KATSA » « BURUKU KAMBAMBA »

QUEL ETAIT LE MOYEN DE TRANSPORT UTILISE POUR AMENER LES « MAKUA » ICI ?

On les faisait venir dans des boutres.

À QUEL MOMENT ?

Je n'arriverai pas à me souvenir.

LES MAKUA VENAIENT-ILS DE LEUR PROPRE GRE ?

Ils ont été pris de force.

EST-CE QU'ILS AMENAIENT DES FEMMES ?

Bien sûr qu'ils emmenaient des femmes.

EST-CE QU'ILS TRAVAILLAIENT COMME ESCLAVES OU PERCE-VAIENT-ILS UN SALAIRE ?

Je n'ai jamais pu comprendre quel était leur contrat ; je ne sais pas grand-chose là-dessus.

DE NOS JOURS, OU SE TROUVENT LES DESCENDANTS DES MAKUA ?

Je ne sais pas exactement où se trouvent leurs descendants, mais on les reconnaît par leur ressemblance.

Peut-être que c'étaient eux qui vivaient à BOBONI, parce que c'est là où il y avait (ou « manga ») où a été installée la première société ; il y avait du riz NA ZILIWA ZINDJI.

Ils ne se mariaient pas avec les Grand-comoriennes, mais ils couchaient avec des femmes pour avoir un petit quelque chose et ces dernières faisaient multiplier la race MAKUA.

COMMENT REPONDAIENT-ILS SI ON LES APPELAIT LES « MAKUA » ?

Ils se fâchaient, mais il fallait dire « WAMANGA ».

COMMENT ETAIENT LEURS RELATIONS AVEC LES HABITANTS DES ILES ? ILS PARLAIENT QUELLE LANGUE ?

La personne qui connaissait leur langue est morte ici. Au village, on l'appelait MZE MDOIHOMA TOIBIBOU.

QUELLE ETAIT LA RELIGION DES MAKUA ?

Ils n'avaient pas de religion.

QUEL ETAIT LEUR ALIMENT (DE BASE) ?

Le manioc.

COMMENT VOUS APPELEZ-VOUS ?

MZE HAMADA MWEGNE DAHO M'KAZI. Mon père MWEGNE DAHO MENDZA MWEGE est mort, il était menuiser.

Deuxième intervention : Hamadi Mdahoma (M'kazi, 101 ans)

QUI SONT LES MAKUA ?

C'est le sultan SAID ALI qui a fait venir les Français aux Comores en la personne de monsieur HUMBLOT (Mchamboulou). Il n'a pas voulu l'installer sur la côte parce qu'il s'est vite rendu compte (sultan SAID ALI) que HUMBLOT allait vouloir s'imposer, donc il l'a installé à CHONGODOUNDA et à BOBONI.

QUE FAISAIENT LES MAKUA COMME TRAVAIL ?

Ils sciaient du bois qu'on envoyait en France.

D'OU VENAIENT-ILS ?

Ils venaient d'AFRIQUE.

COMMENT ETAIENT LEURS RAPPORTS AVEC LES HABITANTS DES ILES ?

Ils vivaient en dehors des villages (MABOHONI) ; on leur a donné SALIMANI, c'est là que les Français avaient établi leur poste.

COMMENT ETAIT LEUR TRADITION (UTAMDUNI) ?

Ils jouaient une sorte de musique appelée MGANDJA (MGANDJA), ils n'avaient pas de festivités pour le mariage (HAROUSSI).

OU SE SONT-ILS INSTALLES EN PREMIER ?

Ils se sont installés à BOBONI et à SHONGO DOUNDA.

POURQUOI LES PRENAIT-ON ?

On les prenait pour qu'ils deviennent des travailleurs des champs.

COMMENT ETAIENT-ILS EXPLOITES ?

Ils ne percevaient pas de salaire, on leur donnait tout juste de quoi se nourrir (kapouka).

COMMENT VIVAIENT-ILS PAR RAPPORT À LA POPULATION LOCALE ?

Ils s'intégraient dans le village ; ils se mariaient ; parmi eux, un certain DJOU-MOI s'est marié ici au village. À sa mort, il a été enterré dans notre cimetière.

SI ON LES APPELAIT MAKUA, COMMENT REAGISSAIENT-ILS ?

Ils ne le prenaient pas si mal. D'ailleurs, on les appelait les Africains de Humblot (WASHENDZI WA MCHAMBOULOU)

COMMENT SONT-ILS VENUS ?

Je ne sais pas ; ce sont les Français qui les ont fait venir.

À QUELLE PERIODE LES MAKUA SONT-ILS ARRIVES AUX COMORES ?

Sans vouloir mentir, je ne sais rien à ce sujet. On a vu qu'on a fait venir les Français, c'est le sultan SAID ALI qui les a fait venir, on ne sait pas quel a été le moyen de transport utilisé pour les faire venir, mais à l'époque, le moyen de transport adéquat était le boutre.

COMMENT SONT-ILS VENUS ?

On ne sait pas, mais comme à MADAGASCAR, ils avaient des contrats de travail.

EST-CE QU'ILS EMMENAIENT DES FEMMES ?

Ils ont emmené des femmes et des enfants…

OU SONT LES MAKUA MAINTENANT ?

Ils sont à MITSAMIHOULI, ils ont un village à eux (NYANKALISHE). On peut trouver leurs petits-enfants dans le BAMBAO, surtout à MBOUDE et à DAWE-NI.

ILS PARLAIENT QUELLE LANGUE ?

Ils parlaient leur langue MAKUA.

ILS ETAIENT DE QUELLE RELIGION ?

Ils n'étaient pas musulmans ; ils n'avaient pas de religion connue.

ILS MANGEAIENT QUOI DE PREFERENCE ?

On aurait dû leur donner des hérissons. Ils étaient voleurs, ils nous volaient, mais personne n'osait leur faire face. Beaucoup d'entre eux se faisaient assassiner (WE FINI-HOI MADJAYA).

COMMENT VOUS APPELEZ-VOUS ?

Je m'appelle HAMADI MDWAHOMA (MKAZI, 101 ans) cultivateur.

VOUS POUVEZ CITER DES NOMS QUE VOUS CONNAISSEZ ?

DJOUMOI. HALUWA MBABA WA HALIFU ; MREHUTRE ; celui qui vivait à MORONI et qui faisait le balayage des mouches ; FURAHA NA DE MANI

Toisième intervention : Abdou Wa Hali Dit Mze Baro (98 ans)

QUI SONT LES MAKUA ?

Nous, on ne les a pas vus ; c'est un Français nommé GOTEL qui est allé les chercher en Afrique.

Ils ont travaillé pour la construction de la route qui relie MORONI à BOBONI.

D'OU VENAIENT-ILS ?

De MRIMA en AFRIQUE.

QUELLE ETAIT LEUR COUTUME ? (OUTAMADUNI)

Ils jouaient une musique, le « MGANDRA ».

QUEL ETAIT LEUR PORT D'ATTACHE ?

Ils sont tout d'abord descendus à MORONI, à MAGOUDJOU, pour travailler à la Société, là où on a construit les buildings.

QU'EST-CE QU'ILS SONT VENUS FAIRE ?

Ils sont venus bâtir le pays.

POURQUOI LA ROUTE DE BOBONI A ETE LEUR GRANDE REALISA-TION ?

Là-bas, il y avait une scierie et ils sciaient le bois « MHARIBOU ».

ILS SCIAIENT LE BOIS POUR QUOI FAIRE ?

Le bois scié était envoyé à la SOCIETE pour être vendu et pour la construction des maisons de SOSSOTE.

QUEL ETAIT LEUR MOYEN DE TRANSPORT ?

Je n'ai pas eu la chance de voir quoi que ce soit. Mais j'ai juste vu qu'on utilisait des voitures pour transporter le bois.

À QUELLE EPOQUE ?

Je ne me rappelle pas, car ce sont des histoires qui nous ont été racontées par nos prédécesseurs.

COMMENT SONT-ILS VENUS ?

On les a fait venir grâce à des accords comme quoi ils allaient être payés alors qu'ils ne l'étaient pas.

EST-CE QU'ILS ONT EMMENE FEMMES ET ENFANTS ?

Ils ont amené leurs femmes.

QUE STIPULAIENT CES CONTRATS ?

Ils travaillaient. Ils avaient des chefs (KAPURARI), il y avait des personnes qui leur donnaient à manger et qui s'occupaient de leurs femmes ; mais on ne les faisait pas travailler comme ça, comme des animaux.

Ils ont été jusqu'à avoir leur village.

QUE POUVEZ-VOUS NOUS DIRE À PROPOS DE LEURS DESCEN-DANTS ?

On les trouvait à MORONI vers VOLOVOLO et à DAWENI (MBOUDE) aussi.

COMMENT ETAIT LEUR COHABITATION AVEC LA POPULATION LOCALE ?

S'ils voulaient discuter avec un ami, ils l'emmenaient au champ. Il n'était pas possible de manger avec les autres (la population locale).

Pour nos grands-pères, ils pouvaient les faire venir au champ pour leur donner un petit quelque chose comme un régime de bananes, par exemple.

COMMENT SONT-ILS VENUS ?

Certains ont été forcés de venir, d'autres ont été payés, mais à SOSSOTE, on les faisait travailler de force.

37. L'esclavage dans la région de Hambu
Par Nadhimatou Tadjiri, Hadidja Mdziani et Hadidja Maambadi

L'esclavage a été pratiqué par toute l'humanité et aucune région n'a été épargnée. La hiérarchisation de la société, le destin des uns et le désir des autres ont fait apparaître diverses couches sociales, dont les unes démunies de toute capacité physique, matérielle ou intellectuelle se trouvant sous la domination d'une couche aisée qui détenait le pouvoir. Les Comores, pays insulaire aux mœurs arabo-musulmanes, ont connu le pouvoir des sultans. Morcelées géographiquement en quatre îles, chacune divisée en plusieurs régions, chacune a connu son sultan. Leur histoire a été marquée par deux grandes périodes, celle de la civilisation arabo-musulmane et celle de la colonisation française. C'est au cours de la première que l'esclavage a connu son paroxysme. Hambu n'a d'ailleurs pas échappé au fléau qui la caractérise.

1. Preuve de son existence dans la région

L'esclavage pratiqué dans le pays ne peut être contesté. Cela revient à dire que toutes les régions ont été touchées. Dans la région de Hambu, le pouvoir était entre les mains du puissant colon qui avait élu domicile à Nyumbadju, au milieu de ses plantations et établissements. Le pouvoir traditionnel exercé par les sultans avait son siège à Chouani, au djumbé, mais était décentralisé et bénéficiait de l'aide des vizirs. Toute la région était sous le contrôle du sultan. Tous les témoignages concordent sur l'existence du domaine royal, dit itreya. Le domaine, les hommes, les femmes, et les enfants qui y habitaient appartenaient au roi. Ils travaillaient pour le compte de ce roi. C'est le cas de Trumbeni, à Mitsudje, qui a été un itreya, à proximité de Mitsudje. Il n'est pas impossible de vous dresser la liste des esclaves qui s'y trouvaient : Ahamada Ismaela, Mmadi Nombamba, Soilihi Nombamba font partie des esclaves qui travaillaient pour le compte du sultan Saïd Ali. Au niveau du vocable, des termes comme « mtrwana », « mdjahazi » et autres connotent l'esclave.

Le statut de l'esclave dans la société : comme dans toutes les régions, à Hambu, l'esclave est le produit de son maître. Le sultan est le propriétaire de tous les esclaves. S'il peut les vendre, en tout cas, il ne peut pas à l'extérieur du pays, d'après Mze Alhamid. Il peut également les prêter, les donner en gage ou les faire figurer parmi les choses qui forment la dot en cas de mariage. Une des situations qui peuvent paraître paradoxales, le maître peut épouser son esclave, ce qui procède déjà à son affranchissement (Mohamed Soighir). Dans l'histoire, un homme riche peut avoir des esclaves, cas d'Abdou Chakour à Shuani ou bien de la famille de Fouad Goulam, qui dispose d'esclaves à Nkomiyoni. Comme on peut le constater, les esclaves sont soumis à toutes les conditions de servitude, même s'ils peuvent contracter des mariages entre eux. Certes, ils voient leurs conditions s'améliorer peu à peu au fil du temps. On parle d'héritage et nul actuellement n'est en mesure de montrer comment ces esclaves ont été acquis.

Deux informateurs de Chouani, Fatima Mmadi et Mohamed Soighir, ont révélé qu'un certain Heri, venu de Mohéli, a emmené des éléments noirs qu'il a installés à Chouani et à Mitsudje. Un riche personnage qui travaillait pour la Société, mais qui disposait des esclaves qu'il avait installés sur le site de Zidjundweni et dont voici la liste :

Mwalimu Bwana et sa femme Néema
Koko Zenabu
Mshirika et sa femme Madia
Enfin, Ali Issa

Ce dernier, très instruit et connaissant l'islam, a épousé plusieurs femmes comoriennes qui ont laissé de nombreux descendants. Exemple d'Ali Thani, un handicapé (Inani). Ces Africains organisaient leurs festivités et n'avaient pas de relations avec les autres villages. Heri lui-même avait une épouse à Mitsudje et une à Djumwashongo.

2. Les diverses fonctions de l'esclave

Comme dans toutes les régions, à Hambu, il existait deux types d'esclaves : pour les travaux domestiques et pour les travaux des champs.

Les travaux domestiques

Les travaux domestiques sont soit assurés par des femmes soit par des hommes. Parfois par les deux. Ces esclaves sont appelés « mdjahazi » [mdja-ha-hazi], qui vient pour travailler. Ce terme évoque les femmes qui assurent les tâches domestiques du palais. Par contre, le terme « mrumwa » désigne les hommes qui travaillent et au palais et au champ. On trouve aussi des esclaves autour du roi, qui le courtisent et remplissent certaines tâches personnelles. Ils mettent la table, le chaussent partout où il va, lui apportent le bétel etc. Ce sont des esclaves de confiance qui sont bien appréciés par le sultan. Parfois, ils participent à la prise de décision. Par conséquent, ils ne sont pas traités sur un pied d'égalité.

Les travaux des champs

Parmi les fonctions des itreya, il fallait assurer les travaux agricoles. Ici, à Hambu, le seul connu est Trumbeni, qui dépendait de Shuwani, mais servait pour le sultan Saïd Ali. Cette fonction d'itreya n'est pas accordée pour Nkomiyoni, où les premiers habitants étaient des Makua. Ces derniers ont été amenés par la Société Bambao pour les travaux de plantation contre une rémunération, même modique. Tous les villages voisins de Shuani avaient des rapports de servilité qui faisaient que tous étaient obligés d'apporter une partie de leur récolte à titre d'impôt. Mze Alhamid Moindze disait que nul à Djumwashongo ne pouvait garder son meilleur cabri ou sa récolte pour lui. Le roi de Shuani envoyait ses gens pour en prendre.

3. Vers l'abolition

L'arrivée des colons blancs

L'arrivée de colons blancs, particulièrement Humblot, marque une étape importante pour l'abolition de l'esclavage aux Comores (Mze Alhamid). Dans la région de Hambu, les colons blancs sont venus installer des sociétés comme celle de Bambao, qui avait son siège social à Salimani Hambu. La société recrutait sa main-d'œuvre, qu'elle payait, ce qui a contribué à affaiblir l'autorité du roi et de là, on a vu disparaître l'esclavage dans la région.

L'affaiblissement du pouvoir du sultan

Après tant d'années de pratiques esclavagistes, le sultan ntibe, pour des considérations économiques, humanitaires, politiques etc. se résout à abolir l'esclavage. Après la guerre de Mbadjini, opposant Hachim à Saïd Ali, ce dernier réunit la notabilité de la Grande-Comore et à l'occasion décrète que, désormais, nul n'a le droit de vendre quelqu'un comme un produit, rapporte Mze Alhamid Moindzé.

L'esclavage se pratiquait à Hambu, c'est indéniable, et nous avons reçu les témoignages de Mze Alhamid Moindze (Djumwashongo,) de Fatma Madi et de Soighir Mohamed de Chouani. Il a pris différentes formes selon les contextes socio-économiques et il s'est estompé progressivement en ne gardant que certains aspects, certaines relations entre maîtres et anciens esclaves, quoique ces derniers n'existent plus.

Essai de conceptualisation

Les descendants des anciens Makua ne constituent pas dans la société un groupe à part. Leur regroupement en fonction de leur identité est loin de représenter un vestige servile et répond à un besoin d'échapper à l'humiliation et rien d'autre. La propension à se réfugier derrière la séparation a des conséquences sur la perception du problème.

Wa-Shendzi, wa-Tshetshe, wa-Makua, wa-Sahmbara etc., tels sont les termes employés pour les désigner. Il serait vain de tenter une répartition ethnique, car elle ne refléterait aucune réalité. Leur intégration n'a pas eu, comme en pareille circonstance, pour effet la constitution d'un groupe à part. Ces personnes d'origine ou de descendance makua ne le nient point. Elles ne voudraient pas en demeurer là.

Elles ne se considèrent plus ainsi et, à leurs yeux, elles ne sont plus ceux-là qui, pendant longtemps, ont été la risée de tous, car rien ne les distingue des autres. Ces derniers n'ont pas plus étudié et ne sont pas moins prêcheurs ou imams en religion que les autres. On en veut pour preuve que lors des cérémonies et manifestations sociales, ils se confondent pour accomplir en commun le travail cérémonial, en tant que principale fonction sociale.

Tous les noms sont d'origine africaine, mais tous ne sont pas d'origine servile. À Anjouan, les personnes issues du milieu wa-Shambara ou wa-Makua sont en augmentation et représentent plus de la moitié des habitants de l'île. Ici, la pratique de l'enfant placé n'a pas totalement disparu et on n'entend pas moins que certains leaders politiques de l'île ont été dans leur enfance des enfants placés. Les familles d'accueil ont bien voulu les envoyer à l'école, pareillement à leur propre progéniture. Voilà qui peut donner bonne conscience, mais qui n'excuse pas pour autant cette tradition. Ces anciens enfants placés, certes, reconnaissent le bienfait de leur séjour dans ces familles d'accueil qui leur ont offert gîte, repas et école, cependant, face à la charge et au sacrifice, tout cela n'est que secondaire. Ces enfants-là ont-ils réellement joui du droit d'exister ou de se dire à un moment : je vais me reposer un peu sans que la voix des maîtres des lieux ne les fasse tressauter, les surprenant en train de s'adonner à un somme ?

En Grande-Comore, dans certains villages et certaines villes, les descendants de Makua dépassent en nombre les autres catégories sociales. Ce qui semble expliquer cette acceptation tous azimuts des Makua. Leur nombre est tellement important qu'on est en droit de ne limiter leur importation. Cela n'a pas commencé avec le seul Mwinyi Mku et les seuls mawana du XIXe siècle. Ce sont eux qui ont formé les villages dits itreya ayant précédé la période Humblot et Sunley. Le XIXe siècle a vu l'esclavage dépérir après avoir atteint son niveau le plus important. L'islam en tant que religion a été un créneau obligé par lequel Makua et non-Makua ont convergé : ils fréquentent ensemble les mêmes mosquées plus assidûment et se voient chargés des tâches qui, à leurs yeux, les distinguent. La propreté de la mosquée, assurée bénévolement de leur propre initiative, leur vaut des ménagements et égards. Ces Makua et leurs descendants s'investissent beaucoup plus dans les confréries. Ce qui renforce leur foi en l'islam.

38. L'esclavage aux Comores, région de Bambao

« ... ils étaient embarqués d'ici, où nos grands-pères, selon ce qu'ils sont venus nous raconter, ils étaient pris d'ici, parmi les gens avec qui j'ai vécu. Ils m'ont dit qu'on les prenait ici pour les embarquer vers La Réunion et Mayotte. Parmi ceux qui ont été envoyés à La Réunion, j'en ai vus revenir ici. Je leur demandais et ils nous racontaient, sauf que c'étaient des choses qu'on ne cherchait pas à comprendre puisque c'était à une époque civilisée. Ils nous racontaient les travaux qui ont causé cet engagement. Parmi ceux de ce village, j'ai vu trois personnes : un dénommé Mwepva Mchangama, un autre appelé Mdroimana Harouna et le troisième s'appelait Ahamada Gaya. Ainsi, ces gens étaient pris ici et étaient embarqués vers l'île Bourbon. Et dans quel but ? Arrivés là-bas, ils se mettaient à cultiver les cannes à sucre. Et ces cannes à sucre subissaient ces multiples transformations qu'on connaît bien : le sucre en premier, ainsi que d'autres boissons de leur choix comme le vin, le rhum. C'est le travail important qui a causé l'engagement de ces gens qui nous ont dit qu'il n'y avait beaucoup de travaux que ça. Ils étaient pris pour ce travail. Moi, Mwepva m'a dit qu'il avait vécu là-bas environ 50 ou 53 ans, sauf qu'il ne m'a pas dit l'âge qu'il avait à son départ. Il ne faisait que la culture de la canne à sucre, du sisal pour fabriquer les sacs. Bien sûr, ils effectuaient d'autres travaux, mais le but de leur engagement était basé dans les plantations. Du moins, c'est ce qu'ils nous ont raconté. Ils ont ainsi vécu jusqu'à leur arrivée. On leur donnait leur salaire de retraite, qui était de 1 000 000 fc. Puisque, à ce moment-là, Mwepva est revenu avec 1 00 000 fc. Il y a ceux dont le salaire a été augmenté à 150 000 fc. Mwepva, lui, a acheté un champ appartenant à Saïd Ghalib, qui était d'Iconi, à 100 000 fc. À cette époque, des rumeurs circulaient partout dans la région de Bambao à propos de cette arrivée de Mwepva, désormais riche. Saïd Ghalib, père de Saïd Hassan, s'est marié à 100 000 fc et cela grâce à cet argent donné par Mwepva pour l'achat de son champ.

Ensuite, parmi ces engagés, il y avait ceux qui étaient embarqués vers Mayotte. Ils faisaient la culture du kitsani et des cannes à sucre puisque, à ce moment-là, les colons étaient déjà présents dans les îles et faisaient exécuter ces travaux. L'arrivée de ces engagés à Mayotte a été précoce. Ils ramenaient comme argent au maximum 15 000 fc ou 20 000 fc.

Par contre, Mwepva, lui, a amené beaucoup d'argent, à tel point que s'il y avait eu la banque à cette époque-là et qu'il avait décidé de mettre cet argent en banque, on lui aurait attribué toute la banque. À son arrivée à Ngazidja, il était vieux et n'avait pas fait le grand mariage. Après s'être marié, il a fait tout ce qu'il fallait faire sur le grand mariage et a été nommé au grade de Mfomamdji. C'est ce que nos grands-pères nous ont raconté. À ce même moment, mon vieux, appelé Cheha Athoumani, est parti pour Msumbidji, non pas pour aller travailler, mais après avoir vendu 10 bœufs pour la somme d'environ 50 000 ou 75 000 fc. J'avais environ 20 ans au moment de l'arrivée de Mwepva. À l'échelle de l'île de Ngazidja, ces engagés étaient au nombre de 200 personnes, voire plus. Tous ces gens étaient partis pour aller effectuer ces travaux difficiles, ce qui fait qu'à leur arrivée, ils avaient un air robuste. Parmi tous ces gens, il y avait ceux de Moindza-za-Mboini, il y avait un dénommé Mwenda-Ndzé Mchangama, un autre appelé Mzé Msayidiyé Mlomdri de Moindzaza, surnommé par les jeunes Msayidiyé Bagatel suite à un lieu se trouvant à La Réunion appelé Bagatel, un autre appelé Soilihi Mvouna, qui est mon grand-père, à Mbachilé, Séléa, Nyoumadzaha, il y avait aussi ces engagés. Ces gens s'engageaient de leur propre gré, mais pas forcément. Des gens avec des listes les recensaient pour les embarquer. Seuls les voleurs ou ceux qui avaient commis un acte difficile, à ce moment-là, se faisaient embarquer de force, se faisaient déporter vers Mayotte pour aller travailler gratuitement, condamnés à mort.

Pendant cette période d'engagement, il y avait ceux qui étaient heureux de voyager vers ces pays développés (Manga), d'aller connaître de nouvelles civilisations, voire vivre aisément. Mais il y avait ceux qui avaient peur, ne sachant pas ce qu'allait être leur sort. Parmi toutes ces histoires de voyages, seul l'avènement des guerres mondiales a causé une très grande peur aux gens, de crainte d'aller y mourir. Je me souviens de deux personnes parties pour cette guerre qui ne sont jamais revenues. Je me souviens aussi d'autres personnes. L'une s'appelait Massamba Sef, l'autre Youssouf Mdroumé, et une troisième qui s'appelait Mlandzao. Ils sont partis dans cette guerre et y sont morts. Et le mal, c'est qu'ils partaient pour aller combattre. Or, c'étaient des gens qui ne savaient pas combattre. Ces engagés de la guerre, on les embarquait de force.

L'engagisme était connu aux Comores sous le nom de *ngadje*. On expliquait aux gens que ce ngadjé signifiait que des gens allaient s'engager à travailler à l'île Bourbon durant une période donnée, puis qu'ils retourneraient dans leur pays. Cet engagement pouvait être de trois ans ou plus. Toutefois, si la période d'engagement était finie, l'engagé pouvait décider soit de retourner au pays soit de s'engager durant une autre période.

À leur arrivée au pays, les Blancs nous ont appris à nous Comoriens leur langue, la culture des plantes, la maçonnerie, la menuiserie, comment préparer l'ylang-ylang et le girofle, la plantation du cacao, l'hygiène et la mécanique concernant les voitures.

Ce qui est sûr, c'est que les gens qui auraient pu vous fournir beaucoup d'informations ou qui ont vécu ces choses-là n'existent plus. Moi qui suis âgé de 80 ans, je suis sûr que rares sont les plus âgés que moi. Moi, je n'ai pas vécu ces choses du passé. Ce que j'ai vécu, c'est récent. Puisque, à mon époque, la première fois que j'ai vu une voiture, c'est grâce à un homme s'appelant Mbaé Sambaouma, qui a été le premier à l'introduire à Ngazidja. C'était une personne importante puisque souvent il partait vers l'extérieur pour exercer le métier d'avocat. J'ai été surpris, la première fois que j'ai vu cet engin.

39. Sur l'engagisme, par Azihar Abdallah

Comment l'engagisme s'effectuait-il ?

L'engagisme aux Comores est l'œuvre des colons. On s'engageait volontairement. Après avoir accepté les contrats qu'on te présentait. On s'engageait dans l'espoir de pouvoir se nourrir et aussi pour que les Blancs puissent tirer profit.

Où allaient ces engagés ?

L'engagisme était réparti en deux sortes : soit on s'engageait au profit du pays soit au profit des colons. Mais ce n'est pas tout. Parfois, des gens venaient de l'extérieur pour prendre de force ceux qui étaient retenus. Et ceux qui étaient retenus là-bas ne revenaient plus et étaient aussitôt réduits en esclaves.

Est-ce que ces engagés étaient payés ?

Ces engagés étaient pris pour faire de la corvée, surtout à Madagascar. Ce qui fait que l'on rencontre dans divers pays un grand métissage, des gens de la même couleur de peau et aux cheveux crépus comme les nôtres. Et à l'issue de ces migrations nombreuses vers la grande île, Madagascar est devenue multiraciale avec des Indonésiens... etc. D'autres étaient envoyés aux Amériques, mais la plupart étaient envoyés dans les pays colonisés par la France.

Ceux qui travaillaient ici faisaient de la corvée. Chance pour celui qui arrivait à trouver à manger au travail, du moins s'il arrivait de préparer de la nourriture. Car ils étaient considérés comme des esclaves. Ces corvées étaient parfois bénéfiques pour le pays. Puisqu'il n'y avait pas à cette époque-là une voie pour une bicyclette, n'en parle pas pour une voiture, il n'y avait même pas une piste d'atterrissage. Tout cela, les gens étaient pris de force pour aller y travailler. Aussi, pour transporter ces colons. Par exemple, si un Blanc voulait se déplacer d'Itsandra à Ikoni, on préparait une sorte de chaise (appelée fitako à Anjouan) sur laquelle le Blanc s'asseyait et chacun leur tour, les travailleurs soulevaient cette chaise et la transportaient sur leurs épaules jusqu'à se fatiguer. C'est là que d'autres prenaient la relève jusqu'à atteindre la destination. Si jamais un des travailleurs prenait la fuite, il ne pouvait pas rentrer chez lui, car là, il avait fui le travail, il avait abandonné le Blanc. Aussitôt, il était arrêté par le chef du village ou les autres notables. Ces engagés-là n'avaient pas de salaire. C'est vers la fin de ce système qu'on leur a donné un salaire médiocre. Parfois, on leur donnait 50 fc ou 100 fc comme salaire mensuel.

Est-ce que ces colons avaient un endroit précis où ils venaient récupérer ces engagés ou bien ils débarquaient et d'un seul coup capturaient ceux qui leur semblaient compétents aux travaux ?

Ces engagés n'étaient pas rassemblés dans un seul et unique endroit. Ils désignaient un endroit quelconque pour se rassembler. Puisque beaucoup de gens étaient capturés et vendus au profit de ces navigateurs ou de la puissance colonisatrice. D'ailleurs, c'est dans la région d'Itsandra qu'a eu lieu l'une des plus grandes guerres ayant ravagé les Comores, au temps où Ntsudjini était le chef-lieu de la région. La plus grande guerre connue par les Comores puisque plus de 18 000 personnes ont été capturées et transportées à l'étranger, sans compter les rescapés.

Ceux qui travaillaient ici, s'ils avaient besoin de quoi que ce soit, ils s'adressaient aux Malgaches. Puisque les Malgaches, étant colonisés et associés aux colons, étaient les plus proches des Blancs. De ce fait, les Malgaches étaient civilisés. Ils accompagnaient les Blancs dans les embarcations pour venir capturer les gens. Ainsi, sauve qui peut ! Si l'on n'arrivait pas à leur échapper, on était capturé.

Est-ce que ces engagés avaient des congés ?

Oui, ces engagés avaient des repos. Certains travaillaient jusqu'à un moment donné, d'autres prenaient la relève. Ils ne pouvaient en aucun cas échapper à leur tour, sinon ils étaient enchaînés au niveau du cou et des pieds comme des bœufs.

À un moment, il a fallu payer chaque année un impôt appelé la tête. Vers les années 1967-68, un révolutionnaire, connu sous le nom de Saïd Ali Youssouf, créa le parti Jaune, qui luttait contre le régime au pouvoir : le Vert. Le parti Jaune défendait l'idée selon laquelle le Comorien qui ne travaillait pas ne devait pas payer d'impôt. Au temps de la tête, les gens fuyaient pour ne pas payer ; surtout ceux qui ne travaillaient pas. Si jamais on t'attrapait, on t'envoyait directement en prison. C'est ainsi que Saïd Ali Youssouf et son parti Jaune luttaient contre cet impôt imposé aux chômeurs.

Est-ce qu'il y avait ici des endroits spéciaux ou des régions spéciales où ces engagés allaient travailler après avoir été pris de leur région ?

Oui, il y avait des endroits spéciaux pour ces travaux. Puisque, souvent, ils travaillaient dans les régions où se trouvaient les personnalités importantes, surtout les Blancs, les préfets, représentants de l'Etat, chefs de canton ou lieux socialement importants. Parfois, ces travaux étaient bénéfiques pour la nation. Par exemple, il n'y avait pas de piste d'atterrissage et ces engagés ont été mis au travail jusqu'à créer la piste. Il n'y avait pas non plus de routes. Ces engagés ont mené leurs travaux corvéables jusqu'à créer des routes un peu partout. À l'exemple de Mutsamudu-Domoni ou de Mutsamudu-Sima. Ainsi, les voitures ont commencé à venir. D'abord des jeeps, ensuite des camions et aujourd'hui, la communication s'effectue aisément. Et tous ces travaux imposés à ceux qui étaient engagés ici n'étaient que des corvées.

Ces engagés ont contribué au développement des infrastructures, mais y avait-il leur propre domaine de travail ?

Oui, ces engagés avaient leur propre domaine de travail. Je peux citer, par exemple, Anjouan. Mais arrivé au temps des distilleries, les engagés ont eu des salaires. À Nyumakélé, il y avait un lieu nommé Bandramaji et les machines qui étaient utilisées sont encore là de nos jours. Il y avait aussi un lieu nommé Bandradaji et aussi Hajahou, tout près de Domoni. Il y avait aussi Bambao la Mtsanga. Tous ces endroits étaient des lieux où s'effectuait la distillerie. On travaillait soit l'ylang-ylang soit l'anfou. Et l'essence qui en résultait était exportée. Nous ne savons pas quelle somme d'argent a rapporté ce commerce. Ce qui est sûr, c'est que ces engagés avaient un salaire maigre. Ils travaillaient difficilement, ils cultivaient ces plantes, récoltaient, et les préparaient. Si l'un d'eux arrivait à se procurer au moins 1 kg d'anfou et qu'il voulait le vendre, les acheteurs achetaient ce kilo d'anfou pour 10 fc, sous prétexte que ce kilo d'anfou avait été volé aux Blancs, qui étaient des propriétaires fonciers. Ainsi, les gens étaient manipulés sans se rendre compte que c'était de la corvée qu'ils effectuaient. C'était à une époque où même le kilo de vanille était fixé à 100 fc. C'est après l'indépendance que le kilo de vanille a pu dépasser les limites et atteindre 4000 fc, voire même 10 000 fc. Mais avant l'indépendance, cela n'existait pas. Un kilo de fou la mdrounda valait de 50 à 100 fc. Toutefois, cette petite somme d'argent était considérable à l'époque. Après l'indépendance, des Comoriens en personne ont distillé ce fou la mdrounda pour prendre son essence et aller la vendre à des prix élevés. L'essence qui résultait donnait naissance à des parfums de toutes sortes, des médicaments…

Puisque ces lieux où les engagés effectuaient les travaux appartenaient aux Blancs, est-ce que les lieux où ces gens construisaient leur demeure, voire les villages, appartenaient aussi aux Blancs ou bien, à cette époque-là, les villages n'évoluaient pas et l'on se déplaçait partout ?

Les villages n'appartenaient pas aux Blancs. Seuls les lieux que les engagés avaient construits, leurs maisons, appartenaient aux Blancs. Les Blancs donnaient aux engagés des parcelles de terres très proches des endroits de travail afin qu'ils ne soient pas trop éloignés des lieux de travail. Ces lieux rapprochés des endroits de travail ont donné, vers la fin de cette ère, des villages. Des villages de la campagne comme Bambao, Pomoni, peut-être même Patsy. Par contre, les autres villages, leur fondation, c'est une autre histoire qui n'entre pas dans ce cadre des territoires des Blancs.

Est-ce que ces engagés avaient des chansons qu'ils chantaient durant ces temps de l'engagisme ?

Oui, bien sûr qu'ils avaient des chansons qu'ils chantaient souvent quand ils étaient épuisés afin de s'encourager, de se distraire. Ou même après un pique-nique, ils se mettaient à chanter des chansons. Mais je n'ai aucune idée des paroles de ces chansons.

40. Les employés de Wilson par Attoumani Houmadi
ISFR, 28 avril 2001

Le docteur américain Wilson, mu par une volonté de s'enrichir rapidement, influence les hommes pour l'implantation de l'usine de sucrerie à Patsy.

Employé : le terme s'utilise pour deux sens différents. Il fait partie des catégories professionnelles relativement précises. Les employés de bureau, de commerce. Mais ici, à la fin du XIXe siècle, notre pays est soumis à la pratique de l'esclavage. Alors, l'employé est une personne réduite pour des dettes par le sultan ou qui s'engage par lui-même (homme, femme et enfant).

On trouvait deux groupes. Les domestiques et les ouvriers agricoles. Le terme esclave a disparu du langage utilisé, mais dans l'esprit du planteur, recruteur de main-d'œuvre, il y a eu des expressions de substitution telles qu'engagés libres, mais ayant un statut d'esclave. Ces employés engagés supposaient la conclusion d'un contrat de travail avec le planteur.

Les activités dans l'entreprise

L'entreprise est la cellule économique où sont distribuées des responsabilités différentes selon les compétences. À Patsy, l'établissement de Wilson ouvre une brèche : la cruauté du colon est restée légendaire, car il a décidé de s'investir dans la production agricole. Il fait du café qui lui est très rentable.

La main-d'œuvre

Sur le terrain, les agents d'encadrement sont chargés de l'application des décisions du conseil d'administration. Les engagés, ouvriers agricoles, doivent lui revenir à moindre coût. Ils sont concentrés à l'usine. Ils ne disposent que de leur force et sont soumis à une réglementation sévère. Ils sont surtout attachés à la terre, qui leur procure des ressources complémentaires.

Le domestique est employé à vie, il doit être fidèle. À sa mort, ses enfants prennent la relève. Le maître peut disposer d'eux à sa guise.

Exemple d'une dispute à propos de deux sœurs sur la propriété de Wilson : il disposait de six domestiques, dont une mère (Bwara Bahahe) et ses cinq filles. La cadette Ramatou a porté plainte contre l'aînée (Rietou), qui voulait exercer son contrôle sur les autres esclaves après la mort d'une grande sœur (Touma), laquelle les avait légués à Ramatou devant témoins. Le chef du village a rendu justice, mais a demandé à Rietou de céder un esclave à sa sœur pour lui permettre de vivre. C'était sûrement la volonté de la mère Bwara Bahahe, qui a suivi son mari à Mayotte.

Employé, objet du maître : c'était chose courante à l'époque pour Wilson, les sultans et d'autres propriétaires. Le sultan a porté plainte contre Wilson, réclamant une part des bénéfices réalisés dans la plantation. Son argument était de dire que c'était le produit de ses esclaves. Et Wilson de répliquer qu'il s'agissait d'esclaves qu'il avait achetés et acquis par contrat de vente.

Dans les deux cas, il y avait établissement d'un droit qui rendait un homme tellement propre à un autre qu'il était le maître absolu de sa vie et de ses biens. Quel que soit le temps, les conditions, l'évènement, les employés (engagés affranchis) constituent un modèle de processus de domination de l'autre si l'autre vit l'infortune d'être esclave.

Malgré l'établissement d'un contrat, Wilson proposait de libérer ses esclaves en échange d'un engagement de dix ans. Or, la suppression du système économique, fondée dans cette région, la monoculture de la canne à sucre, qui demandait une main-d'œuvre nombreuse et bon marché. Leurs conditions d'emploi étaient des plus dures : en cas de faute, l'employé était lié tout nu ou on lui enlevait la peau des pieds et, sur une échelle, on le fouettait avec une queue de raie découpée en aiguillettes.

Une révolte a éclaté à l'usine et Wilson a demandé à recruter d'autres engagés pour tenter une expérience. Mais il n'y a pas eu d'autres volontaires. Wilson a habitué ses employés à la ration alimentaire, au logement et au paiement de leur impôt. C'est de cette façon qu'il a pu disposer d'eux, car à la fin du mois, ils étaient tous débiteurs de l'employeur.

41. Mme Anlaouiya Chaharane, professeur d'histoire-géographie et Mr Abdou Djaha, chef du village de Mramani
Le domaine colonial à Nyumakele
Enquête réalisée par Ahmed Abdou Oili

La colonisation des Comores débute en 1912 après le protectorat établi à partir de 1886. C'est une domination politique et économique suivie par l'exploitation des terres. Coloniser, c'est s'approprier les terres. C'est ce qu'ont fait les Français, qui n'ont pas poursuivi de buts humanitaires comme ils ont tendance à le dire. Ils avaient besoin de terres pour créer les domaines à mettre en culture.

L'origine du domaine
C'est le colon Jules Moquet qui a fondé la société en 1900. Il s'est approprié 12000 ha pour une somme dérisoire de 2000 fr (17 centimes l'ha). La population a été dépossédée de ses terres de culture et on pense que l'aristocratie non seulement n'a rien fait pour la défendre, mais mieux, a approuvé. Dans la presqu'île de Nyumakele, la population suspecte les grandes villes de vouloir sa spoliation des terres et cultive toujours sa méfiance.

L'économie coloniale
Les premiers colons installés aux Comores étaient des planteurs. Ils ont développé des cultures de rente comme le sisal. Dans la péninsule, se dressent encore les ruines de la première usine de transformation du sisal. En plus du sisal, la société produisait de l'ylang-ylang, de la vanille, du basilic et aussi du jasmin et des orangers pour leurs fleurs.

La distillation de toutes ces fleurs se faisait dans d'énormes alambics pour extraire les essences nécessaires à la fabrication des parfums de grandes marques. Les retombées ne parvenaient presque pas du tout à ces travailleurs, lesquels avaient du mal à cultiver pour se nourrir. Les domaines ont alors créé un lien très étroit de dépendance des paysans, qui se fournissaient dans la plantation. Un sentiment de frustration est né du fait qu'on les spoliait des terres avec lesquelles ils se nourrissaient. Et cela était d'autant plus grave que la population augmentait sans cesse en raison des progrès de la médecine et de la baisse de la mortalité. De deux choses l'une pour les paysans de Nyumakele : ou ils redevenaient propriétaires de leurs terres ou ils s'exilaient à Mohéli ou à Mayotte.

Le travail forcé

L'appropriation des terres s'est accompagnée du travail forcé. L'abolition de l'esclavage a été décrétée le 12 juillet 1912, en même temps que la colonisation officielle de l'archipel. Pour beaucoup de gens, l'engagement était la continuation de l'esclavage sous la forme du travail forcé.

L'administration coloniale a contraint les habitants de Nyumakelé aux travaux forcés dans le domaine colonial. Sans terres, ils louaient leur force contre un lopin de terre à cultiver en même temps qu'ils étaient soumis à la corvée. Cela se traduit par la réalisation d'un nombre de jours de travaux gratuits par semaine, soi-disant d'intérêt commun. Cela va durer jusqu'à l'adoption de la loi agraire à l'Assemblée nationale française en 1946.

La dépossession

L'administration coloniale a accompagné les colons pour déposséder les autochtones de leurs terres par la mise à disposition de la milice. C'est ainsi que l'on peut comprendre la résignation dont la population a fait montre face à la campagne de limitation des terrains. Dès lors, les relations entre colons et autochtones sont restées conflictuelles. La colonisation foncière s'est heurtée à la résistance des autochtones. Cependant, l'institution de l'impôt, appelé la « tête », a fragilisé ce mouvement. En effet, l'indigène qui ne s'acquittait pas de l'impôt risquait la prison.

La mise en valeur des terrains par la société de NMK

Très hostiles à cette politique, les habitants de la région ne se présentaient pas pour travailler, protestant ainsi contre la spoliation de leurs terres. Après avoir perdu la terre, ils ont été astreints à la corvée et à payer l'impôt. Les peuples colonisés se sont soulevés dès l'installation coloniale. Le protectorat établi sur l'île d'Anjouan en 1886 a dû réprimer la résistance des autochtones pour obtenir leur soumission.

Conclusion

La création du domaine colonial dans le Nyumakele, le site de Bandramadji en est le témoin, ne s'est pas faite sans heurts, loin s'en faut. Bien qu'elle ait marqué les esprits et ait donné du travail aux gens, ces derniers n'ont connu d'évolution qu'après la fin de l'activité de ladite société. Guy Moquet, en tant que directeur, a marqué durablement de son empreinte toute la région.

Le paddy était produit aux Comores et particulièrement à Mohéli. Denrée rare et recherchée à l'occasion des festivités, son importation constituait une source d'enrichissement[1]. Elle a été rapidement maîtrisée par Humblot. Athoumani Baba rapporte l'anecdote du troc réalisé par un notable qui, dans le besoin, lui a remis un homme, fut-il bouffon, contre quelques sacs de riz.

42. Parler de l'esclavage aux Comores n'est pas chose évidente

« Parler de l'esclavage aux Comores n'est pas chose évidente. C'est une pratique honteuse qu'il vaut mieux taire en espérant qu'elle soit oubliée. On l'a si bien tue que, aujourd'hui, sa mémoire a quasiment disparu. Nous ne la détenons que par bribes. Tel est le cas dans nos témoignages oraux. »

Ce questionnaire a été travaillé. Il portait sur l'esclavage. Notre informateur, M. Ahamadi Mderé, du village d'Ongoju à Anjouan, est âgé de 70 ans. Il fut magasinier. Il a été rencontré le 1er décembre 2012 à Moroni, où il réside actuellement.

---

1. S.B, la GC en 1898, textes de Sophie Blanchy, photos de Pobéguin.

L'esclavage est une institution qui a existé aux Comores. Les esclaves faisaient leur travail dans les plantations des colons. Ces derniers se déplaçaient, portés sur fitako. Un certain mshezouri était porté de Bandamaji, là où Jules Moquet avait installé son entreprise, jusqu'à Hajoho (à l'est de Domoni). Il en était ainsi à l'aller comme au retour. Les colons se déplaçaient sur les épaules des indigènes du domaine (Bandamaji) ; ce qui montre que les gens souffraient. Les Européens faisaient travailler les travailleurs du domaine pour cultiver le sisal et d'autres produits. Après la récolte, ces produits étaient broyés dans des machines et ensuite transportés à Hajoho pour stockage. Tous ces produits étaient destinés à l'exportation.

Ces gens ne venaient pas travailler volontairement, on allait les prendre de force dans leur village respectif. Ils ne percevaient point de salaire après 2 à 3 mois. Les colons entraient en contact avec les chefs locaux, qui mobilisaient les travailleurs. À tour de rôle, un groupe de Hantsahi se faisait remplacer par un autre groupe de Hamshako.

Les Comoriens n'étaient pas les seuls à travailler pour ces sociétés. Des gens venaient d'Afrique de l'Est pour y travailler.

Ces gens qui travaillaient dans les plantations rentraient, après le travail, chez eux à Hantsahi, Daji et Miriju. Pour cette raison, ils commençaient le travail à partir de 7h.

Est-ce que les villages de Hantsahi, Nyambwamdro et Hamshako ont été formés par les colons ?

En effet, ce sont les colons qui ont créé ces villages. Il y avait des choses positives ; chaque lundi, les colons distribuaient du riz même si, sur le plan sanitaire, c'était très difficile, car il n'y avait pas de médicaments. On plantait du sisal et d'autres produits dont avaient besoin les colons pour l'exportation. Le taux de mortalité était élevé et la survie difficile.

Où est-ce qu'on enterrait les morts ?

L'esclave était enterré dans sa demeure et ce jour on prenait une fête.

D'après ce que j'ai entendu, mais c'est un mythe. Dans la région de Nyumakele, surtout à Bandramaji, des crimes ont été commis. Lorsque les machines tombaient en panne, des enfants étaient capturés, tués, et on les mettait dans les machines afin qu'elles puissent fonctionner. Et partant, les esclaves, par peur, ne sortaient pas la nuit. Ces crimes ne bénéficiaient à personne et encore moins aux colons. On disait qu'il fallait du sang de ces enfants pour faire fonctionner ces machines.

Pouvez-vous nous dire quelque chose sur cette chanson ?

La voici :

Sabu wawe mrumwa sabu wawe mrumwa	en tout cas tu es un esclave
Nahika mlaliya godoro	même si tu dors sur un matelas
Sabu wawe mrumwa	tu es en tout cas un esclave

Oui, cette chanson, on la chantait lorsqu'on transportait le colon sur un fitako dans ses déplacements.

43. Mohamed Housseine Houmadi, né à Jandza, Anjouan, 56 ans

Nous avons entendu que l'esclavage existait aux Comores, était-ce avant ou après l'arrivée des colons ?

- La servitude a existé dans ce pays ; il y avait des gens qui faisaient la corvée (travail non rémunéré) pour les colons. Pour les Comoriens, c'était une bonne chose du fait qu'il n'y avait de travailleurs. On était obligé de travailler avec eux.

Ce qu'on faisait, on construisait des routes pour faciliter les déplacements, même si ces colons étaient transportés sur fitako. Des moments, les gens fuyaient pour aller se cacher dans la forêt. Lorsqu'on était, par malchance, attrapé, on était mis en prison. Les gens étaient alors enchaînés des pieds à la tête avec des fers et des chaînes. Les esclaves étaient razziés en Afrique de l'Est et on venait les déposer aux Comores dans la forêt. Ces nouveaux venus sont caractérisés par l'esclavage. Ils se sont de nos jours mélangés avec les autres, ce qui explique la mosaïque de population aux Comores. Chacun devait payer l'impôt, même si tu n'avais pas les moyens, tu étais obligé de payer. L'impôt était perçu par le chef du village. Lorsqu'on manquait à l'impôt, on était mis en prison. Cela a continué jusqu'aux années 1960 avant d'être abandonné.

Est-ce qu'il y avait des esclaves étrangers ?

À vrai dire, les Comoriens, bon nombre d'entre eux sont des descendants d'esclaves. Ce sont des gens qui ont été forcés à émigrer pour travailler et quelque temps après, ils sont devenus des citoyens comoriens. Actuellement, on n'arrive plus à les distinguer.

Revenons à la question des produits : à part le sisal, qu'est-ce qu'on faisait ?

Ces esclaves ne travaillaient pas seulement dans les plantations. Ils étaient aussi utilisés pour la construction des maisons des colons et même des chefs de village, puis ils aménageaient les routes d'un village à l'autre.

Les gens qui travaillaient dans la société de Bambao et Hadjoho, quartier de Ngadzale, étaient réunis en un lieu donné. Ils ont formé le village de Koni. Ce sont donc des descendants d'esclaves. C'est le cas aussi de certains villages comme Bambao, Mpatse, Mpomoni, Tsaha.

Rapport établi par Ahmed Saindou, Maoulid Isshaka et Mohamed Archimi Salim (2e année)

44. Enquêteur : Mariama Abdou Bachirou

L'esclavage est un moyen de faire travailler les Africains au profit des Blancs. De nos jours, les anciens esclaves ont intégré les villes et villages ainsi que les familles. Ce sont leurs descendants que l'on côtoie dans nos villes et villages. Il n'y a pas de signes permettant de les identifier en dehors de leur capacité physique de résistance, leur comportement et leurs manières de vivre.

Auparavant, l'esclave n'avait pas de liberté. Il travaillait à longueur de journée et sans salaire. Dans certaines villes, comme à Itsandra, ils ont leur propre quartier (Mirereni). Ailleurs, ils font partie des familles d'accueil. De nombreuses femmes serviles ont, dans ce cadre, trouvé des époux et les enfants nés de ces mariages font partie actuellement des clans familiaux.

Les différents esclaves se distinguent par la nature du travail ou par le travail qu'ils font. Dans les plantations, le travail est assuré par des esclaves et ceux-là sont soumis à un rythme infernal. Ils en souffrent. Et enfin, l'esclave domestique, qui semble être ce qu'on appelle les watrwana (watrwana wa Msafumu).

Est-il possible de rencontrer un esclave ou un descendant d'ancien esclave ?

Maintenant, on a peur, on n'ose pas dire qu'il est descendant d'ancien esclave. Car l'esclavage n'existe plus. Ces descendants sont aujourd'hui nombreux, ont fait des études qui font d'eux les cadres et hommes politiques de ce pays. Certains ont réussi, car ils ont acquis de la notoriété, beaucoup de moyens et de la richesse.

45. Dhoiffir Ben Ali, la fondation de la ville de Mutsamudu

Mutsamudu a vu le jour au XVe siècle après Sima, Domoni et Moya. Elle a été fondée en 1482 sous Halima I, sultan de l'île. Située dans la baie au nord-est, au pied des collines, elle est une des villes les plus peuplées des Comores de par ses activités.

Comme pour toute ville des Comores, sa création est entourée de légendes. Un bouvier nommé Musa mudu (Moïse le Noir) menait boire ses bœufs à Mroni, où il a bâti sa maison.

D'autres parlent d'un Mozambicain islamisé qui faisait paître ses bœufs. Arrivé là, il a trouvé le lieu calme et attrayant, il a mis son troupeau au piquet et est allé chercher sa famille. L'histoire montre que ce dernier vient de Nyumakelé, où il est né, dans un village appelé Shindini, au sud de Kangani.

La ville a connu un accroissement lorsque d'autres bouviers sont venus s'y installer. Ils s'y sont groupés et ont formé la ville qui porte ce nom de Mutsamudu. Par la suite, deux princes du sultan polygame de Mayotte, Mohamed Ben Issa, dont la seconde femme se trouvait à Domoni, n'ont pas été accueillis. Un différend les a poussés à chercher un refuge. Ils ont alors rencontré Moussa Moudou, qui leur a proposé son hospitalité. Les deux princes ont fait venir leur sœur de Mayotte.

Au fil des ans, la ville a vu sa population augmenter et s'est divisée en trois quartiers : Mjihari, Hapanga et Hamumbu.

Mjihari est le quartier où vivait Musa Mudu ; c'est aussi le siège des pêcheurs. Centre-ville, c'est aussi le quartier des quaba-ila (El-Madua). Ces sous-quartiers existent jusqu'à nos jours. Il s'agit de Hakunuju (lieu des buissons), Mkiri wa ngizi, construit par les Perses, et enfin mkiri wa jumwa.

Hapanga a aussi été célèbre. Quartier des sabres (militaires ?) alors que certains l'attribuent à un esclave. Quartier des esclaves. Ce qui renvoie pour certains aux gardiens de la citadelle. C'était le quartier des agriculteurs en même temps d'où partait la source d'eau. On a le lieu-dit Bwe lamaji, Bahani, Darajaju (sur le pont), Sheshele, Saravwange et Bandramaji.

Hamumbu est le quartier des étrangers : Arabes, Européens, et ceux venus des autres villes et villages des régions de l'île. Comme c'était la forêt, il y avait beaucoup de moustiques (mumbu). Ces sous-quartiers sont Mkiri wajumwa, Kardilène, Gerezani, Shaweni, Bambajoni, et Mkiri washoni.

Dans ces trois principaux quartiers, les mosquées étaient les lieux sociaux de regroupement où les gens se fréquentaient. Mais Dardanali et Ujumbe étaient les centres d'accueil des membres de la cour du roi.

D'autres quartiers ont été fondés un peu plus tard : Habomo, quartier des tambours. On l'attribue également à un esclave. D'où quartier des esclaves. Vient ensuite le quartier Gongwamwe, Misiri (quartier des musulmans, nom dérivé de misri Egypte) et enfin Hombo.

Les Européens, en particulier les Portugais, se sont lancés dans l'océan Indien en doublant le Cap de Bonne Espérance et se sont retrouvés à Anjouan. Ils ont construit les escaliers reliant Mdjihari à la citadelle, construite pour surveiller les bateaux arabes. C'est une ville portuaire qui a développé le commerce et favorisé le métissage. Cette suprématie, à partir du XVIe siècle, a donné naissance à une société aristocratique puissante qui a favorisé l'installation des Chiraziens, placés sous l'autorité des beja. Ce commerce actif a donné naissance aux *miji* (villes) *ya mtsangani* (côtière) et *miji ya matsaha* (ville de campagne).

Depuis le XVIIIe siècle, la ville est la capitale économique d'Anjouan grâce à son port remarquable. Ce rôle, la ville de Mutsamudu le joue encore aujourd'hui.

46. Peuplement par la traite
Rapport établi par Ahmed Saindou, Maoulid Isshaka et Mohamed Archimi Salim (2ᵉ année)

Notre pays a beaucoup souffert de la présence des Européens. Mais il est certain que la plupart des habitants sont venus ici par l'esclavage des Arabes et puis des Européens. Il existait un commerce entre les régions de l'Afrique continentale et l'archipel. Aujourd'hui, il y a beaucoup de descendants de ces esclaves dans nos villages, même s'ils ne veulent pas qu'on en parle.

C'est l'exemple de la lignée des sharif vis-à-vis de qui on se demande comment ils sont arrivés jusqu'ici, nonobstant la distance, le temps. Certes, on ne peut ignorer l'expansion de l'islam dans le monde.

Les nations arabes envoyaient des missionnaires et des ambassadeurs dans les pays dans le seul but de répandre la religion et de trouver des débouchés commerciaux. Et dans ce cadre, les sharif sont arrivés. Prenons l'exemple de Mbaye wa Mwinyi Hassani et de Mbaye Mwinyi Allaoui de Ntsudjini. Ce sont des djamali alaili. Leurs arrière-grands-parents sont nés au Yémen et sont venus pour faire du commerce. Itsandra était leur village d'accueil, raison pour laquelle ils y sont nombreux.

Si on s'intéresse à l'histoire, on comprendra que les hommes qui voyageaient avaient des objectifs précis. La plupart sont arrivés aux Comores pour des objectifs commerciaux pendant que certains fuyaient les guerres. Ils se sont exilés dans l'archipel. On trouve évidemment des Iraniens, qui ont élu domicile notamment à Anjouan. Les Comores sont restées pour eux des terres d'accueil.

L'esclavage est aussi une réalité. Le prince Mwinyi Mku était commerçant. Il a introduit de nombreux esclaves pour ses travaux. Il les revendait aux commerçants de passage. Il est l'un des sultans qui ont marqué l'histoire et de nombreuses plantes agricoles portent son nom.

De nos jours, il est difficile de déterminer les descendants des esclaves, car l'islam a encouragé leur libération, acte pieux certes, mais assorti d'une condition vitale. En libérant un esclave, on l'anoblit et on lui donne un domaine où il peut vivre et une femme pour lui éviter de retomber dans la dépendance d'autrui. C'est le contraire de ce qui se passe dans les pays non musulmans. De ce fait, en lui offrant tout cela, l'esclave s'intègre, raison pour laquelle il est difficile de distinguer un descendant d'esclave d'un non-esclave.

Traditionnellement, les esclaves travaillaient la terre, cela a été le départ de la création de certains villages, aujourd'hui itreya. Il faut naturellement différencier travailleur et esclave. Aux Comores, le travailleur désigne quelqu'un qui travaille sous contrat, il partage le fruit de son travail avec le propriétaire. Quant à l'esclave, on le nourrit seulement et la durée de son travail est illimitée.

On relève deux catégories d'esclaves : ceux qui sont achetés directement en Afrique et ceux issus de la traite arabe et européenne. Ceux-là sont revendus.

Il existait des propriétaires d'esclaves en dehors des sultans ; avant l'islam, des sorciers recevaient, en contrepartie de leurs services, des esclaves. Ntsoralé, petit village de Dimani en Grande-Comore, a connu une épidémie qui menaçait le village ainsi que l'île entière. Un sorcier est venu proposer un remède consistant à sacrifier un homme. Le grand-père du narrateur s'est porté volontaire pour sauver le village. Il y avait donc des hommes qui se sacrifiaient et ils méritent reconnaissance. Souvent, c'était le bouffon qui était sacrifié pour sauver le village. C'était donc celui qui n'avait pas de référence au village, qui n'avait pas d'ascendance. Cela pouvait être un étranger qui n'avait ni parcelle ni autre élément de richesse. Parfois même, il ignorait ses origines. On les nomme ici mndahofu. Tout ce qui n'avait pas de valeur lui revenait : dans les grandes villes, il creusait les tombeaux, il était boucher, il fabriquait les ustensiles de cuisine et des ménages. Le deuxième type était celui qui était vaincu en guerre, à l'exemple de la guerre entre Msafumu et Saïd Ali. Celui qui était vaincu avec ses hommes était l'esclave des vainqueurs.

Zainoune, Mmadi Bourhane et Zainab Hatub (2ᵉ année)

47. 1/Villages abandonnés : Shwadjuni, Nyumbadju et Boboni
Fatima Abdou, née à Boboni, 50 ans
Baraka Mdoihoma, née à Boboni, 85 ans
Djumwa Mkazambo, né à Boboni, 87 ans (fils de Makua)
Mbaba Lassi, né à Nkurani ya Sima, 75 ans, ouvrier à Shongodunda
Aliyamane Souef, Mitsudje Hambu, propriétaire du site Shwadjuni
Enquêteurs : Youssouf Mlinde Mdahoma, Rafida Ibrahim et Salama Issa Mbae

Le départ, dans l'histoire des villes ou des peuples destinés à un haut avenir, est le plus souvent entouré d'un halo qui les dérobe à un examen et à une vision précise. Boboni, Shwadjuni et Shongodunda sont des sites naturels exceptionnels qui furent aussi des lieux clés de la présence coloniale aux Comores. C'est rendre justice que de retracer, autant que possible se peut, l'activité, les réalisations, et l'origine des différents habitants composant la communauté de ces villages.

À partir de 1912, l'implantation coloniale en Grande-Comore, surtout dans la région de Hambu, a pris une ampleur considérable. Léon Humblot détenait un pouvoir de commandement jusqu'à accaparer les terres de Hambu, de Bambao etc.

Quels sont les éléments qui ont favorisé la fondation d'une grande communauté unie ? Quelle est l'origine de ces différents peuples et où peut-on les trouver aujourd'hui ? Quel statut social ont-ils ?

Généralement, l'abandon d'une ville résulte du fait que l'activité économique qui faisait vivre les habitants s'est tarie ou est dû à une catastrophe naturelle.

Des éléments ont favorisé la fondation d'une grande communauté unie.

Dès l'arrivée des colons aux Comores, en particulier en Grande-Comore, Boboni a été le premier endroit choisi pour l'installation de la première industrie, la scierie. C'est l'œuvre d'un Léon Humblot qui a marqué de toute son empreinte cette colonisation de la Grande-Comore. Mort en 1914, l'implantation coloniale a été poursuivie par Baillard et la scie a été transférée pour la coupe du bois à Shongodunda, où il y avait sa résidence. Ses vestiges existent encore aujourd'hui. Baillard a continué l'entreprise coloniale, facilitant l'exploitation du bois, pratiquant la culture d'ylang-ylang et le girofle. En effet, pour faciliter le fonctionnement de l'entreprise, l'administration coloniale et les colons avaient besoin d'hommes pour travailler dans l'exploitation du bois.

Pour cela, les villes ont été peuplées par une population venue tous azimuts de tous les horizons du monde. Ces communautés étaient constituées de Comoriens, d'Européens et d'Africains, appelés communément Makua.

L'histoire de Shwadjuni reste une particularité, c'était une station plutôt qu'un village. L'expérience tentée par L. Humblot à Mitsamihuli a été un fiasco, il a préféré jeter son dévolu sur la région de Hambu et de Bambao : son administration se trouvait à Salimani, mais sa résidence personnelle était située au-dessus de Djumwashongo, à

Shongodunda, au centre-ouest, distant de 25 à 30 km de Moroni, actuelle capitale des Comores.

Shwadjuni se situe au milieu de l'intervalle entre Salimani et Shongodunda, centre prévu pour loger les Makua, ses travailleurs. Ils devaient s'installer dans cette localité afin de veiller et de contrôler les plantations coloniales. C'est la raison pour laquelle Shwadjuni garde le statut de station plutôt que de village.

Les différents groupes composant les communautés de ces villes.

Voici livrés quelques noms de personnes qui ont vécu sur ces sites et dont les informateurs se sont souvenus. Peut-être qu'à partir d'eux, on peut remonter pour éclairer une partie de cette histoire.

Ville de Boboni

Les Comoriens	Les Européens	Les Makua
SOILIHI ALI (Djumwashongo)	Galice	MZE MABURUKU
AHAMADA MWEPVA, mécanicien (Nkurani ya Sima)	Gotteli	CHIBANTRA
		SALIMU NTSANU
		MKAZAMBO, père de six enfants, marié à Nyumadzaha
Bambao		
		UZALE MKAZAMBO
		BAKARA MKAZAMBO
		MKARIBU MKAZAMBO
		MLINDE MKAZAMBO
		MZEYE MKAZAMBO
		DJUMWA MKAZAMBO
(dernier chef du village de Boboni, réside actuellement à Nkurani ya Sima)		

Shongodunda

194

Les Comoriens	Les Européens	Les Makua
MARIKE WA KAYIVA (Nkurani ya Sima)	LEON HUMBLOT	DJUMWA MKAZAMBO
MNAMDJI WA IBOUROI	BAILLARD	MSHE MALIHINA, servante chez Léon Humblot, mariée à Umuri wa Mwelevu de Tsinimwashongo
MSHINDA YADA		MZE FARADJI, marié à Ntsinimwashongo, donnant naissance à Tuma Faradji
ABDOURAHAMANI		MABURUKU KANDRABA, marié à Mbudadju, père d'Ali et Mmadi Maburuku
YOUSSOUF NODJIMBA		MSHE DORA, marié à Maweni et père d'Ali Dora

Tous ces noms ont été donnés de mémoire et sans préférence aucune. Pour rappel, à Shongodunda, il y avait une liste de 12 personnes portant le même nom : 12 MABURUKU (Maburuku kume nambili). Au petit matin, tous les travailleurs étaient regroupés sur une place appelée « bangwe la lapeli » pour répondre à l'appel journalier et ces 12 Maburuku étaient en tête de liste.

Où sont-ils aujourd'hui ?

Après la dislocation de ces villes, les Comoriens ont regagné leur ville ou village respectif. Une partie de ces gens-là est descendue pas très loin de Boboni pour créer un village portant le nom de Daweni, tout près de Budadju. D'autres, Comoriens comme étrangers (*wa-manga*), se sont mariés dans les villes aux alentours de Mbudadju, Djumwashongo, Mitsudje etc.

Parmi les wa-manga, certains se sont mariés un peu plus loin de ces localités, comme à Nkurani ya Sima, Ntsinimwashongo, Ntsinimwapanga, Iconi, Mvuni, Mkazi etc. Comme en société comorienne la femme la reflète et constitue le noyau de départ de toute famille, les Makua ont suivi leurs femmes vers leurs différents villages, départ de leur intégration et de leur acceptation au sein de la société comorienne. D'ailleurs, il n'y a pas plus de différence entre eux et les Comoriens d'origine. Certains d'entre eux participent à la gestion des villes et villages au même titre que les Comoriens. Cette insertion sociale montre l'importance, la valeur, la grandeur de la civilisation comorienne. De ce point de vue, il y a ce jugement selon lequel la société comorienne est une société accueillante.

Conclusion

Les villes de Boboni, Shwadjuni et Shongodunda traversent une grande période, très remarquable, marquant l'histoire fructueuse malgré l'inexistence de sources bibliographiques. Tout au long de l'histoire de Boboni, de Shwadjuni et de Shongodunda, constructions coloniales, l'exploitation économique du territoire a été basée sur l'exploitation du bois, puis sur la production de girofle, de vanille, de cacao etc. Les Makua, ceux venus d'Afrique, fournissaient la main-d'œuvre à l'économie comorienne et contribuaient ainsi au développement du pays, les Comores.

48. 2/ Villages disparus à la Grande-Comore
Informateur : M. Souef Aliamane, Mitsudje Hambu
Enquêteurs : Aly Aziri Zaid ; Soidroudine Daroueche et Aboubacar Saïd
Thèmes : les villes disparues
Les débuts de Léon Humblot
Origine des habitants de ces campements

Les années 1800 sont caractérisées par l'avènement sultanesque en ce sens que Saïd Ali, qui était sultan de la Grande-Comore, a signé un accord avec la France pour avoir la protection contre les Anglais et Zanzibar. Avec ce pacte, Léon Humblot a profité de cette occasion pour s'intégrer à la Grande-Comore afin de former des campements. Il est question de savoir quels intérêts ont poussé ce colon à s'intéresser à cette île.

Intéressons-nous donc à son arrivée et aux raisons qui l'ont poussé à chercher des Makua pour former ses campements.

Selon Souef Aliamane, avant d'arriver aux Comores, Humblot a signé un pacte avec le sultan Saïd Ali, qui s'inquiétait du devenir de son île face aux visées britanniques et autres. Dans une lettre, Saïd Ali dit : « Mon pays peut être pris de force à tout moment. Dans ce cas, je préfère le donner à la France ». Le 28 juillet 1883, Saïd Omar, père de Saïd Ali, reçoit de la France une lettre pour le féliciter du succès de son fils Saïd Ali à la Grande-Comore. S'il désire obtenir pour la Grande-Comore le protectorat de la France, il doit formuler une demande au Président de la République. De ce fait, après ces dates, une autre figure emblématique surgit sur la scène historique des Comores. Il s'agit de Léon Joseph Henri Humblot, Français né à Nancy le 3 juin 1852 dans une famille modeste. Il n'a pas fait d'études particulières, mais a obtenu par protection politique un emploi de jardinier au Musée d'Histoire naturelle de Paris. Léon Humblot a été envoyé en mission botanique par la France à Madagascar. Après de nombreux troubles entre la France et Madagascar, Léon se réfugie à Mayotte, puis à Mohéli, avant de gagner la Grande-Comore le 5 septembre 1883. Il se présente à la Grande-Comore comme un savant qui a la confiance du Président de la République française et se déclare prêt à investir des fonds pour développer l'île et réserver une participation à des notables. D'où une convention rédigée. De ce fait, l'histoire suit son chemin jusqu'à l'arrivée de ces immigrants pour occuper les différentes installations. Pour cela, il y a plusieurs apprenants affectés aux colonies par Humblot ici à Ngazidja, en particulier dans la région de Hambu.

Selon Monsieur Soeuf Aliamane, « il n'y avait pas de villages qui s'appelaient Nyumbadju ni Shwadjuni ni Boboni. C'étaient des campements de travail installés par Léon Humblot ». Dans ces campements, Humblot a déployé des immigrants de différentes nations. Parmi eux, il y avait des Africains, des Asiatiques, ainsi que des Européens. Les Africains et les Asiatiques formaient la main-d'œuvre de Humblot tandis que les Européens formaient les chefs de chaque campement. Une ventilation des effectifs permet de distinguer :
Les Africains : Congolais = Mdjwazema (Salimani et Boboni)
Des Mozambicains : Hamtsanga (Selea et Nyumadzaha)
Des Sénégalais : Boboni et Djumwashongo
Des Réunionnais : Makariedju et Boboni (usines des voitures Makariedju ; Mwinyerok chauffeur)
Malgaches = makariedju, Mitsudje (Shwadjuni)
Anjouanais = Mdjwayezi, Djumwapanga et Moroni
De ce fait, on peut noter aussi parmi ces immigrants des Indiens :

Pondichériens qui résidaient à Moroni

Des Bohora, résidant à Mitsamihuli et Ipvembeni

Des Mozambicains = Shwadjuni et Mwandzaza djumbe

Ainsi, chaque colonie était assignée d'un bureau mélangé avec des Comoriens venant de toutes les régions de l'île, voire même Mbadjini et Washili. En effet, toutes les informations de Monsieur Soeuf Aliamane montrent que, parmi les immigrants, il y a ceux qui sont partis chez eux après avoir gagné de l'argent tandis que d'autres sont restés aux Comores.

De ce fait, ceux qui sont restés aux Comores se sont mariés dans des villages et ont eu des enfants. Parmi les villages qui les ont accueillis, il y a Nkomiyoni, Mitsudje, Mitsamihuli, Uziwani etc. et parmi les Européens qui assuraient le travail en tant que dirigeants au service de Léon Humblot, on peut citer : Houfoin, Fontaine, Delapierre, Foucault, Colet, Henry Toinette et Asparon. On peut citer quelques noms de descendants d'Africains : Issulahi Asumani Baba à Nkomiyoni et Mdjipvesheye à Mitsudje.

Il est évident, comme le dit l'informateur, que ces trois campements ont été formés après l'arrivée de Léon Humblot, qui en avait besoin pour la mise en valeur de ses plantations. Cependant, ces immigrants de différentes nationalités n'ont pas tous constitué des villages à part. Ces campements étaient-ils forcément des villages ?

49. Le *fitako*

Cette période (période où le *fitako* était en usage) a été gardée en mémoire et transmise par le bouche-à-oreille de génération en génération. C'est donc grâce aux traditions orales, aux personnes âgées qui acceptent de parler, que tant d'œuvres relatant l'histoire des Comores sont conservées.

Ce mot désigne ici la chaise portée par des colporteurs sur leurs épaules. Beaucoup de Comoriens ont en mémoire les supplices ressentis lorsqu'il fallait transporter un colon d'une région à l'autre. C'était le seul véhicule en usage aux Comores au début de la colonisation. Il a aussi été utilisé par les sultans. Tous les hommes n'échappaient pas à ce travail, qui « consistait à porter le *fitako* à défaut de véhicule ».

Le *fitako* se présentait sous deux formes ; ou bien sous la forme d'un lit avec deux bois qui dépassaient de deux mètres à chaque extrémité et ressemblant à un cercueil. Au milieu, il y avait un fauteuil dans lequel on se vautrait et qui protégeait des intempéries et du soleil. Ou bien encore un seul bois et avec un long tissu et une corde, on formait une escarpolette. Forme ordinaire qui était portée par deux personnes. Une troisième portait un parapluie. Cheikh Attoumane, maître coranique, sexagénaire, se rappelle et affirme que fitako « est un terme étranger, mais connu par tous les Comoriens à l'arrivée des colons qui voulaient surveiller et contrôler toutes les plantations dans toutes les régions. Dans la mesure où ils se sont appropriés nos terres et nous sommes devenus leurs ouvriers agricoles et leurs hommes à tout faire. Pour visiter les champs ou pour se promener, nous étions encore là pour porter le *fitako*. Nos mains et nos épaules étaient devenues des machines à soulever et à porter le *fitako* à travers villes et villages. Les chefs de village sont avisés par un messager du passage du résident ou colon et il se chargeait de désigner des porteurs qui doivent relayer ceux du village précédent ».

Ce supplice en a inspiré plus d'un. Exemple de Djabo de Mirontsy, à Anjouan, qui a fini par composer une chanson se moquant du résident. La voici :

HEYA HOYAHE PEBE NAMSHIYA	monté, reposé hé Pébé a une queue
WANYAWE WA TRIHI WENDRE	les autres sont allés, transportant
PEBE NAMSHIYA	Pébé avec sa queue
WALO HOMONA MAWANA	voir Mawana,
PEBE NAMSHIYA	Pébé a une queue

Lorsque le résident a demandé la traduction : « C'est pour chasser la fatigue, lui a-t-on répondu, et vous glorifier ». Mais un chef de village originaire de Mutsamudu lui a expliqué que Pébé était un manchot habillé d'une chemise à manches longues et que c'était cette dernière qui était considérée comme une queue. Ce qui a valu la prison au chef Djabo de Mirontsy.

Notons au passage que beaucoup de villageois ont fui les villages.

Le cas de la Grande-Comore

Les Blancs arrivent à travers Humblot et Charles Legros.

L. Humblot arrive en 1881 et s'intéresse déjà à l'exploitation agricole. Il occupe une partie un peu éloignée du village de Nyumbadju. Il occupe aussi une partie de Salimani Hambu et construit un port pour ses déplacements hors de son territoire. Pour ses déplacements intérieurs, il est porté par ses ouvriers, d'où le fitako.

En outre, les princes régnants de Badjini, parmi lesquels Saïd Houssen, utilisent le fitako. En effet, pour se déplacer de village en village, les chefs locaux désignent certains membres au sein de la population pour les porter.

Généralement, ce sont les Blancs qui introduisent le fitako. Pour se déplacer, les missionnaires blancs comptent sur les chefs de village, qui désignent les personnes qui doivent porter le fitako.

Le cas d'Anjouan

Les îles Comores étaient envahies depuis le début du XIXe siècle par les Blancs. Les princes anjouanais, surtout Abdallah III (Abdallah Ben Salim), créateur de la sucrerie de Bambao, usaient du *fitako* pour se déplacer en ville. C'était une sorte de chaise portée par quatre personnes. En plus, pour aller de ville en ville, la pratique était la même. D'ailleurs, la ville de Mirontsy est née à partir des ouvriers qui portaient le prince de Bambao jusqu'à Mutsamudu. Des personnes choisies dans les villages où le prince ne faisait que passer se relayaient du château de Bambao à Bazimini.

Le prince de Mutsamudu, pour aller visiter ses champs à Paje, se déplaçait en *fitako*. Mais après la mort d'Abdallah III, les Blancs ont pris une partie du pouvoir. Le *fitako* a été érigé comme moyen de déplacement par excellence, redevable obligatoirement pour l'administration. Comme tout le monde payait « la tête », l'impôt, certaines familles louaient le service de certaines personnes pour le faire à leur place. À Anjouan, deux Blancs ont marqué cette époque : Razzu et Chiromani. Mais d'autres personnes parmi les Anjouanais ont elles aussi été portées sur un *fitako*. En effet, un employé au service du Résident, Saïd Mansoib de Mutsamudu, pour réaliser les commissions pour les Blancs, se déplaçait sur un *fitako*.

Saïd Mansoib a eu un fils s'appelant Ahmed Mansoib, qui était professeur. Il s'est marié avec une Ouanienne avec qui il a eu une fille. Elle a aujourd'hui 70 ans. Elle s'appelle Zalhata Ahmed Mansoib. C'est la mère de Koudousia Mohamed.

Saïd Mansoib n'est pas le seul employé à avoir profité du fitako. L'arrière-arrière-grand-père de la famille Madjid de Mutsamudu, Saïd Madjid, a eu aussi cette occasion d'être porté comme les Blancs quand il allait mobiliser les habitants de Sima pour payer la « tête ».

En conclusion

On peut accepter que le fitako a gagné toutes les îles comoriennes et a été intro-duit surtout par les Blancs, qui se servaient de ce mode de déplacement. Heureusement, ce malheur a pris fin en 1940 avec l'arrivée sur la scène politique de Saïd Mohamed Cheikh. NASSER ALI AHMED

50. L'engagisme à Madagascar,

témoignage d'un des travailleurs de ces usines, Mohamed Chanfiou de Bouni Hamahamet, né vers 1940

Méthode de travail dans les usines de plantation de canne à sucre

Les étapes de la transformation du sucre :

« Le sucre était mélangé avec de la chaux, de l'acide, Ibiriti. Après avoir coupé les cannes à sucre, nous les chargions dans des wagons. Ces derniers les ramenaient jusqu'à la grue. La grue déchargeait les cannes à sucre contenues dans les caisses des wagons dans d'autres caisses. Ces dernières étaient équipées d'une sorte de grands couteaux qui servaient à couper les cannes à sucre pour qu'elles puissent traverser la machine à broyer. Ensuite, des tuyaux d'eau arrosaient ces cannes à sucre pour les débarrasser de la terre. Après avoir extrait le sucre, les bagasses servaient à alimenter le générateur d'électricité.

Pendant sa transformation, le sucre ressemblait à de la sève de pignon d'Inde. C'est après avoir subi une seconde transformation que l'on arrivait à avoir du sucre, mais il y en avait deux sortes, différents par leur couleur ; l'un blanc, l'autre rouge. À chaque bout des tuyaux sur lesquels glissait le sucre transformé, des sacs étaient dressés. Ces sacs reposaient sur des balances. Ainsi, ceux qui étaient chargés de la tâche d'emballage contrôlaient le nombre de kilos déversés dans chaque sac. Une fois le nombre de kilos souhaités atteint, ils plaçaient un autre sac au bout du tuyau.

La transformation de la canne à sucre ne donne pas seulement du sucre. Après une autre transformation, on extrayait de l'alcool (du rhum).

J'étais parmi ceux qui coupaient les cannes à sucre au champ. C'est ainsi qu'une fois terminé le travail, je revenais à l'usine de distillerie et je jetais un coup d'œil pour voir comment la canne se transformait en sucre.

Parti pour Madagascar dès mes 25 ans, j'ai passé 21 ans dans cette grande île, dont 1 an à Namakiya, l'endroit où se trouvait l'usine de plantation et de transformation de la canne à sucre.

Avant de travailler dans cette usine de production sucrière, je travaillais première-ment dans un port à Betlaj. Depuis le matin jusqu'à minuit, nous ne faisions que déchar-ger des colis dans les bateaux. À partir de minuit, nous nous reposions et le lendemain, un autre groupe prenait la relève. À Betlaj, arrivait aussi le sucre transformé à Namakiya. C'est ensuite que les habitants des villes comme Antananarivo venaient à Betlaj pour acheter le sucre.

Tout ça, c'était au temps de la domination française. J'étais dans cette grande île pendant la période De Gaulle, lorsqu'il est venu libérer la grande île en prononçant « veloma Madagascar ». Au temps de Tsiranana, où Rassampa et Rabémanandzara, qui étaient censés aller libérer Madagascar de la domination, étaient malheureusement rete-nus prisonniers jusqu'à ce que Tsiranana aille les libérer, après l'indépendance.

Ces travaux de production du sucre étaient difficiles. Pendant 6 mois, 24 heures sur 24 heures, tous ces travaux de production du sucre s'effectuaient. De 13 heures à minuit, un premier groupe assurait la tâche, de minuit à 4 ou 5 heures du matin, un second groupe, et enfin le dernier groupe de 5 heures à 13 heures. Ainsi, de groupe en groupe, le sucre se produisait pendant 6 mois.

Pour pouvoir travailler dans ces usines, nous allions nous faire inscrire sur des listes détenues par les Blancs et les Malgaches. Après avoir été inscrits, on nous classait soit parmi ceux qui iraient couper les cannes à sucre au champ, soit parmi ceux qui iraient travailler à la distillerie.

Avant d'aller à Madagascar, moi, ainsi que d'autres personnes, nous nous étions inscrits sur une liste regroupant des gens qui devaient aller travailler à Mayotte. Mais je ne suis pas allé là-bas. Cette liste était détenue par un homme qui venait à Mmwadja inscrire et prendre ces inscrits pour les ramener à Mayotte. Ce n'était pas une vie misérable qui nous poussait à aller à Madagascar ou à Mayotte. Parfois, lorsque nous nous rendions à Moroni à la recherche d'un travail et que nous trouvions cette chance d'aller à Madagascar ou à Mayotte, nous la saisissions avec plaisir.

Guli :

Ces travaux de production sucrière s'effectuaient aux Comores. Sauf qu'à la différence de Madagascar, aux Comores, il n'y avait pas ces grandes usines de distillerie, mais seulement le guli (pressoir à canne). Après avoir débarrassé les cannes à sucre de leur enveloppe, nous les faisions passer bois taillés et alignés pour extraire le jus. Des marmites placées en dessous du guli recueillaient le jus. Ensuite, nous passions les marmites sur le feu pour enfin produire le sirop de canne. À la différence de Madagascar encore, aux Comores, ces travaux étaient personnels. Ce n'était pas des entreprises qui assuraient cette production. Je cultivais mon champ et plantais les cannes à sucre, je récoltais et ensuite, j'empruntais le guli et rassemblais des gens pour m'aider à faire tourner le guli.

Depuis que j'ai mis les pieds sur terre, j'ai trouvé le guli. Ce guli était fabriqué ici aux Comores, car un jour, alors que j'étais en voyage vers Dzwadju Mbadjini, arrivé à Domoni Mbadjini, on m'a montré l'homme qui fabriquait le guli.

Si actuellement, dans la région de Hamahamet, nous travaillons la canne à sucre à Dimadju, village qui se situe à haute altitude, cela ne veut pas dire que Dimadju est le meilleur endroit pour ce genre de travail. Moi qui suis originaire de Buni Hamahamet, qui est un village côtier, j'ai bel et bien pratiqué, à mon retour de Madagascar, ce travail d'extraction du sirop de la canne à sucre à l'aide du guli à Buni et non à Dimadju. Sauf que les difficultés de ce travail m'ont poussé à l'abandonner. »

Transcrit par Maarouf Mohamed

51. Les engagés comoriens à La Réunion
Par Abderemane Ahamada Papa, Houssamidine Abdallah et Youssouf Issa. 2012-2013

Dans ce contexte, le terme « engagé » signifie les personnes prises volontairement pour aller travailler à des endroits précis. Les Comores ont connu ce phénomène depuis la deuxième moitié du XIXe siècle jusqu'au milieu du XXe siècle. Cependant, les engagés comoriens ont été envoyés dans diverses îles de l'océan Indien, notamment à Madagascar et à La Réunion. Nous allons vous présenter ceux envoyés à La Réunion, leurs origines, leurs statuts sociaux et quelques récits de vie les concernant.

Cette enquête a été réalisée à Ndruwani ya Bambao auprès de M. Mboussouri Hamada, 89 ans, informations reçues de MM. Mze Mwepva Mchangama, Mze Mrwamana Harouna, Mze Hamada Gaya et Mkuda Mavuna, du même village, tous morts aujourd'hui, mais anciennement engagés à La Réunion.

L'objectif était de les envoyer travailler dans les champs pour cultiver la canne à sucre, la planter et la couper pour faire du sirop de canne, du cidre ou d'autres alcools avant de les exporter vers la France. Les Réunionnais venaient dans l'archipel (syndic des planteurs) pour recruter des engagés qui allaient travailler là-bas. Les discussions se faisaient d'abord avec les chefs de ville ou village et c'étaient eux qui allaient porter le message à la population et recenser ceux qui voulaient partir. Ils choisissaient des hommes robustes et aptes. « C'est le sultan Saïd Ali qui a appelé les Réunionnais pour venir recruter dans l'archipel », a dit Mbusuri Hamada. Ces opérations recherchaient des gens robustes, jeunes, à qui on promettait salaires mirobolants et vie meilleure. Une fois sur place, ces engagés déchantaient très vite, car ce qu'ils vivaient ne ressemblait pas du tout à ce qu'on leur avait promis.

Une fois la liste établie par les chefs locaux, elle était remise aux Blancs réunionnais et, par la suite, ces derniers faisaient l'appel pour l'embarquement vers La Réunion. Tous étaient embarqués dans des boutres de commerce non adaptés à ce genre de trafic. Selon notre informateur, ces voyages étaient longs et les transporteurs étaient souvent des Comoriens.

Une fois là-bas, les engagés travaillaient dans des champs de canne à sucre. On la transformait en sirop de canne, en alcool et en d'autres produits de consommation courante.

« Un des engagés, Mze Mwepva, m'a dit qu'il n'y avait pas de temps précis pour les travaux. Certains ne restaient que pour des courtes durées, d'autres séjournaient un peu plus longtemps alors qu'une partie y restait à vie. » Mze Mwepva a vécu plusieurs années à La Réunion et il est mort à 53 ans.

Sa vie à La Réunion était des plus dures, il pouvait faire quelques menus travaux. La tâche essentielle était la coupe de la canne à sucre. Il nous était interdit à l'époque, a-t-il dit, d'apprendre un autre métier (comme la maçonnerie ou la menuiserie). La raison de notre envoi là-bas était de travailler la canne à sucre et rien d'autre.

Les salaires dépendaient de la durée de travail. De mémoire, Mbusuri nous a dit que Mze Mwepva avait gagné 100000 fr pour toute la durée de son séjour dans l'île Bourbon. Puis, il est retourné aux Comores. Selon Mze Mwepva, d'autres engagés comme Cheha Asumani, Mze Swalihi Mvuna, étaient eux aussi originaires de Ndruwani. D'autres venaient de Nyumadzaha et de Mwandzaza, mais il nous a dit qu'il ne saurait révéler leur identité. Tout simplement, après vérification, il se trouve que certains engagés étaient des voleurs, des délinquants qui devaient terminer leur incarcération là-bas. Ils étaient donc pris de force. Etant soumis à des peines de prison, on ne devait pas les payer. Ceux-là étaient plus nombreux et on les envoyait partout où on avait besoin, surtout à Mayotte.

Les Comoriens, à cette époque, vivaient du travail de la terre, qui fournissait du manioc, de la banane, du riz ou du miel…

À l'époque, ceux qui avaient beaucoup d'argent étaient ceux qui travaillaient pour un Créole (cruweli), car ils avaient l'habitude de vivre avec eux. Il fallait aussi se demander s'ils étaient heureux ou pas. Ici, aux Comores, le plus riche était celui qui possédait beaucoup de vaches, de bœufs et puis de chèvres. Deux boubous en plus, cela représentait déjà un signe de richesse pour celui qui les avait. On le regardait comme quelqu'un qui revenait d'Europe. Apparemment, ceux qui partaient étaient heureux de partir avec l'espoir de revenir un jour avec ces signes de bien-être. Cependant, il n'existait ni services sanitaires ni médecins. On se livrait à la médecine traditionnelle. On se faisait soigner de mimeyani, magora tanti etc.

Cette question concernant l'engagement à La Réunion est un des phénomènes qui ont marqué l'histoire précoloniale et coloniale. La mémoire collective a gardé des pans entiers, mais ne livre pas tous les détails. Sont-ils tous retournés à la Grande-Comore ou sont-ils restés, comme le prétendent certains ?

52. Les engagés de Joseph Lambert à Mohéli,
par Charafoudine Issouf
ISFR

MOHELI a connu la pratique esclavagiste. Avec Lambert, arrivé en 1860, une nouvelle forme d'esclavage a été mise en place : les engagés ou contera. Les habitants des autres îles ou de la côte orientale d'Afrique y ont été emmenés, souvent clandestinement, pour travailler dans les plantations.

Une convention lui a concédé pour 60 ans l'ensemble des terres cultivables, à l'exception des terres exploitées par les habitants de Nyumashuwa et Oualla. Mais le colon a demandé à la reine de lui procurer de la main-d'œuvre. La reine s'est engagée à lui fournir adultes et enfants sans distinction de sexe à partir de 12 ans.

Hommes pour dix ans : pour les trois premières années, une piastre par mois, 60 f/an ; les trois années suivantes : 1,5 piastre par mois, soit 90 f/an ; les quatre dernières années : deux piastres par mois, soit 120 f l'an.

Femmes engagées pour 10 ans : les trois premières années : ½ piastre par mois, soit 30 f/an ; les trois autres années, elles gagneraient 45 f/an et les quatre dernières années : 60 f l'an.

Les enfants de 12 à 16 ans engagés pour 10 ans : 30 f/an pour les trois premières années, 45 f/an pour les trois années suivantes et 60 pour les quatre dernières années.

La nourriture des engagés était à la charge de la société, qui s'engageait à ne pas servir de repas alcoolisés, à respecter la religion et les coutumes du pays.

53. Chanson sur la déportation

Q1 : rika handza ridjuwe eka ngoyesheleyo hadisi hau djimbo lado heziwa owakati wandru wado rengwa henda bushini hau burubwa.
R : ngamina djimbo pvoko ntsambilwa nikokwa hangu halafu hamba ukaya.
Djimbo 1 :
Feli nlo mtretrezi ntso hudjuwa ndrongo
Pvowadja hunu dahoni yapvo masala yazidi
Owandzo mdru wontsipiya ngwawo bushini
Wo ndowenyi anfia wontsi ngwadjo hudja
Wadje wahufanye mwana pvangu ndje ni humaze
Ba wemwana mlezi uluhu nde uhupvaharo
Bo shanfi bon shansiye wuko twabibu urizihire
Yeziya za nyungo zamru
Nazi yishadhwa nazundre wandru warisi
Wowizani na uhundre wandru worisi
Bayishe narinhundre wandru warisi
Bwana shanfi na ninkiwa shanu yapvo shaehwa
Shitsi tsawulwa ne mapvaha

Homa ba ngodjo hudja yitso
Wuze na mlanawandru yatsi latse
Pvo mwadja pvanu hunusuru Bushini
Nowalo manga zamdru rudi
Nowala manga na burubwa manga
Wontsi natsondja huwone
Nayapvo nyora ndjema yihupveha
Huzalwa naungu na wakati ze nyora
Zahu zaya ndjema
Homa ba ngodjodja yitso
Fin
Q2 : ye aswili yahe ledjibo linu ndahu
R : yilo lahunu Nkurani ya sima lido heziwa ni mdru yado hambwa Karidjatsowa
Pvorahadja ikao woyi mdru mdzadze wa nkurani ya Sima.
Q3 : ye liheziwa hasibabu hindri
R : yemana le djimbo linu laka huheziwa yemdzadze woyi hakana mwana hadja
harengwa haka hwenda Burubwa halafu harantsi mdrumshe yakaya hamili baandiya
ola mwana haralwa haroha wola mrumshe wahe mwanahahe hadja hazaya pvahe ye
mdzadze haka hu yimbiya wola mwana yammaze hehadisi he hadisi yahundra mbaba
hahe hauka pvo wa zalwa Mze wahaho harengwa hwenda Burubwa haka huwomba wola
mwana yadje yandjiye mbahe hahukaya hauka mbaba kadjakaya wayeche sha pvwakaya
ntrengwe.
Q4 : ye kutsina djimbo djidrwadji hau hadisi nyi ndrwadji
R : ngapvo djimbo djindrwadji laheziwa ne mdzadze woyi waye baanda wola
mwana hende hakaya hula hata hafanya maha mindji nge haka huredjeyi nge pvo
yahadja haka udjipviwa nahurema bora hamba ukaya
2e chanson :
Hetsipvode ndamino wanan nowandrwa mdji
No wandru nyumo mdji rilo wema
Ba yedjumwa tsiono zaruba zishangaza
Pvoyatrwa ho mdjini dje kira mbe
Yekadja hiba mbe yambwa hende hambondzi
Kadja vundza daho lawandru lambwa lisi djaya
Nadje yambe habari matchero

Basi wowanyumo mdji yaka uwavumbuwa wawo ndo wanduzahe hawukaya
wowa panda wowanduhuze waka husikitiha yaka huwatriya harumwa ledjimbo ya-
djipviwe nao pvo mgu yadja iliya wola mwana yenda manga yaredjeyi.

54. Zone et population makua à Mohéli

Walla 1 muji uparihanihwawo bayina yahe Miringoni na Ndrondroni. Muji
wunnu wu enshiwa bushi na handani ikayawo wabaliwa na ramanetaka mfaume wa
mwali mbaba hahe djumbe fatima
Wa mdrima wa waswili ha udunga biyashara za baharini na ununuwa maduhuli
wa waswili harumwa mdji wa walla wahundru wakazi wa bushini wanadamu wandrwa-
dji. Sha omudjo wahawo wastsaha warenge muji unu wa ufanye wahawo wunu nde
wakati wandru wa bushi na wamdrima wahandisa nkodo ikawo yi dumu maha mili
ha muyelewano wahawo wowaili harumwa muyelewano ukaya muji wunu wa wandru

wararu wabushi wakomori wamwali na wa mdrima.

Iyo ikaya ntsongeza mwana mbushi na mwana mdrima waka ulodzwa ha mari ya nyombe kumi na mbili na wadjawu mwana mdrima halola mwana mbushi hamahari ya nyombe thalathini ndrongozinu zitsongeza mayesha mema na muelewano wa yeze djanibu za wanadamu zinuyizo mbili mbushi na mdrima.

Iyo ikaya bahatwi ya Abdurahamani abdu na thantrina malandro wa zaliwa hunu mdjini Walla harumwa uwakati wunu ndola zingiliyana bayina yezedajnibu piya. Inu nde namna mwana inuanikiwa li dzina : maku haparihanwa harumwa omuji wunu hata lelo nguri hasibu takriban amba harumwa wandru djana ye tuswini na mbili wanu nde wana wazalihanwa neze fami zinu.

Hata huwaswili lelo maesha ya hawo kayatsina tafauti bayina ya hawo no wanyanyawo wa mudjini na yilidji yasaliya. Zehazi zahawo ndo ulozi na lidima no usomesa owana likoliya shiarabu nashe izungu yedini yahawo wendjini hawo ndo usilamu bayishe ngapvo wado dunga dini zindrwadji zaki naswara na zandjina.

Wunu ndo muji wa Fomboni

Harumwa lebavu lantsini ngapvwaparihawo mraya huhirwawo mrafeni wana wadjamazawo waka wafanya makazi bushini wakati wawukolo wa zaliwa na mbaba hau mama mbushi sha vovovavo huho murima mbaba haka quparwa sayindu sumayila hayenshi mrima takribani maha mengo mitsanu na miraru. Wana wanu wadja wa zaya yewana yahawo lelo ngwalolanao hau tsanganya ze damu nazo mbili harumwa umraya unu. Bweni djaha ; antufiya ; antik abdu ; na nakshami wanu wana wahe malaho yanuhau ze damu zinuyi mbili

Hunu nde vuliyowana hila baanda ikayawo kwatsi do parwa harumwa emashuhuli ; hazi za muji ; naza bakisha yaani yapvo kwasi hasibiwa wandru harumwa umuji wunu hawu rambe mraya.

Wu harumwa muji wa mdjwayezi mwali

Ngavo mraya wuparwawo mdrafeni mengoni mwa miraya hunu mwali wana damu wanu waparwawo Makua ngwaparihanihawo ; hazi zahawo nde lidima naulozi mahalani hunu kapvatsi mtsunguwo ya wanadamu sha ngapvo udjikalisha na hazi zahawo namahisi ya dayima yapvapvo na pvapvo hawurongowa kalima linu wasi wadjeni wamungu baraka ngari tsini mwa ziamri zanyu kula zadja zilawa hamungu baraka. Kalima linu kalisido djipviya wandru wawu mudji wa mdjwayezi mana kwatsi djuwa amba mudjeninde nani awu naniharumwa wumuji wunu.

Zinu mengonimwezi ndrongo ikayawo zi watowawo hawu ziwatafawutishao na ze djanibu nyindrwadji hunu mdjini djwayezi Mwali.

55. L'origine des esclaves à Koimbani
Mouhiydine Anziz Soufou et Moussilimou Soifoine Ali (2011)

Témoin : Abdoulkader Ahmed, né en 1929. J'ai fait l'école coranique au village avant de partir à Madagascar travailler dans la société Sosmav (sucrerie) à Diégo-Suarez. Revenu aux Comores, j'ai été recruté à la Garde des Comores en 1952. Après 24 ans, je suis retraité, père de 6 enfants.

À Kwambani, il y a 2 familles d'origine servile. La famille Idjabu Mrwapvili et la famille Saïda Hamada Hassane. Mais aujourd'hui, rien ne le montre, les chefs de ces deux familles ont fait le grand mariage.

Selon Saïd Ali Saïd Ahmed, 87 ans, Ntsudjini, le système des engagés est venu en remplacement de l'esclavage. Ce dernier aboli, les colons ont dû faire face à un manque de main-d'œuvre. Ils ont alors eu recours à l'engagé.

L'engagé est régi par la loi du colon et de l'entreprise qui fixe les conditions de recrutement, les conditions de travail, les heures d'entrée et de sortie du travail. La forme est une exploitation par le colon de l'homme ; le colon maintient le même régime. Ils perçoivent un petit salaire. Le passage du régime esclavagiste à celui de l'engagé était dur pour les victimes : mêmes réalités sociales, mêmes conditions de travail. Ce régime a été une des causes des révoltes dans notre pays, à Anjouan, à la Grande-Comore, où on a cherché à éliminer les colons (Legros et Humblot).

Les Comoriens chantaient leur mécontentement :
Henyi wana wenyi ngazidja
Eka lemadjodjo ngome lidja
Pvo bandarini wandru warudi
Pvawo wandiso heza
Ledjimbo la djali nasi
Yapvo karitsina twamaya
Yohabora nawandru wepvehwa burubwa

Rapport établi par Moindjie Hodach et Oussein Ahmed Islam

56. Mpatse
Rako tsaha nde hadisi ya tru ya muji watru wa Patse.

Wami tsi mwana wa shipvani wami tsi huliya pvani be hangu nde Mtamdu. Tsikana mbangu aka Kandrani Mtsanga Mhuni nde aja awambiya bangu amba ambe mwana mtru baba wandre wa enshi ata babgu haka hudza aja Mtsanga mhuni pvuka mtru pvani ako hiriwa Ba Holan. Aja ampara bangu ha mwambiya amba nyirenda zena unipve mwana waho nendre namlodze na umwana wangu amba ehe basi nde wajau pvale bangu hakubali ntrongo yile hata ba koko wangu haja hampara bangu pvale nayi trongo yile hata waka wamanihana pvolo kamba nikuja nilole hunu Patse ; pvale ba koko wangu haja haelewa halishi huja yangu vani kamwe mzungu wahandra nampara pvani ne mshe Fazi nde naja na mpara vani uwo haka nde dukutera wahe lishamba. Wabaki pvanu hata alawa vuja mzungu wangina hako hiriwa mshe rigoro, haka aja asiki yi pulasi ya Fazi. Rija ribaki hata vuja mzungu wangina ako hiriwa Mshe Miller. Hadja habi ta vuja akohiriwa Grignot. Uwo mfarantsa swafi aka lieutemnent akaja vani ha baki hata vuja Mshe Miller wangina habaki hata vuja mzungu wamwiso uwo nde wahe tarehi ; hako hudza lishamba pvanu nde favajo ; ako huza li shamba be pvani mtru aripva pva-ni nde mzungu ako hiriwa Favetto. Aritowa ari pveleha pvani wantru wako fanya hazi pvani makati ya ikitani yako jorewa. Vulo rengwa wantru sangani vulo rengwa wantru nyumakele waja vani. Wa sangani warengwa waja wa nyumakele warengwa waja. Vuja wa vambao shandra waka waja vani vuja wa ntru harembo waka waja vani wakati ikitani yako rewa. Wakati be uwo wantru wa warenge waja warwe ikitani. Ata kitani kayitsi rewa tsena. Waja wabaki dzao kamwe vani walola. Ahiwona mtru mama wahe afiviwa nawaye wako mdunga kamwe wande hawo. Izi ngoma zako fanyiwa vani shigoma na mshogor vuka na ngoma yako hiriwa biyaya, li garasisi nde nahika vukulolwa mtru mshe mwana mtsa nde wako zina ligarasisi.

Wantru wahazi wakana repo wako ziya ata uku wafanya ngoma zao mauri biyaya wantru wadu hazi wako rema zi ngoma zao joni hata huku zako ka amba biyaya, Bomo vavo zizo uku rumbu. Zile trongo za marimba. Zako fanyishiha wakati wa ndrolo wako zina shigoma. Vwa wako rema meza zakoka na shahula mihare na coca wasi vinga shi goma shao hata wa waswili meza ju wa jo tsampuwa shi goma shao vale warenge. Wamo endra dzao mdandra uwo ne wahika wasi lodza be ne wako zinwa mdrandra. Vasa vani wamo lodza mdru uwo urewa kula muji uziwa mdrandra uwo mana uwo uzinwa ihika wantru wa kwendra dzawo. mdandra zikartie zika bandraju: vuka mji mandra, vuka mere, kanyabozi, kartie zizo zika na shefu akoka vavo moja tu harimwa zi kartie zizo shefu akoka vavo ako hiriwa Ba Holani.

Holani unu mzungu MGERMANI ne aka amuhira lidzina linu ako hiriwa Wilson doctor nde amhira Haulani. Mma Holani aka nde mazamo yayi daftari basi yipvo mwana mtsa unu akwendra ha himpara mmahe ne doctor amhira lidzina la haulani ilo. Uwo lidzina lahe hako hiriwa Combo Oili. Iyo kayako kiriwa hingiya Mpatsy wazhilawa hata wendre pvahanu pvwangina. Wako djo rengwa hwende

Vuka mavulisi kawaka vutolwa milisi hoho wende warenge wahidja. Basi emakati ya mze aka vavo wana hazi wangu mason tsifanya hazi ta. hunu kapvatsi pulisi kasina… ya hufanya hazi rasa aja anambita nikentsi rabuzi pandza lasuku kumi nantsanu nafikiri hazi atso nimbao Basi tsi mwambiya mwenye wami mdjeni nawana tsa wa titi tsoshindra nakentsi halilo basi wana wangu watsola ntrini na mshe wangu. Nimbi kirtasi vavo nendre MC sa yilomba vubuha hazi uja unirenge yi mc iyo nde yako fanya itere. Iyo nde tere ya wani. Mc nde ako ifanya basi rende ribaki hule ta ni siona mshahara nilipvwao ule bora raha na hunu tsena. Tsimwambiya mzungu Salamber uwo nde mzungu aka mc tsi mwambiya ahara mzungu wahunu afanya hila hani renge. Nawani hunu waharaya amba kawatso nilisha nahika hazi mauri nde kitani yako rewa

Yako rewa ekitani rangu asubwihi hata senkera kapvwatsi uvumuzi waka vavo mashini yaka hwenda wakati uwo kavwaka mshahara mlibwavu.

Wakopara amba hari na umwezi ufanyao ulipvwa rali saba mia wakati uxo vuka pesa zako hiriwa bwakanga, vuka riyali ntsanu, vulka riali kumi vuka tumuni vuka riali vuka goroso vuka pitusi. Wakati uwo kamwe wakola nrovi, mhogo batata shihazi ata wahipara mfumontsi wendo lipvwa huvolwa ntsohole. ushelewa mfumo vili, mfumo raru uko triniwa… Yahoo omwaha na dzaliwa 1912. Vuka wandru wako lawa mijini hoho waja lola Mpatse, bazimini mtsamdu mirontsi hau koki. Wakojo lola vani vani patsy yako lawa walola mijini wangina. Hakolola having mtrumshe hajanao patsy. Harina dago wantru waili wana wararu. Vo raheya vanu vatru wasi wasitra tu wana mana fundi wangu ako hiriwa Mwenye ouMari Sidi wuwo haka mpisi wa lavani. Waye ako piha lavani wakati watru wako tolwa waje hunu arongowa hata mtru kaza ne atsoza ; basi kweli rahila rija hunu na uwanan wahandra watso zaliwawo watso enshi zizo kweli uwo aka nde fundi wangu uwo fundi wa kur ani haka mwana shoni ako rongowa kweli uwo washi mutsamudu be ako piha lavani Pomoni.

Vavo iziwa kayitsi pihwa aveleha mpatsi hunu uwo uwo kako somesa kuru ani uwo ako somesa mutsamudu hoho. Hunu kur ani wana miji nde waka husomesa be tsinde fundi watru.

Owako somesa wakohiriwa ba Combo Bacari na bweni Rehema unu uwo nde muhuwu wawo. Likoli zini zija vasa. Ule yako kamba wako somesa Wani au mutsamudu. Ija itriwa vani hata mwana wangu Taki aka nde direteur tsi juwa wantru ako tambisha mtru.

57. Les Makua et leur descendance
Informateur : ISSA IBRAHIM. Enregistré le 12/07/2009 par Massoundi Issa Ibrahim et Allaouiya Charif

Ewa, mi ye isimu yahangu mi uparwa ISSA IBRAHIM ngamina maha sitini.

Owamakua wanu ndawala ikao wona dzina lasaya liparwawo washendzi wanu wala harumwa lebara l'afrika haswa haswa harumwa lebavu la suheli yadjwa lahutswa haswa nahunu bavu la kenya. Ngabishihawo ukaya wapuha harumwa mabavu yasaya tsena sha hohudjulihanihawo ndahunu kenya.

Owandru wawo wakobaliwa hudja hunu komori bayingwa wo wasaya karitsu wadjuwa sha owa saya riyishiya ze isimu zahawo hama ngapvo mreutre adrawu pvado vumbulwa ze mboribori pvwado vumbulwa ne djama ndawo radoyishiya uka wadoka hunu nayizo ngarizishiyawo no waze wahatru wawahi wawaona shasi karidja wahi rawawona pvwabakisha zila kabila zahao zilo hunu pvoko ngapvo wasaya rado yishiya mreutre mreutre zina no uko rido ishiya adrawo na wasaya wambwa mboribori nowaze waka hunu.

Nde haliyiyo yemreutre zina no ukwe. Hadohamba ukaya yaka hwende ngodjo hambiya zaina hukaya yitsinidiwaze zaina woyi nde mrumshahe nmakalima yahe namna yiyo wandru tsodo djuzisa yemdreutre zina nowuko pvahe yezina wandru wemnika wana minyo yandrovi nawana shahula shahula ye baliya ye angariya zaina wahahe.

Emzungu yadja handani pvanu udjulihaniho ndoyi wambwa mshambulu pvokawo si karidja mona shariono owanan wahahe pvoko ngapvo woyi yadoparwa mshari yadokana beni nku pvoko uwo nde mbaye wa hanri noyi yafa nyumeni pvoko hadokaya jwij (juge) pvoko hao parwa jan pier halafu ye mze uwo hawoneha no wabaye wahatru woyi uparwa humblot pvoko pvoyadja pvanu nde yabaliya owandru wawo hudja pvanu.

Hawabaliya wandrwahazi wadja wako fanya hazi yiho shongodunda nahunu hwambwao boboni wakana misimanyo yiho wako pasuwa mbao na zovro ndrongowo zaki nvu nvu pvoko owangazidja kwadjakoshinda huzifanya sha owandru wawo wadja wakozifanya yiho shongodunda yiho hata wadjoko hudja watsambaliye wawahe midji yahawo hunu.

Tsihushinda nihwambiya eka ngapvo fasiri awu kapvatsi sha izo ndjuwawo falabda yinu kabila haukaya yekabila yinu namadzina mendji sihwishiya wa masai sihwishiya wambwalama si hwishiya madzina mendji yaki shendzi apvonge ye isimu ya Makua yinu mdru ngudjo hamba yinu isimu yaki kabila yahao. Hayizo iho Kenya iho ndohaheya wandru wambwao makukuyi pvoko nde kabila yahe raisi wamwando wa kenya uparwa djumwa kenyatra yilo ndele kabila nkuwu layiho sha baandia yapvo ngariparisawo wa masai wawo ndowahe zembe ko woutriya ntrunda zindji hoshunoni ari pvona wambwaowa mbwalambwa yapvo ngamdhwani owamakua linu kabila la hawo hama ndo wasaya.

Pourquoi le refus de parler ?

Yapvo ngapvo haki yokaya wa haraye ha hukaya owandru wanu wadja pvanu hale wa baliya ye madzina yawo sha ngendo nobihanyiha no wakomori aswili hata wende mwendo walawa ze athari yizo wake kwa do djulihaniha yapvo heni wakati wadjo hambwa we Makua hatsodjo hamba pvala humlapiza haukaya apvaha harendeha mgazidja ha bihanyiha no wangazidja. Yapvo ekabila ya Makua ngendo nozimiha hata owandru wawo warendeha wangazidja yapvo wowuzisa suala hama ndalinu lazima zidjokaya ndziro hodjibu ngandzao wutsahe wala wa wadjuwawo wa hambiye.

Où sont-ils localisés ?

Ze athari ngizo ye midji yahao ngiyo ha hukaya harimwa yentsi ya mbude. Ngapvo mdji wu parawawo henyamrama le dzina wilo mdru ngutso liwona wukaya lo kalifana ne midji yahe ngazidja. Ngabishihao wukaya omdji wunu utsengwa no wandru wawo. Baanda owustarabu wandiso ndjiya ledzina lende nowarisiza. Apvahayinu ngwa parwawo mdjwayezi. Baanda yapvo ngapvo mdji harumwa zempade za mitsamiuli uparwawo membwabwani. Owandru wanu wadjawu waheya wendji homdjini hunu. Nana midji yasaya. Apvaha zefami yizo ngadzao ye madzina yanu ya zimihe wake wakomori piya.

Homwandoni mo wandru wanu hudja yika ukiri werahanya ndola ndawono wa komori.

Zendrongowo izo yimkini zika ukirimna hindru sha kazidjakaya dayima haukaya zikana uwona haya hoka mkomori hambwa ha lolwa ni mshendzi awu halola mshendzi.

Kwadjakana ze plasi izo yotso hundriha mdru mdzima awu wayili wapvri homdjini dru hawafanyisa bahazi hawaninka bahindru wali. Sha yila huka wado kana plasi bangweni kwadjakana.

58. Le rôle des confréries dans l'islamisation des Makua, travailleurs des plantations
Par Mtsachioi Naïma ; Hairia Houmadi et Ahamada Echata

La notion de confrérie musulmane est définie comme une institution ou association de fidèles soumise autour d'un maître (cheikh) qui dispense un enseignement religieux. Aussi, c'est un moyen d'acquérir des connaissances divines dans des regroupements confrériques. Ces diverses confréries n'ont qu'un seul but, c'est l'adhésion vers Dieu. Cheikh Mohamed Ben Mossa, appelé aussi Mouhamed Hambu, en est l'initiateur à Mdjwayezi Hambu.

Comment a-t-on pu utiliser la confrérie pour islamiser les Makua et leur donner un nouveau statut social dans les villes et villages ?

Selon Moussa Mdoihoma (82 ans, Mdjwayezi), les confréries ont commencé avec Mohamed Ben Moussa, qui est parti à Iconi pour apprendre le coran. Mais il a aussi envoyé son fils Djalim pour le même objectif à Itsandra, où un autre lettré poursuivait le même objectif. Cette version semble être véridique et confirmée par un autre cheikh de Mdjwayezi, qui précise que la twarika a commencé à opérer au village avant même l'arrivée des Makua. Ces derniers n'étaient pas nombreux à s'impliquer qu'après le départ des Français de Nyumbadju.

Une autre source du même milieu, Moussa Abdallah Cheikh Abdoulhad Cheikh Mohamed, précise que Mohamed Ben Moussa s'est rendu à Boboni, où les Makua étaient installés, pour envisager leur islamisation.

Pendant la période, MDJWAYEZI paraissait être comme un haut lieu saint de la confrérie dans l'océan Indien. La confrérie part du principe religieux selon lequel tout le monde est frère en ce bas monde et l'applique à tous ceux qui y habitent, sans distinction. L'essentiel est de regrouper le plus de fidèles sur un pied d'égalité. Saïd Mohamed Al-Maarouf de Moroni a été un grand cheikh pour Mdjwayezi, tout comme le cheikh Haliki de Boboni l'a été pour les villageois. Ce principe d'égalité a aidé à attirer le plus de fidèles, même parmi les Makua, qui ne se sont pas sentis marginalisés ou traités différemment. Le désormais cheikh Haliki (Makua) a été chargé de former les muridi parmi ses concitoyens même si, au début, la tâche ne lui a pas été facile. Psalmodier en arabe comme tous les cheikhs ou mémoriser le wadhwifa , tout cela pesait énormément, mais comme le dit le hadith, ceux qui savent doivent apprendre aux autres. Cheikh Haliki a été encadré et a alors dû jouer pleinement son rôle de guide pour la confrérie. Son rôle était des plus appréciés, car Mdjwayezi a dû attirer le plus grand nombre de Makua de Nyumbadju. Ces derniers, trouvant l'accueil qui leur était réservé exemplaire, sont venus nombreux s'établir et leur nombre est des plus importants parmi nous, explique

Moussa Mohamed Mdoihoma. C'est ainsi aussi qu'après la fin de l'atelier, les Makua de Numbadju se sont installés dans ce village et ont adhéré plus nombreux qu'avant à la twarika Shadhuli. Un autre informateur du même village fait remonter la naissance de la twarika à l'envoi du fils de Mouhamed Ben Moussa à Itsandra auprès d'Abdallah Daroueche. De retour au village, il a pu rapprocher plus de gens et, parmi eux, les travailleurs des plantations. De l'avis de nombreuses personnes, dont Saïd Kaambi Halid, les déplacements organisés par la twarika contribuent à propager la foi de l'islam et renforcent l'adhésion. Et ce n'est pas étonnant que par son action les Makua ont eux aussi été attirés. C'est tout à fait naturel, car ici, il n'y a pas de différence entre fidèles. Le principe est d'aimer son prochain. Tout ça, il l'a appris des aïeux tout en rappelant qu'il y a même eu un Blanc qui s'est converti à l'islam grâce à la confrérie et à son action.

Finalement, la twarika a joué un grand rôle dans l'islamisation des Makua, encore nombreux à Mdjwayezi ; le cercle n'a négligé personne, y compris ceux qui travaillaient dans les plantations.

C'est un point fondamental, le rôle des confréries comme facteur d'intégration des Makua. Un enfant d'esclave makua, très pauvre, bien doué et studieux, pouvait fréquenter gratuitement les écoles de la confrérie et même être envoyé à Zanzibar et devenir un Foundi lettré.

59. Cartographie des cimetières dans les villes et villages, cas de Ntsaweni et Moroni

Informateurs : Damir Ben Ali et Mohamed Ahamada
Enquêteurs : Saïd Hassane Saïd Hachim, Younoussa Moindze Mdahoma et Saïd Moindze Ali

Dans l'archipel des Comores, on distingue plusieurs cimetières différents. Pour le cas de Moroni, les cimetières dépendent des quartiers. En effet, au niveau du petit marché, se localise le cimetière appelé ya mdji, mais en réalité, certaines familles gèrent le site. Du petit marché jusqu'au domaine de Grimaldi, on compte plusieurs cimetières appartenant à plusieurs familles de Moroni. Les communautés étrangères ont les leurs. Les Indiens ont les leurs au nord et au sud de la ville de Moroni. En plus, on a les cimetières des Blancs, pour les chrétiens.

Le nord de la ville dispose de cimetières où sont enterrés les habitants de ce quartier et ceux qui sont morts à l'hôpital El-maarouf (lazaro pour le quartier Magudju).

Aussi, au sud de la ville, de nombreux cimetières sont gérés par des familles qui ont mis à disposition les terrains. À Zilimadju, à gauche, ce sont des cimetières ya mdji.

On recense également des cimetières pour les charif, des cimetières pour les confrères de la chadhuliya (au total 2). La confrérie kadriya dispose de ses cimetières (à Mtsangani et à Magudju).

En résumé, Moroni compte plusieurs cimetières pour la communauté (mdji), pour les confréries, pour les familles, et même pour les étrangers (Blancs et Indiens).

À Ntsaweni, on a recensé six sortes de cimetières : pour les anciens rois, pour les guerriers, pour les grands notables. Aussi, les fundis et ceux des confréries sont enterrés à part ; caveaux réservés à ceux qui ont fait des études de théologie et qui l'enseignent, ainsi que les hatubs. Ce clan est le plus influent (Mohamed Hassane). Par contre, les membres des confréries sont enterrés là. Et enfin, les cimetières des familles et pour les individus. Guerriers et combattants de toute la région sont enterrés à Ntsaweni et ceux qu'on appelle grands notables, qui participent à la prise de décision dans le pays. Tel a été le cas de Mze Madi Kari et d'Ahmed Zitoumbi en 2011. Les familles possèdent leurs propres caveaux, dont les terrains sont matrilinéaires. L'enfant suit le hinya de la mère. Et enfin, les cimetières pour les roturiers, sans distinction, où sont enterrées toutes les personnes sans ascendance connue, autrement dit d'ascendance vile.

Pour Mohamed Ahamada, âgé de 79 ans, originaire de Ntsaweni : « il n'y a pas de cimetières spécifiques pour les Makua, ils entrent dans la dernière catégorie des gens, s'ils sont musulmans ». Par contre, à Moroni, les cimetières mis à disposition par les confréries les accueillent. Et de façon générale, les gestionnaires des cimetières donnent leur accord pour leur enterrement, selon des liens de clientélisme et de servilité. Libres avant la mort, l'esclavage les rattrape à la mort.

Il n'est guère possible d'entrer dans une ville de l'archipel des Comores sans voir plusieurs cimetières.

Inoussa Ali Djae d'Iconi (60 ans) nous explique pourquoi. Les cimetières se répartissent entre différentes classes sociales, les kabaila et les wandru watiti (les humbles).

À Iconi, il y a trois divisions de cimetières :

Il y a ceux des grands cheikhs religieux et des grands notables. Puis, les cimetières Mhandadju de Mrambwani accueillent les classes moyennes.

Et enfin, les cimetières publics, dits Hantsuba, réservés aux petites gens et aux étrangers.

Les habitants de Mrambwani sont mal considérés à cause de leur fonction (pêcheurs), ce qui cause de sérieux et sanglants problèmes. La même source confirme qu'il y a des descendants d'anciens esclaves venus de Boboni.

Athoumani Mmadi d'Itsandra (près de 100 ans) rappelle que les cimetières des villes de la Grande-Comore présentent un point commun. Comme partout ailleurs, à Itsandra, il y a des cimetières publics et familiaux.

À l'époque des *bedja* et des *maferembwe*, on laissait pourrir les gens morts au même endroit, appelé « Tabudju », à une période de conflit barbare.

Il affirme être héritier de cimetières familiaux, spécifiquement réservés aux nobles. Il existe aussi Bandani, créé par les notables pour les sharifu et les grands notables (*minyimbadju*). Le choix du cimetière dépend de la personne avant sa mort.

Pour le cas des esclaves, ils étaient marqués par les sultans, qui les achetaient de Mlimani ; c'étaient des vrais Makua. Cependant, les Comoriens n'ont jamais été esclaves. Les sultans les réduisaient en itreya, donc dominés par la force. Il y avait une dépossession de terre pour les gens venant de Msubidji.

Selon Athoumani Mmadi, l'esclavage a commencé avec les Portugais venant de Msubidji (mreno). Si un esclave mourait, on l'enterrait dans un cimetière public ou dans leur propre cimetière. Donc, les Makua existaient à Itsandra et viendraient de Mlimani. Sikijuwa serait de ceux-là. À la mort de Sikidjuwa, il a été enterré à Mna bandani. Ces cimetières leur sont désormais réservés. D'autres esclaves ont été enterrés à un endroit appelé Pumbuni.

Ces esclaves étaient achetés par des Arabes, dont Saïd Bagtrabe et Abdillah Ben Omar, Al Habib, et les sultans.

Sources et bibliographie

1. Documents d'archives

A. Aix-en-Provence, section Outre-mer

- 6 (5) D1 à 6 (5) D 20 : Travail – main-d'œuvre, émigration – immigration, syndicats
- 6 (5) D4 : Main-d'œuvre étrangère ; immigration comorienne et du Mozambique (1900-1902)
- 6 (9) D 24 : Enseignement
- 2 D 75 : Archipel des Comores {1928-1940}
- Rapports politiques et administratifs - 1928 (rapport politique, économique, financier et de main-d'œuvre) – 1929 (rapport politique, économique et financier 1931, 1933, 1935)
- Rapports économiques : 1925, 1929, 1932, 1933, 1935, 1940
- Rapports financiers : 1932, 1937, 1940
- Rapport sur la main-d'œuvre : 1936
- Rapport sur l'organisation des Comores
- 2 D 76 : Archipel des Comores {1928-1934}
Subdivision d'Anjouan
Rapports sur la main-d'œuvre
Subdivision de la Grande-Comore
Rapport sur la main-d'œuvre : 1933, 1934
- Sous-série 3 D : missions d'inspection et mission d'inspection des Comores 1903-1946
- 3 D 3 : Mission d'inspection Frézouls aux Comores, 1909
- Généralités : correspondances échangées avec l'inspecteur Frézouls. Organisation de la mission
- Rapports 1 à 62 sur les divers services de la colonie (il manque les rapports 4 à 6 ; 16 à 20 ; 22 à 36 ; 40, 41, 42, 54, 58 et 60)
- 3 D 4 : Mission d'inspection Frézouls aux Comores
- Rapports 63 à 146 sur les divers services de la colonie (il manque les rapports 71, 72, 74, 77, 78, 80 à 83, 86 à 90, 92 à 96, 98 à 100, 102 à 104)
- 6 (2) D 6 : Troubles et mouvements divers
- Retour à Mohéli des déportés politiques comoriens exilés à Mananjary, puis à Fort-Dauphin, frais de transport et d'entretien
- 6 (2) D 22 : Mouvements insurrectionnels, incidents à la Grande-Comore {1914-1919}
- Rapport du gouverneur général au ministre des colonies relatif aux troubles
- Liste des agitateurs internés
- Réclamation de Saïd Salem, fils de l'ex-sultan des Comores Saïd Ali
- 6 (2) D 24 : Mouvements insurrectionnels, incidents de la Grande-Comore 1915-1916

- Registre Madagascar 7B19. N°328 gouverneur de Mayotte, nombre de travailleurs employés dans les usines à sucre à Mayotte. 1902.
- Registre MAD 7 B 27
- Registre MAD 7 B 49 n°42 les engagements

B. Archives départementales de La Réunion

- Registre de la Chambre de Commerce (année 1896-13 février)
- 2 J 2. Lettre d'agents recruteurs des îles Comores
- C.F.C 800/6 dossier sur la traite des esclaves aux Comores, lettre de Firmin Faure, sd, affaire d'esclaves libérés, septembre et octobre 1901
- 168M1 immigration Comores, Afrique et Madagascar
- 10M18 main-d'œuvre affranchie et engagés. Correspondance 1841-1928.

2. Bibliographie

Bibliographie générale

AGIER M., 2010,
Esquisse d'une anthropologie de la ville. Lieux, situations, mouvements, coll. «Anthropologie prospective» n°5, Academia, 158p.

AUBERT DE LA RUE E., 1956
L'homme et les îles, Gallimard, coll. Géographie Humaine 6.

BENOT Y., 1989
La révolution française et la fin des colonies, La Découverte.

CANGY J. C., CHAN LOW J., PAROOMAL M., 2002
L'esclavage et ses séquelles : mémoire et vécu d'hier et d'aujourd'hui, Actes du colloque international organisé par la municipalité de Port-Louis et l'université de Maurice sous l'égide de l'UNESCO, Port-Louis, 5-8 octobre 1998, Presse de l'Université de Maurice, Réduit.

CHALONS S., JEAN-ETIENNE C., et aliiLANDAU S. (dir), 2000
De l'esclavage aux réparations, Le Comité Devoir de mémoire, Martinique 1998-1999, Karthala.

CHEBEL M., 2007
L'esclavage en terre d'islam, Fayard.

BOTTE R., 2001
« De l'esclavage et du daltonisme dans les sciences sociales », *Journal des Africanistes*, tome 70, fascicule 1-2.

BOTTE R. (dir.), 2005,
« Esclavage moderne ou modernité de l'esclavage ? » in *Cahiers d'Etudes africaines*, pp.179-180, vol.45.

DORIGNY, 1998
« 1848 : la République abolit l'esclavage », *L'Histoire* n°221, pp.62-68.

DORIGNY M. et GAINOT B., 2006
Atlas des esclavages. Traites, sociétés coloniales, abolitions, de l'Antiquité à nos jours, Éditions Autrement, 80p.

EMMER P. C., 2005
Les Pays-Bas et la traite des Noirs, Karthala.

ESCAICHE R., 1977
« Qu'est-ce l'esclavage ? » in l'esclavage des origines aux temps modernes », *Les dossiers de l'histoire* n°6, janvier-février-mars 1977.

GISLER Antoine, 1981,
L'esclavage aux Antilles françaises : XVIIᵉ-XIXᵉ siècles, Karthala, 228p.

ICMAH, 2001,
« Gérer le changement : le musée face aux défis sociaux et économiques », Actes de la Conférence générale de l'ICMAH, Barcelone, 2-4 juillet 2001.

LIONNET G., 2001
Par les chemins de la mer, Université de La Réunion, publication du Département des Langues, Cultures et Sociétés de l'océan Indien, 119p.

MASSON P., 1912,
Marseille et la colonisation française, Essai d'histoire coloniale, Hachette.

MATHIEU J. L., 1993,
Histoire des DOM-TOM, PUF, coll. Que sais-je ?

MIEGE J.L., 1973
Expansion européenne et décolonisation, PUF.
MOHAMMED A., 2010
L'affaire de l'esclave Furcy, Gallimard.
MURRAY G., 1987
L'esclavage dans le monde arabe, VIIe-XXe siècle, Robert Laffont, 276p.
ROCHMANN M. C. (dir.), 2000
Esclavage et abolitions. Mémoires et système de représentation, Actes du colloque international de l'Univ. Paul Valéry, Montpellier III, du 13 au 15 novembre 1998, Karthala.
SCHMIDT N., 2000,
Abolition de l'esclavage et réformes des colonies 1820-1851, Karthala.
YAKONO X., 1969,
Histoire de la colonisation française, PUF, Que sais-je ?, 128p.

Bibliographie Afrique et Océan Indien

ALLIBERT Cl., 1995
« Les mouvements austronésiens vers l'océan Indien occidental » in *L'étranger intime, mélanges offerts à Paul Ottino*, Université de La Réunion.
ALLIBERT Cl., 1996
« Métallurgie, traite et ancien peuplement du canal de Mozambique aux X-XIIe siècles. Eléments historiques pour un essai de compréhension du début du peuplement austro-africain de Madagascar », colloque international sur l'esclavage, Antananarive, 24-28 septembre 1996.
ALLIBERT Cl., 1999
« Navires, Ports, itinéraires ». *Études océan Indien* n°27-28, p.7.
ALPERS E. A., 1982
« The impact of the slave trade on East Central Africa in the nineteenth Century » in *Forced Migration : the impact of the Export Slave Trade on Africa societies*, Hutchinson University Library for Africa, 1982, pp. 242-273.
ALPERS E. A., 1975
« Ivory and slaves : changing pattern of international trade » in *East Central Africa to the later nineteenth century*, University of California Press.
BAKARI K., 2001
Des tranchées de Verdun à l'église Saint-Bernard. 80000 combattants maliens au secours de la France (1914-18 et 1939-45), Karthala.
BARRET D., 1982
« Les îles de l'océan Indien occidental et le bateau : communication des hommes et des idées à travers les archives de la compagnie des messageries maritimes (1864-1920) », Thèse, Univ. de Paris VII.
BEAUJARD Ph., 2007,
« L'Afrique de l'Est, les Comores et Madagascar dans le système-monde avant le XVIe siècle » in NATIVEL D. et RAJAONAH V. F. (dir.), pp.29-102.
BERLIOUX E. F., 1870
«La traite orientale, histoire des chasses à l'homme organisées en Afrique

depuis quinze ans pour les marchés de l'Orient »

BESSIERE P., 2001
Vingt décembre : le jour où La Réunion se souvient…, L'Harmattan.

BLANCHARD P., 2013
« L'histoire oubliée de Kilwa Kivinje », kimbilio-la-kiswahili.blogspot.com.

BOYER-ROSSOL K., 2007
« De Moringa à Morondava : contribution à l'étude Makoa de l'ouest de Madagascar au XIXᵉ siècle », in D. NATIVEL et F. V. RAJAONAH (dir.), 2007, p.183-217.

BOYER-ROSSOL K., 2014
« Réinvestir le sacré. Musiques, paroles et rites chez les anciens captifs déportés de l'Afrique orientale à Madagascar XIXᵉ-XXᵉ siècles » in *Africultures* n°98 2014/2. http://www.africultures.com/php/index.php?nav=article&no=12303

BRUNET-MILLION Ch., 1910
Les boutriers de la mer des Indes, affaires de Zanzibar et de Mascate, A. Pedone, 372p.

CACHAT S. (dir), 2008
« Mozambique-Réunion, esclavages, mémoire et patrimoines dans l'océan Indien », Actes des conférences organisées à l'occasion du deuxième festival de l'île de Mozambique les 25 et 26 juin 2004, Editions Sépia, IFAS.

CAMPBELL G., 2005-2012
Abolition and its aftermath in the Indian ocean Africa and Asia, coll. Studies in slaves and post-slaves societies and culture, Routledge.

CAPELA J., MADEIRA E., 1989,
« La traite au départ du Mozambique vers les îles françaises de l'océan Indien 1720-1904 », in *Slavery in South-west Indian Ocean*, pp.247-309, Mahatma Gandhi Institute, Moka, Mauritius.

CHAMI F., 2008,
Cities and towns in East Africa, Encyclopedia of the history of science, technology, and medicine in non-western cultures, Springer.

CHAMI F., ed., 2009,
Zanzibar and the Swahili coast from c. 30,000 years ago. 108-114. E&D Vision Publishing Limited.

CHAMI F., RADIMILAHY C. and ALI TABIBOU I., 2009,
« Preliminary report of archaeological reconnaissance on the island of Moheli », in CHAMI. F., ed. pp. 108-114, E & D Vision Publishing Limited.

CHAMI F., TABIBOU I. and ABDOUROIHAMANE B., 2009,
« Preliminary report of archaeological work conducted on the southern Ngazidja Island », in CHAMI. F., ed., 115-128, E & D Vision Publishing Limited.

CHITTICK N., 1983,
« L'Afrique de l'est et l'orient : les ports et le commerce avant l'arrivée des Portugais in *L'Histoire Générale de l'Afrique. Études et documents, 3, Relations historiques à travers l'Océan Indien*, UNESCO.

COQUERY-VIDROVITCH, MONIOT H., 1976-2005
L'Afrique noire de 1800 à nos jours, PUF, 391p.

CNDP LA RÉUNION, 1979,
« Les Arabes dans l'océan Indien », *Les transports et les échanges de l'océan Indien de l'Antiquité à nos jours*, pp.106-108.

DE FLACOURT E., 1995,
Histoire de la Grande Isle Madagascar, édition annotée et présentée par Cl. ALLIBERT, INALCO, Karthala.

DESCHAMPS H. (dir), 1971
Histoire générale de l'Afrique Noire. De Madagascar et des archipels. t.2 : de 1800 à nos jours, PUF.

DESCHAMPS H., 1971
Histoire de la traite des Noirs de l'Antiquité à nos jours, Paris, Fayard.

DESCHAMPS H., 1949
Les pirates à Madagascar. Histoire d'outre-mer, Berger Levrault.

DEVIC L. M., 1883,
Les pays des Zendj ou la côte orientale d'Afrique au Moyen Age. D'après les écrivains arabes, Hachette.

EVE P., 2003
Les esclaves de Bourbon, la mer et la montagne, Karthala, Univ. La Réunion.

EVE P. et FUMA S., 2008
Les Lazarets à La Réunion entre histoires et histoire, Historun/Océan Éditions, 255p.

FERRAND G., 1908
« L'origine africaine des Malgaches », *Journal asiatique* n°11 pp.353–500.

FERRAND G., 1913-1914
Relation des voyages et textes géographiques arabes, persans et turcs relatifs à l'Extrême-Orient du VIIIe au XVIIIe siècle, Éd. E. Leroux.

FUMA S., 1982
Esclaves et citoyens, le destin de 62 000 Réunionnais, F.R.D.O.I., Collection Documents et Recherches, 176p.

FUMA S., 1983
Réflexions sur quelques aspects du racisme dans la société coloniale réunionnaise au XIXe siècle, éd. Presses du développement, 33p.

FUMA S., 1985
L'abolition de l'esclavage à La Réunion : de l'homme objet à l'homme rejeté, Université de la Réunion, Saint-Denis, 25p.

FUMA S., 1987
« Mutations sociales et économiques dans une île à sucre : La Réunion au XIXe siècle », Thèse de doctorat d'Histoire, Univ. d'Aix-en-Provence, 1345p.

FUMA S., 1989
Une Colonie Ile à sucre, l'économie de La Réunion au XIXe siècle, Océan Éditions, 413p.

FUMA S., 1992
L'Esclavagisme à La Réunion, 1794-1848, L'Harmattan-Université de La Réunion, 191p.

FUMA S., 1992
Le Moring, art guerrier, ses origines afro-malgaches, sa pratique à La Réunion,

publication du Centre de Documentation et de Recherche de l'Université de La Réunion, 54p.

FUMA S., 1998
La mémoire du nom ou le nom image de l'homme : l'histoire des noms réunionnais d'hier à aujourd'hui à partir des registres spéciaux d'affranchis de 1848, 2t., 1573p.

FUMA S., 1998
Esclavage et abolitions dans l'océan Indien 1723-1860, Actes du colloque, Université de la Réunion, 4-8 décembre 1998.

FUMA S., 2001
Un exemple d'impérialisme économique dans une colonie française au XIXe siècle. L'île de La Réunion et la société du Crédit Colonial, L'Harmattan.

FUMA S., 2001
«« Le servilisme » : statut des travailleurs immigrés ou affranchis dans les colonies françaises au XIXe siècle », *Tarehi* n°4.

FUMA S. (dir), 2004
Mémoire orale et esclavage dans les îles du sud-ouest de l'océan Indien : silences, oublis, reconnaissance, Actes du colloque international organisé du 25 au 27 mai 2004, Univ. de La Réunion/UNESCO.

FUMA Sudel, 2010
« La diaspora indienne dans l'histoire des îles et pays de l'océan Indien », Actes du colloque international organisé du 20 au 22 janvier 2010 par l'Université de Pondichéry et la Chaire UNESCO de l'Université de La Réunion, 2010.

FUMA S., MANDJAKAHERY B., 2006
Pharmacopée traditionnelle dans les îles du sud-ouest de l'océan Indien, Actes du colloque international organisé du 10 au 13 décembre 2005.

FUMA S., POIRIER J., 1998
« La mémoire de l'esclavage, de l'ethno-histoire à l'anthropologie pour de nouveaux concepts » in *Esclavage et abolitions dans l'océan Indien 1723-1860*, colloque du 4-8 décembre 1998, p.21-22.

GAGNEUR D., 2000
« L'abolition de l'esclavage comme expédient des débuts difficiles de la colonisation à Madagascar », *Cahiers des Anneaux de la mémoire*, 318p.

GEFFRAY C., 1985
« La condition servile en pays makhuwa », in *Cahiers d'Etudes africaines*, Vol. 25, n°100.

GERBEAU H., 1998
« Les esclaves noirs pour une histoire du silence. 1848-1998 », Océan éditions, 195p.

GERBEAU H., 2000
« De la traite dans l'océan Indien à l'engagisme : les anticipations d'un gouverneur de Bourbon au début du XIXe siècle », *Cahiers de Anneaux de la Mémoire* n°2, pp.39-60.

GERBEAU H., SAUVAGERA E., 1995
« La dernière traite. Fragments d'histoire en hommage à Serge Daget ». *Revue française d'histoire d'outre-mer*, volume 82 , n° 306 pp.91-93

GERBEAU H., VANQUET C., 1972
« Bibliographie des études récentes et des travaux en cours sur l'histoire des Mascareignes et des Seychelles », *Cahiers du Centre universitaire de La Réunion*, n°1 et 2, p.28-53 et 65-87.

GRAY J., 1962-1975
Histiory of Zanzibar from the midle ages to 1856, Greenwood Press, 314p.

KI-ZERBO J., 1978
Histoire de l'Afrique noire, d'hier à demain, Hatier.

KI-ZERBO J. et NIANE D. T. (dir), 1991
Histoire générale de l'Afrique. IV. L'Afrique du XIIe au XVIe siècle, Comité scientifique international pour la rédaction d'une histoire générale de l'Afrique, Abrégée, Présence Africaine/Edicef/Unesco.

LAM A. M., 2006
La vallée du Nil, berceau de l'unité culturelle de l'Afrique noire, KHEPERA P.U. DE DAKAR.

LAROCHE B., 1851
Histoire de l'abolition de l'esclavage dans les colonies françaises : première partie, l'île de La Réunion, Paris, Firmin Didot.

LE COUR GRANDMAISON C., CROZON A., 1998,
Zanzibar aujourd'hui, coll. «Hommes et Sociétés», Karthala, p.49.

LEGUEN M., 1979
Histoire de l'île de La Réunion, L'Harmattan.

LIVE Y. S., 1988
Musique traditionnelle de l'océan Indien - Discographie Comores, Centre de documentation africaine (radiothèques n°4).

LIVE Y. S., 2006
Instruments de musique commune aux îles de l'océan Indien, Madagascar, Maurice, La Réunion, Seychelles et Comores, Azalée Editions, 61p.

MAESTRI E., 1994
Les îles du sud-ouest de l'océan Indien et la France de 1815 à nos jours, Université de La Réunion, L'Harmattan.

MEDARD H., DERAT M. L., VERNET T. et BALLARIN M. P., 1983
Traites et esclavages en Afrique orientale et dans l'océan Indien, Karthala.

NATIVEL D. et RAJAONAH V. F. (dir),
Madagascar et l'Afrique. Entre identité insulaire et appartenances historiques, Karthala, 2007.

NOUFFLARD Ch. et PIOLET J.-B., 1900
L'empire colonial de la France, La Réunion, Mayotte, les Comores, Djibouti, Firmin-Didot (Paris), 220p.

OUMAR KANE Seydou, 1992
« Les relations maritimes et commerciales de Nantes avec l'océan Indien de 1825 à 1884 », Thèse de doctorat d'histoire économique et sociale, 2 tomes.

PAULME D., 1980
Les civilisations africaines, PUF, coll. Que sais-je ? (7e édition)

PETRE-GRENOUILLEAU O., 1997
La traite des Noirs, PUF, coll. «Que sais-je ?», 128p.

RADIMILAHY C. et RAJAONARIMANANA N., 2010
Civilisations des mondes insulaires (Madagascar, îles du canal de Mozambique, Mascareignes, Polynésie, Guyane), Karthala.
RAKOTO I., 2001
La route des esclaves. Système servile et traite dans l'est malgache, L'Harmattan.
RANTOANDRO G. A., 2007
« Makoa et Masombika à Madagascar au XIXᵉ siècle. Introduction à leur histoire » in Nativel D. et Rajaonah V.F. (dir), 2007.
RENAULT F., DAGET S., 1985
Les traites négrières en Afrique, Karthala.
ROLAND O., ATMORE A., 1970
L'Afrique depuis 1800, PUF.
SAUVAGET, A., 1998
« La relation de Melet du voyage de La Haye aux Indes orientales », *Études océan Indien* N°25-26.
VAXELAIRE D., 2004
Chasseur de noirs, coll. « Autour du monde », Orphie.
WANQUET C. (dir.), 1989
Fragments pour une histoire des économies de plantation à La Réunion, Publications UR.
YOU A., 1931
Madagascar, colonie française 1896-1930, Société d'édition Géo. Maritimes et Coloniales.

Bibliographie Comores

ABOUBACAR A., 1982
« L'histoire d'Angazija (habarana Angazija) », *Études océan Indien* n°1, pp.5-10.
AHMED-CHAMANGA M. et GUEUNIER N. J., 1979
«La chronique swahilie de Saïd Bakari (1898), (texte swahili transcrit et traduction française d'après le manuscrit de la bibliothèque municipale de St-Maur)», in R. P. SACLEUX, *Dictionnaire comorien-français et français-comorien*, SELAF pp.621-57.
AINOUDINE S., 1998
Anjouan. Histoire d'une crise foncière, L'Harmattan.
AINOUDINE S., 1998
« L'esclavage aux Comores, son fonctionnement de la période arabe à 1904 », p.89-114, in *Esclavage et abolitions dans l'océan Indien 1723-1860*, L'Harmattan, Université de La Réunion.
AINOUDINE S., 2001
« L'esclavage dans le système de plantation coloniale aux Comores au XIXᵉ siècle » in *La route des esclaves, système servile et traite dans l'est malgache*, L'Harmattan.
AINOUDINE S., 2002

« Quand la terre devient source de conflit à Ngazidja , *Ya Mkobe* n°8-9 pp.7-23.

AINOUDINE S., 2002

« Tableau de l'île comorienne d'Anjouan (Ndzuani) dans les années soixante », *Revue des Mascareignes* n°4.

ALI ABDALLAH F., 2009

« Les engagés comoriens à La Réunion dans la première moitié du XXᵉ siècle : pratiques sociales et religieuses ». Mém. master II, Univ. La Réunion.

ALI TABIBOU I., 1985

« Les aspects sociaux à travers l'histoire des Comores jusqu'à 1912 », mém. de maîtrise, Paris XIII.

ALI TABIBOU I., 2006

« Les Makua à la Grande-Comore », *Kashkazi* n°22, jeudi 5 janvier 2006.

ALLAOUI M., 1991

« Anjouan, l'insurrection de 1891 », Mémoire E.H.E.S.S. Paris.

ALLIBERT Cl., 1984

Mayotte, plaque tournante et microcosme de l'océan Indien occidental. Son histoire avant 1841, Anthropos.

ALLIBERT Cl., 1985-1986

« Les contacts entre l'Arabie, le Golfe Persique, l'Afrique orientale et Madagascar », in *L'Arabie et ses mers bordières*, Travaux de La Maison de l'Orient, pp.111-126.

ALLIBERT Cl., 1987

« Le site de Dembeni, Mayotte, Archipel des Comores », *Bulletin de l'Asie du sud-est et du monde insulindien* n°18.

ALLIBERT Cl., 1988

« Une description turque de l'océan Indien occidental dans le Kitab-i Bahrije de Piri Re'is (1521) », *Etudes océan Indien* n°10, pp. 9-52.

ALLIBERT Cl., 1990

« Textes anciens sur la côte est de l'Afrique et l'océan Indien occidental », *Documents pédagogiques, Travaux et Documents n° 8*, CEROI.

ALLIBERT Cl., 1990-1991

« Peuplement et population de Mayotte à travers les âges ». *Annuaire des Pays de l'Océan Indien* n°12, CERSOI-GRECO, pp.49-60.

ALLIBERT Cl., 2002

« L'interdépendance de l'archéologie et de l'anthropologie culturelle dans l'océan Indien occidental. L'exemple de Mayotte », *Études océan Indien*, n°33 pp.11-31.

ALLIBERT Cl., 2008

« Austronesian Migration and the Establishment of the Malagasy Civilization : Contrasted Readings in Linguistics, Archaeology, Genetics and Cultural Anthropology », Diogenes n°55, pp.7-16.

ALLIBERT Cl., M. AHMED-CHAMANGA et G. BOULINIER, 1960

«Texte, traduction et interprétation du manuscrit de Chingoni (Mayotte)», A.S.E.M.I., VII, 4, pp.25-60.

ALLIBERT Cl., ARGANT A. et ARGANT J., 1983

« Le site de Bagamoyo (Mayotte, archipel des Comores) », *Études océan Indien*, 2, INALCO, pp.2-40.

ALLIBERT Cl., ARGANT A. et ARGANT J., 1989
« Le site de Dembeni (Mayotte) », *Etudes océan Indien*, INALCO, n°11, pp.63-172.

ALLIBERT Cl. et VERIN P., 1993
« Les Comores et Madagascar : le premier peuplement », *Archeologia* n°290, mai 1993, pp.64-72.

ALLIBERT Cl. et VERIN P., 1996
« The early Pre-Islamic History of the Comoros Islands : Links with Madagascar and Africa », in Reade, J. (ed), *The Indian ocean in Antiquity*, Kengan Paul, pp.461-470.

ALPERS, 2001
« Un rapport complexe : Mozambique et les îles Comores aux 19ᵉ et 20ᵉ siècles », *Cahiers d'Études Africaines* n°161, pp.73-96.

ATTOUMANI N., 2006
Les Aventures d'un adolescent mahorais, L'Harmattan.

ATTOUMANI N., 2001
Le calvaire des baobabs, L'Harmattan.

ATUYA S.,
La corvée à l'époque coloniale, Mémoire de fin d'études ENES
Auguste AVICE, 2000
«Le déclin des domaines coloniaux : un récit de vie», *Archives orales*, cahiers n°11, éd. du Baobab.

BENSIGNOR F., 1998
« Musiques des Comores », *Hommes & Migrations* n°1215.

BLANCHY S., 1990
La vie quotidienne à Mayotte, L'Harmattan.

BLANCHY S., 1992
« Famille et parenté dans l'archipel des Comores », in *Journal des Africanistes*, tome 62, fascicule 1, pp.7-53.

BLANCHY S., 1996
« Le partage des bœufs dans les rituels sociaux du grand mariage à Ngazidja (Comores) », *Journal des Africanistes* n° 66 pp.169-203.

BLANCHY S., 1999
« Les Mahorais et leurs terres. Autonomie, identité et politique », *Droit et culture* n°37.

BLANCHY S., 2000
« Les Darwesh aux Comores (île de Ngazidja). Systèmes de valeurs et stratégie : de l'idéal islamique à la réalité sociale », in C. ALLIBERT et RAJAONARIMANANA N. (dir.), *L'extraordinaire et le quotidien. Variations anthropologiques, Hommage au Professeur Pierre Vérin*, Karthala, pp.217-241.

BLANCHY S., 2004
« Cité, citoyenneté et territoire à Ngazidja (Comores) », *Journal des Africanistes* n° 74 (1-2) pp.341-381.

BLANCHY S., 2005

« Esclavage et commensalité à Ngazidja, Comores », E.H.E.S.S., *Cahiers d'Etudes africaines*, n°179-180, pp.905-934

BLANCHY S., 2007
- La Grande-Comore en 1898. Photos d'Henri Pobéguin, Komédit, 104p.

BLANCHY S., 2009
« Images coloniales de la société comorienne. Les raisons d'une méconnaissance durable », in Norbert Dodille (éd.), *Idées et représentations coloniales dans l'Océan indien*, Presses Universitaires Paris-Sorbonne, pp 211-246.

BOULINIER G., 1978
« Recherche récente sur l'Archipel des Comores (publication 1974-1977) », *Asie du sud-est et Monde Insulaire*, in Bulletin du Centre de Documentation et de Recherche (CEDRASEM), 1978 (vol. IX, n°1-2), p.99-108.

BOURDE André, 1970,
«Un comorien aventureux au XIXè siècle, l'extraordinaire voyage du prince Aboudou dans la Méditerranée et l'Océan Indien», Paris-EPHE-Sevpen, pp. 265-290. 6e colloque international d'histoire maritime, Venise, sept. 1962.

BOURHANE A., 2005
«La grotte de Hamampundru et le rituel associé : étude critique du film (île d'Anjouan, Comores)», mémoire de DEA d'Etudes africaines, INALCO.

BOUVET H., 1985
« Les problèmes de formation aux Comores », *Études océan Indien* n°5, INALCO.

BRESLAR Jon, 1979
L'habitat mahorais, Éditions A.G.G.

CHAMOUSSIDINE M., 2002
Comores : l'enclos ou une existence en dérive, Komédit.

CHANFI A., 2002
Ngoma et mission islamique (Da'wa) aux Comores et en Afrique orientale. Une approche anthropologique, L'Harmattan, 261p.

CHANUDET C.,
« Mohéli et les Comores dans le sud-ouest de l'océan Indien », *Travaux et Documents,* 11, série histoire, CEROI.

CHANUDET C., VERIN P., 1983
« Une reconnaissance archéologique de Mohéli », *Etudes océan Indien* n°2, pp.41-58.

CHARPENTIER J., 1975
« La question comorienne », CHEAM.

CHEREL J., 2006
« Esclavage, traite cachée et mémoire à Mayotte », *Cahiers des Anneaux de la Mémoire*, 9, Karthala.

CHOUZOUR S., 1994
Le Pouvoir de l'honneur : tradition et contestation en Grande-Comore, L'Harmattan.

CLOCKERS A., 2003
« Les sources documentaires des Comores. Approche méthodologique en vue de l'établissement d'une bibliographie générale des Comores ». Mém. DEA

en histoire, Univ. de La Réunion, dir. Ivan Combeau.

COLLECTIF, 1997
Histoires des îles - Ha'Ngazidja, Hi'Ndzou'ani, Maïota et Mwali, Djahazi.

LE COUR GRANDMAISON C., CROZON A., 1998
Zanzibar aujourd'hui, Collection «Hommes et Sociétés», Karthala.

DAGET S., 1997
La répression de la traite des Noirs au XIXe siècle. L'action des croisières françaises sur les côtes occidentales de l'Afrique (1817-1850), Karthala.

DAMIR B. A., 1981
« Musique et société dans l'archipel des Comores ». Mém. de l'E.H.E.S.S.

DAMIR B. A., 1984
« Organisation sociale et politique des Comores avant le XVe siècle », *Yamkobe* n°1, pp.25-30.

DAMIR B. A., 2001-2002
« Métissage culturel et spécificité culturelle aux Comores ». *Annuaire des pays de l'océan Indien*, XVII.

DAMIR B. A., 2011
« Le grand mariage, évènement primordial du *shungu* ou *âda* », in *Ya Mkobe* n°18-19, pp.11-43.

DAMIR B. A., BOULINIER G., OTTINO P., 1985
Traditions d'une lignée royale des Comores. L'Inya fwambaya de Ngazidja, L'Harmattan, 191p.

DARKAOUI A., 2002
« Le *balolo* ou Une tribune libre pour les femmes », *Tarehi* n°5.

DECARY R., 1957
« Un voyage aux Comores il y a un siècle et demi, voyage aux îles d'Anjouan et de Mozambique », *Revue de Madagascar* n°31, pp.47-56.

DESCHAMPS H., 1951,
Madagascar, Comores, terres australes. Berger-Levrault.

DIDIERJEAN M., 2013
Les engagés des plantations de Mayotte et des Comores (1845-1945), L'Harmattan, série Histoire de l'océan Indien, 300p.

DONQUE G., 1970
« L'archipel des Comores », *Revue Française d'Études Politiques africaines* n°60.

DU PLANTIER, 1901
La Grande-Comore : sa colonisation.

FAUREC U., 1937
« Voyage aux îles Comores», *Revue de Madagascar* n°19, juillet 1937.

FERRAND G., 1891-1902
Les musulmans à Madagascar et aux îles Comores, Éd E. Leroux.

FILLIOT J. M., 1974
La traite des esclaves vers les Mascareignes au XVIIIe siècle.

FLOBERT Th., *Evolution juridique et socio-politique de l'Archipel des Comores*, p.262-263.

FONTAINE G., 1995

Mayotte, Karthala.

GAMERAY L., 1980

« Révolte à bord d'un négrier en 1806 », *Histoire magazine* n°6, pp.71-77.

GEVREY A., 1870

Essai sur les Comores, Pondichéry, 1870, 314p.

GIRARDIN M., ALLIBERT C., VERIN P., CLOCKERS A., 1992

« Bibliographie des Comores, sciences humaines 1984-1991 », *Travaux et documents* n°19, INALCO, AUPOI.

GOU A. M., 2000

Monument de la Civilisation Islamique aux Comores, ISESCO.

GOU A. M., 2004

«Archéologie de l'esclavage aux Comores» in *Mémoire orale et esclavage dans les îles du sud-ouest de l'océan Indien : silences, oublis, reconnaissance*, Actes du colloque international à l'Université de La Réunion.

GUEUNIER N. J., 1977

« Le conte de la princesse faite esclave et de l'esclave faite princesse, Versions malgaches de Mayotte, betsileo, sakalava du Menabe et Masikoro, dans Tsiokantino », *Vent du Sud* n°3-4.

GUEUNIER N. J. (dir), 2002

« Tradition orale à Madagascar et aux Comores », *Études océan Indien* n°32.

GUEUNIER N. J., 2003

« Documents sur la langue Makhuwa à Madagascar et aux Comores (fin XIXᵉ siècle-début XXᵉ siècle) avec lexique du makhuwa de Madagascar et des Comores » in *Études Océan Indien* n°35-36, CEROI-INALCO, pp.149-223.

GUEBOURG J.L., 1993

La Grande-Comore, des sultans aux mercenaires, L'Harmattan.

HASSANI-EL-BARWANE M., 2010

Le système foncier comorien de 1841 à 1975, thèse univ. de la Réunion.

HEBERT J. C., 1984

« Documents sur les razzias malgaches aux îles Comores et sur la côte orientale africaine 1790-1820 », *Revue de Madagascar* n°23.

IBRAHIMA M.,

Histoire de l'enseignement aux Comores 1854-1994, Centre de documentation pédagogique de La Réunion.

IBRAHIME M., 1997

Etat français et colons aux Comores (1912-1946), Paris, L'Harmattan, coll. « archipel des Comores », 160p.

IBRAHIME M., 2000

La naissance de l'élite politique comorienne (1945-1975), L'Harmattan, coll. « archipel des Comores », 204p.

IBRAHIME M., 2004

IBRAHIME M., 2008-2015,

Saïd Mohamed Cheikh (1904-1970). Parcours d'un conservateur. Une histoire des Comores au XXe siècle, Coelacanthe, 290p.

IBRAHIME M., 2015

Saïd Mohamed Cheikh. Un notable comorien au Palais Bourbon (1945-1961), Cœlacanthe, 162p.

INSA A., 2009
« 1848 : abolition de l'esclavage à Mayotte » mém. Univ. de la Réunion

JOUAN H., 1883
« Les îles Comores », Imprimerie Officielle, Duthilloeuil, 51p.

LEGUEVEL DE LACOMBE, 1831
Voyage à Madagascar et aux Comores de 1823 à 1830.

LISZKOWSKI H. D., 2000
Mayotte et les Comores, escales sur la route des Indes aux XVᵉ et XVIIIᵉ siècles, éd. du Baobab, collection Mémoires, 415p.

MANICCACI, 1939
L'archipel des Comores. Etudes démographiques, Tananarive, Imprimerie nationale, 109p.

MANICCACI A., 1947
« 90 années de colonisation de Mayotte », *Revue de Madagascar n°26.*

MANICCACI A., 1947
« L'archipel des Comores », in *Encyclopédie Coloniale et Maritime*, Edition de l'Empire français.

MANICCACI A., 1939
« Les incursions malgaches aux Comores», *Revue de Madagascar*, n°26, avril 1939, Tananarive.

MANTOUX T., 1974
« Notes socio-économiques sur l'archipel des Comores », *Revue française d'études politiques*, avril 1974.

MARTIN J., 1968
« Les notions de clans dans nobles et notables. Leur impact dans la vie politique comorienne d'aujourd'hui », *L'Afrique et l'Asie*, n°81-82, pp.39-63.

MARTIN J., 1973
« Les débuts du protectorat et la révolte servile de 1891 dans l'île d'Anjouan », in *La Revue française d'histoire d'outre-mer*, n°218, pp. 45-85.

MARTIN J., 1976
« L'affranchissement des esclaves de Mayotte, décembre 1846-juillet 1847 », *Cahiers d'Etudes africaines* XVI, 1-2 pp. 207-233.

MARTIN J., 1983a
Comores, quatre îles entre pirates et planteurs (2 vol.), L'Harmattan.

MARTIN J., 1983b
« Grande-Comore 1915 et Anjouan 1940 : étude comparative de deux soulèvements populaires aux Comores », Études océan Indien n°3 : 69-100

MARTINEAU A., 1930-1934
« Les Comores ». *Histoire des colonies françaises et de l'expansion de la France dans le monde*, t.4, Société de l'Histoire Nationale.

MATHIEU M., 1995
Un mzungu aux Comores, journal 1945-1948, De mémoire d'homme.

MOLET-SAUVAGET, 1994
« Documents anciens sur les îles Comores (1591-1810) », INALCO-CE-

ROI, *Travaux et Documents* n°28.

MOUSLIMOU H., 2014

« Les danses traditionnelles mahoraises à La Réunion et à Mayotte de 1983 à nos jours. Approche d'une étude comparative », Mém. master d'histoire, Univ. La Réunion.

MOUSSA S.A., 1986

« Souvenirs d'un vieux marchand indien des Comores, Les relations historiques et culturelles entre la France et l'Inde XVIIe-XXe siècles », AHIOI, pp 107-117.

MOUSSA S.A., 2000

Guerriers, Princes et Poètes aux Comores dans la littérature orale, L'Harmattan.

MOUSSA Saïd A., IBOUROI Ali Tabibou, 2009

Les crises sociopolitiques en Union des Comores et leurs conséquences sur la cohésion sociale et le développement humain, Moroni, avril 2009

MOUTALLIER A., 1974

« Le trafic commercial des îles Comores à l'époque précoloniale », mém. maîtrise d'histoire, Paris VIII Vincennes.

MSA A.,

Comores 1975-2000, un espoir déçu, ed. de l'officine.

MSAIDIE S. et alii, 2010

« Genetic diversity on the Comoros Islands shows early seafaring as major determinant of human biocultural evolution in the Western Indian ocean », publié sur internet en août 2010.

MZE A., 1984

« L'insurrection de 1902 à Mwali », *Ya Mkobe* n°2, pp.24-29.

NEWITT M., 1983

« The Comoro Islands in Indian Ocean Trade before the 19th Century », *Cahiers d'Etudes africaines*, vol. 23, Cahier 89/90, pp.139-165.

NEWITT M., 1984

The Comoro islands : Struggle against dependency in the Indian Ocean, Boulder/Londres, Westview Press/Gower.

REPIQUET, 1901

Le sultanat d'Anjouan, Paris, Challamel, 1901.

ROBINEAU Cl., 1966

« L'islam aux Comores. Une étude d'histoire culturelle de l'île d'Anjouan », *Revue de Madagascar* n°35.

ROBINEAU Cl., 1967

Société et économie d'Anjouan (océan Indien), ORSTOM.

ROBINEAU Cl., 2000

Les îles mystérieuses : paysans et problèmes de sociétés paysannes : Comores, Congo, Madagascar et Polynésie, Paillard.

ROCHMANN M. C. (dir.), 2000

Esclavage et abolitions. Mémoires et système de représentation, Actes du colloque international de l'Univ. Paul Valéry, Montpellier III, du 13 au 15 novembre 1998, Karthala.

SAÏD A.,

« La corvée à l'époque coloniale en Grande-Comore ». Mém. de fin d'études ENES, Moroni.

SAÏD M., 2009
Foncier et société aux Comores. Le temps des refondations, Karthala.

SALEH A., 1981
« Danses traditionnelles des Comores », in *Bulletin des Etudes africaines*, INALCO, 1981

SALESSE Y., 1995
Mayotte, illusion de la France, proposition d'une décolonisation, L'Harmattan.

SAUGERA E., 1998
La traite des Noirs en 30 questions, Geste Éditions.

SERVIABLE M., 1999
La part donnée, l'après-esclavage dans les îles de la mer des Indes. Comores, Madagascar, Maurice, Réunion, Seychelles, éd. ARS Terres Créoles, coll. Indigotier.

SOIBAHADDINE I., 1980
« En quel sens faut-il transformer l'éducation aux Comores ? Essai de réflexion sur l'échec de l'enseignement ancien et moderne en milieu rural mahorais ». Thèse de doctorat en Sciences de l'éducation. 2tomes, Univ. Bordeaux II.

SOUDJAY SOYMATA O., 2012
« Rapport sur les travaux dangereux exercés par les enfants aux Comores », BIT. Programme international pour l'Elimination du Travail des Enfants-IPEC.

TOIHIRI M., 1992
Le kafir du Karthala, L'Harmattan.

TOIBIBOU A. M., 2008
La transmission de l'islam aux Comores (1933-2000). Le cas de la ville de Mbeni (Grande-Comore), L'Harmattan.

VERIN P., 1972
«Histoire ancienne du nord-ouest de Madagascar», Université de Madagascar, *Taloha* n°5, numéro spécial.

VERIN P., 1982
« L'introduction de l'islam aux Comores selon les traditions orales », *Paideuma* n°28, pp.192-199.

VERIN P., 1983
« Mtswa Muyindza et l'introduction de l'Islam à Ngazidja. Au sujet de la tradition et du texte de Pechmarty », *Études océan Indien* n°2 pp.95-100.

VERIN P., 1989
« Les séquelles de l'esclavage aux Comores et à Madagascar. 150 ans après la première abolition dans l'océan Indien » in *Slavery in South West Indian Ocean*, Mahatma Gandhi Institute, Maurice, pp.349-354.

VERIN P., 1994
Les Comores. Karthala, Paris, France.

VERIN P. & SALEH A., 1982
« Une chronique comorienne inconnue : Le texte d'Abdel Ghafur Jumbe Fumu », *Études océan Indien* n°1 pp.55-108.

VERNET T., 2002
« Les Cités-Etats swahilies et la puissance omanaise », *Journal des Africa-*

nistes n°72 (2), pp.89-110.

VERNET T., 2006

« Les réseaux de traite de l'Afrique orientale: côte swahili, Comores et nord-ouest de Madagascar (vers 1500-1750) ». *Cahiers des Anneaux de la Mémoire, Les Anneaux de la Mémoire* n°9, pp. 67-107.

VIENNE E., 1900

« Notice sur Mayotte et les Comores. Exposition universelle de 1900, Colonies, Pays de Protectorats ».

VILLARD P., 1971

« Les antiquités de la Grande-Comore », *Taloha* n°4, pp.169-184.

Iain Walker in *Ya Mkobe* n°6-7, 2000, pp.19-23.

WALKER I., 2002

- « Les aspects économiques du grand mariage de Ngazidja (Comores) », Presses de Sciences Po, *Autre part* 2002/3 n°23, p.157 à 171.

WALKER I., 2009

Comores : guide culturel, Komédit.

Table des matières

Dépôt légal : avril 2019   N° imprimeur : 041962865

Imprimé en France par Présence Graphique - Monts.